10	11	12	13	14	15	16	17	18
								₂He 4.0 ヘリウム
			₅B 11 ホウ素	₆C 12 炭素	₇N 14 窒素	₈O 16 酸素	₉F 19 フッ素	₁₀Ne 20 ネオン
			₁₃Al 27 アルミニウム	₁₄Si 28 ケイ素	₁₅P 31 リン	₁₆S 32 硫黄	₁₇Cl 35.5 塩素	₁₈Ar 40 アルゴン
₂₈Ni 59 ニッケル	₂₉Cu 63.5 銅	₃₀Zn 65.4 亜鉛	₃₁Ga 70 ガリウム	₃₂Ge 73 ゲルマニウム	₃₃As 75 ヒ素	₃₄Se 79 セレン	₃₅Br 80 臭素	₃₆Kr 84 クリプトン
₄₆Pd 106 パラジウム	₄₇Ag 108 銀	₄₈Cd 112 カドミウム	₄₉In 115 インジウム	₅₀Sn 119 スズ	₅₁Sb 122 アンチモン	₅₂Te 128 テルル	₅₃I 127 ヨウ素	₅₄Xe 131 キセノン
₇₈Pt 195 白金	₇₉Au 197 金	₈₀Hg 201 水銀	₈₁Tl 204 タリウム	₈₂Pb 207 鉛	₈₃Bi 209 ビスマス	₈₄Po (210) ポロニウム	₈₅At (210) アスタチン	₈₆Rn (222) ラドン
₁₁₀Ds (281) ダームスタチウム	₁₁₁Rg (280) レントゲニウム	₁₁₂Cn (285) コペルニシウム						

ハロゲン 希ガス

（注）計算問題で原子量が必要な場合は，上の周期表の値を用いること．

理論化学①
CONTENTS

- 本書の見方 …………………………………………… 2
- 授業のはじめに ……………………………………… 4
- 化学を学ぶ3つの目的 ……………………………… 6

第1講　原子の構造・周期表 ……………… 7
- 単元1　原子の構造　基/Ⅰ ……………………… 8
- 単元2　周期表　基/Ⅰ …………………………… 22

第2講　元素の性質・化学結合 …………… 35
- 単元1　元素の性質　基/ⅠⅡ …………………… 36
- 単元2　化学結合　基/ⅠⅡ ……………………… 47

第3講　結晶の種類・分子の極性 ………… 63
- 単元1　結晶とは何か？　基/ⅠⅡ ……………… 64
- 単元2　分子の極性　基/ⅠⅡ …………………… 78
- 単元3　分子間にはたらく力　基/Ⅱ …………… 86

第4講　化学量・化学反応式 ……………… 89
- 単元1　化学量　基/Ⅰ …………………………… 90
- 単元2　化学反応式と物質量　基/Ⅰ …………… 95
- 単元3　化学反応式の表す意味　基/Ⅰ ………… 98
- 単元4　結晶格子　化/Ⅱ ………………………… 106

第5講　溶液⑴・固体の溶解度 …………… 117
- 単元1　溶液の濃度　基/Ⅰ ……………………… 118
- 単元2　固体の溶解度　基/Ⅱ …………………… 124

第6講　酸と塩基 …………………………… 129
- 単元1　酸・塩基　基/Ⅰ ………………………… 130
- 単元2　水素イオン濃度とpH　基/Ⅰ ………… 134
- 単元3　中和反応と塩　基/Ⅰ …………………… 136
- 単元4　指示薬と中和滴定　基/Ⅰ ……………… 138

第7講	酸化還元	155	年 月 日
単元1	酸化還元 基/I	156	
単元2	酸化剤, 還元剤の半反応式 基/I	162	
単元3	イオン反応式と化学反応式 基/I	167	

第8講	電池・電気分解	171	年 月 日
単元1	電池 化/I	172	
単元2	電気分解 化/I	186	

第9講	熱化学	193	年 月 日
単元1	熱化学 化/I	194	
単元2	ヘスの法則と反応熱の計算 化/I	199	
単元3	結合エネルギー 化/II	206	

第10講	気体	211	年 月 日
単元1	気体の法則 化/II	212	
単元2	理想気体と実在気体 化/II	224	

第11講	蒸気圧・気体の溶解度	229	年 月 日
単元1	蒸気圧 化/II	230	
単元2	気体の溶解度 化/II	239	

第12講	溶液(2)・コロイド	247	年 月 日
単元1	蒸気圧降下と沸点上昇 化/II	248	
単元2	凝固点降下 化/II	254	
単元3	浸透圧 化/II	257	
単元4	コロイド 化/II	262	

特別演習問題 ……………………………………………… 272
「岡野流 必須ポイント」,「要点のまとめ」INDEX ……… 278
「演習問題で力をつける」INDEX …………………………… 280
索　　引 ………………………………………………………… 281
アドバイス ……………………………………………………… 286
最重要化学公式一覧 ……………………………………………… 288

※単元にある記号は次のように対応しています。
　新課程：基…化学基礎, 化…化学　　　旧課程：I…化学I, II…化学II
　化 は化学基礎の発展問題を含みます。

本書の見方

　本書では12の講義で「理論化学」の基本から大学入試の標準レベルまでを学んでいきます。各講は，複数の単元にわかれています。また，演習問題と例題が34あり，知識を定着することができます。わかりやすく，ていねいな授業なので，化学が苦手な人も確実に力をつけることができます。

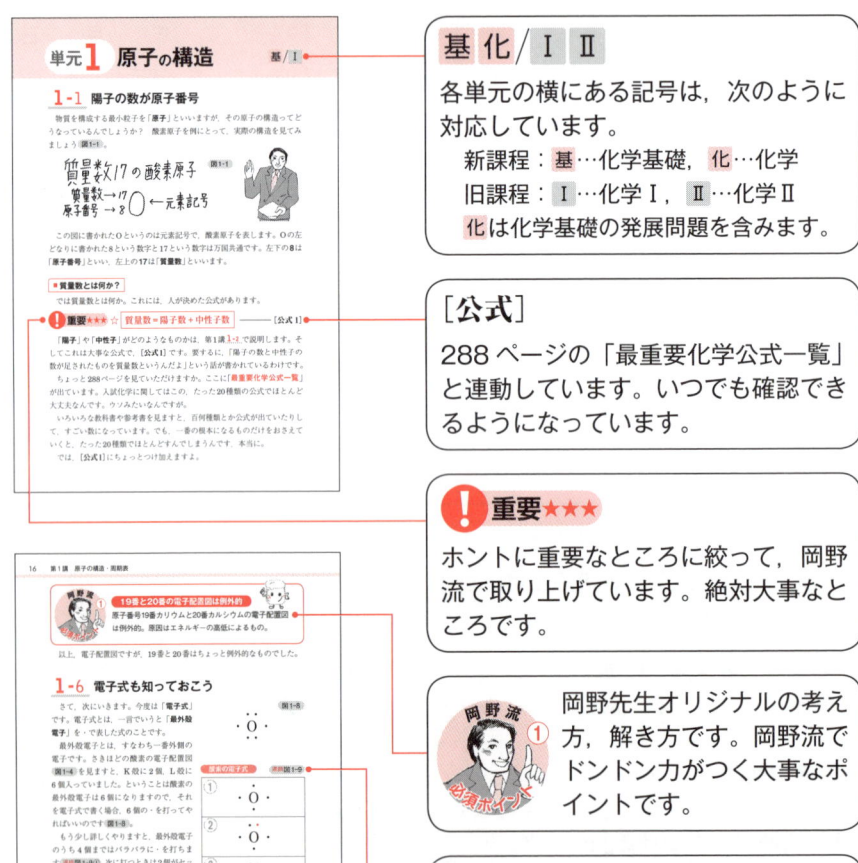

基 化／Ⅰ Ⅱ
各単元の横にある記号は，次のように対応しています。
　新課程：基…化学基礎，化…化学
　旧課程：Ⅰ…化学Ⅰ，Ⅱ…化学Ⅱ
　化は化学基礎の発展問題を含みます。

［公式］
288ページの「最重要化学公式一覧」と連動しています。いつでも確認できるようになっています。

重要★★★
ホントに重要なところに絞って，岡野流で取り上げています。絶対大事なところです。

岡野流
岡野先生オリジナルの考え方，解き方です。岡野流でドンドン力がつく大事なポイントです。

連続図
化学の現象をわかりやすく連続的に表した図です。図を番号順に追うことで，イメージをつかむことができます。

要点のまとめ

各単元の要点がシンプルにまとまっています。ここを見ることで要点がしっかり確認できます。

イメージで記憶しよう！

化学の現象をイメージで記憶する秘伝の技です。

演習問題で力をつける

学んだことを演習で、確認することができます。岡野流のポイントが満載です。

岡野の着目ポイント

問題を解くうえで、着目するべきポイントが書いてあります。

岡野のこう解く

問題を要領よく解くための解法が書いてあります。

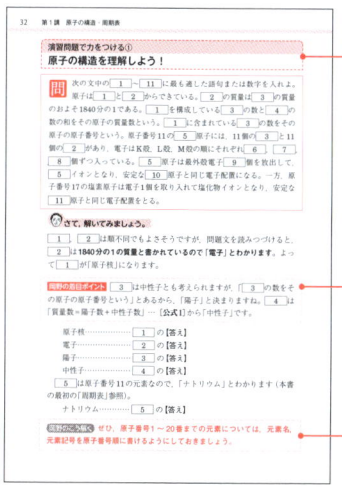

授業のはじめに

化学の学習は「バランスよく」が大事

　高校の化学は「理論化学」,「無機化学」,「有機化学」の3分野から成り立っています。「理論化学」は計算が主な分野です。一方,「無機化学」と「有機化学」は理解して覚える内容が多い分野です。

　「無機化学」は炭素原子を含まない物質を扱った内容であり,「有機化学」は炭素原子を含む化合物を扱った内容です。

　化学を学習するときは,これら3分野をバランスよく勉強することで,入試の合格点である60〜70点(センター試験であれば80〜90点)を目指していきます。きちんと整理しながら理解し,頭の中に入れていけば,化学がどんどん面白くなってくることでしょう。

わかりやすい授業

　本書は,化学が苦手な人でも,初歩からしっかり学べるよう,講義形式で,ていねいに解説しています。文系・理系を問わず,受験生はもちろん,高1,2年生のみなさんの「なぜ」「どうして」という疑問に,できるだけお答えしていけるように執筆しました。

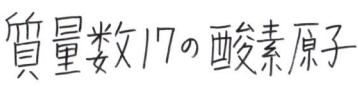

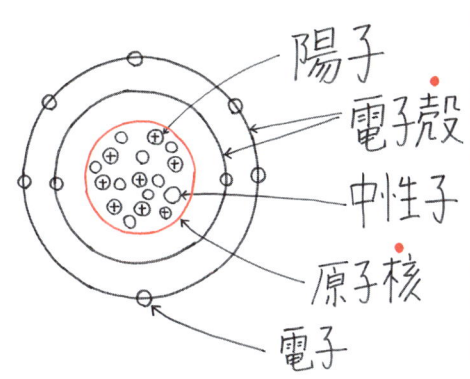

　はじめまして，私が化学の岡野です。この授業は，化学が苦手な方でも，次第に力がついてきますから，どうぞがんばってついてきていただきたいと思います。

本書「理論化学①」の特徴

　「理論化学」とは主に計算を扱った分野です。そのなかでも本書「理論化学①」では，「基本」から「大学入試の標準レベル」までを身につけることができます。取り上げる内容は，原子の構造，元素の性質，分子の極性から始まり，物質量，気体，溶液，酸・塩基，熱化学，酸化・還元，電池，電気分解です。これらの単元はただ暗記していけばいいという分野ではありません。根本から理解し，量的な関係をつかむことが大切です。それによって，幅広い応用問題にも対応していけるのです。

化学を学ぶ3つの目的

　ところで，みなさんはなぜ化学を学びますか？　私は，化学には主に3つの目的があると思います。

目的その1…1つ目は「物質の中身を調べること」です。例えば，水は水素と酸素という原子からできているとか，食塩はナトリウムイオンと塩化物イオンからできているとかを調べることです（名称がよくわからないという方！　これから勉強していくので大丈夫ですよ）。あるいは汚染された河川の水質を調べることも，目的の1つです。

目的その2…2つ目は「物質がどのような反応を起こすかを調べたり，予測したりすること」です。過酸化水素水に酸化マンガン（Ⅳ）（Ⅳの意味は75ページを参照してください）を加えると水と酸素を生じることとか，毎日の煮炊きに使うプロパンガスが燃えると，二酸化炭素と水を生じることとかを調べたり，予測したりすることです。後者の反応は実際に実験しなくても，実は予測ができるのです。

目的その3…3つ目は「量的な関係を計算により予測すること」です。例えばプロパンガス44gを燃やしてすべて反応し終えたとき，酸素が160g使われ，二酸化炭素は132g，水は72gを生じることが計算できます。このような予測も目的の1つなんですね。

　いかがでしたか？　化学の目的というものが少しでもおわかりいただけましたか？　化学の目的がわかれば，化学を学ぶ意味が見えてきますね。

　あせったり，不安にならなくても大丈夫です。では早速，やってまいりましょう。第1講は，「原子の構造・周期表」というところです。さあ，私といっしょに，最後までがんばっていきましょう。

　なお本書の執筆では，大坪 譲・吉澤 早織の両氏に，編集作業では渡邉悦司氏に終始お世話になりました。感謝の意を表します。

2013年4月吉日　　　　　　　　　　　　　　　　　　岡野雅司

第1講

原子の構造・周期表

単元 1 原子の構造 基/Ⅰ

単元 2 周期表 基/Ⅰ

第1講のポイント

第1講は「原子の構造・周期表」というところです。

自然界に存在する物質の最小単位,「原子」とはどういうものか? 言葉の意味を正確に理解し,特徴をつかみましょう。

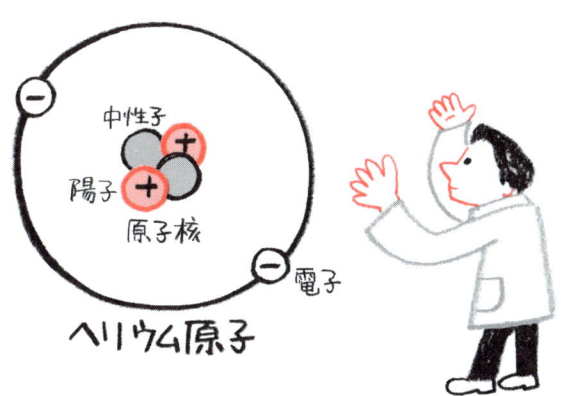

単元 1　原子の構造　　基/Ⅰ

1-1　陽子の数が原子番号

物質を構成する最小粒子を「**原子**」といいますが，その原子の構造ってどうなっているんでしょうか？　酸素原子を例にとって，実際の構造を見てみましょう　図1-1　。

図1-1

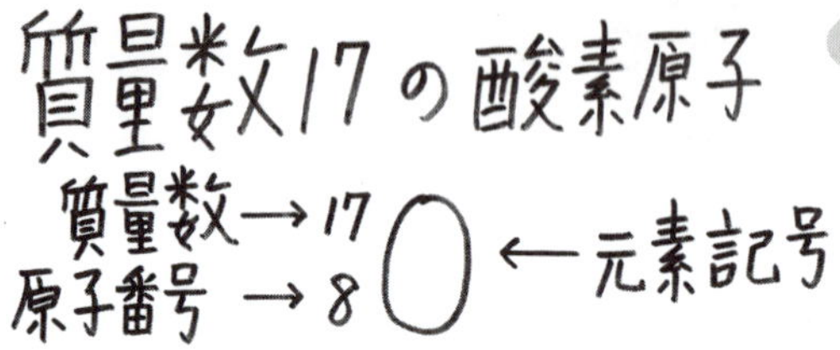

質量数17の酸素原子
質量数 → 17
原子番号 → 8　O　← 元素記号

この図に書かれた O というのは元素記号で，酸素原子を表します。O の左どなりに書かれた **8** という数字と **17** という数字は万国共通です。左下の **8** は「**原子番号**」といい，左上の **17** は「**質量数**」といいます。

■質量数とは何か？

では質量数とは何か。これには，人が決めた公式があります。

! 重要★★★ ☆　**質量数 ＝ 陽子数 ＋ 中性子数** ────── [公式1]

「**陽子**」や「**中性子**」がどのようなものかは，第1講 **1-2** で説明します。そしてこれは大事な公式で，[**公式1**]です。要するに，「陽子の数と中性子の数が足されたものを質量数というんだよ」という話が書かれているわけです。

ちょっと 288 ページを見ていただけますか。ここに「**最重要化学公式一覧**」が出ています。入試化学に関してはこの，たった 20 種類の公式でほとんど大丈夫なんです。ウソみたいなんですが。

いろいろな教科書や参考書を見ますと，百何種類とか公式が出ていたりして，すごい数になっています。でも，一番の根本になるものだけをおさえていくと，たった 20 種類でほとんどすんでしまうんです，本当に。

では，[**公式1**]にちょっとつけ加えますよ。

質量数＝陽子数＋中性子数 ――――［公式1］
　　　　　‖
　　　　原子番号

「原子番号」と「陽子数」は常にイコールです。原子番号とは，すなわち陽子の数を表しているんです。

つまりもう一度 図1-1 に戻っていただきますと，8と書いてあるのが酸素原子の原子番号であり，酸素原子には陽子の数が8個入っているということを表しているわけです。

1-2 酸素原子の構造を探れ！

■陽子と中性子

図1-2 を見てください。質量数17の酸素原子の図が出ています。見ていただきますと，「陽子」とか「中性子」とか，それぞれの名前が出ています。もちろんわかっておられると思いますが，陽子と言わずに，ヨウシと読みます（笑）。陽子は，この⊕印ですね。つまり陽子とはプラスの電荷をもった粒子のことなんです。同時に何もついてない○印は電気的に中性な粒子であり，中性子といっています。

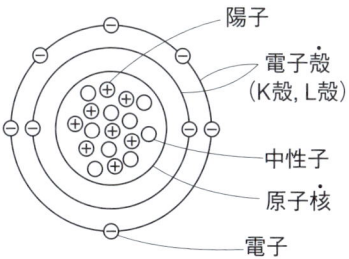

質量数17の酸素原子　　図1-2

陽子
電子殻
(K殻, L殻)
中性子
原子核
電子

この陽子と中性子，⊕とただの○を含んだ全体のことを「**原子核**」というんです。

■電子

今度は，原子核の外側を見ていただきますと，⊖で表された「**電子**」が，陽子と同じ数だけ回っています。電子とはマイナスの電荷をもった粒子です。この電子の回っている部分を「**電子殻**」といいます。原子核の「**核**」はこちらの字だけれど，電子殻の「**殻**」は「から」という字であることを，どうぞ理解しておいてください。そして電子の回り方ですが，一番内側の電子殻に2つの電子が回っています。次の電子殻に6個入っていて，合わせて8個の電子が外側を回っている。この電子殻には一番内側から**K殻**，**L殻**という名前が

ついています。
　今の言葉，**陽子**，**中性子**，**原子核**，**電子**，**電子殻**，これらの名前をいつでも言えて，それからどんなものだったかということが，とりあえずわかるようにしておいてください。

1-3　図の意味を正しくとらえる

　ちょっと補足しますと，図1-2 では⊕が8つありますが，酸素は原子番号が8だから陽子の数が8つなんです。それから，○（中性子）が9個入っています。
　なぜ9個になったか？　これは質量数から考えます。質量数が17で，陽子の数は8個だから，[公式1]より中性子の数をxとおくと，

$$質量数 = 陽子数 + 中性子数$$
$$(原子番号)$$
$$17 = 8 + x \quad \therefore x = 9$$

　だから中性子の数が9個なんです。図1-2 は，数的にはちゃんと理論どおり正しく書いてあるんです。センター試験などにはよく，中性子数を求めさせる問題が出題されます。公式にいちいち代入するのも大変なので，慣れてきたら，図1-1 の**上（質量数）から下（原子番号）を引いた数が中性子数**なんだと知っておくと便利です。

■ ぐるぐる回る電子

　図1-2 に戻りますと，マイナスの電荷を帯びた電子が内側の電子殻に2個，外側に6個入っています。電子は実際は，すごい勢いで回転しています。電子どうしが近づくと離れて，再び近づくとまた離れるという感じで，電子殻をぐるぐる回っています。マイナスとマイナスが反発するから，くっつくことはありません。だけど，僕らの目から見たときに，均一に書いてあったほうがわかりやすいから，図1-2 は左右対称に書いてあるのです。どこから書き始めるかですが，特に決まりはありません。では，ここまでをまとめておきましょう。

単元1 要点のまとめ①

●原子の構造

原子…物質を構成している基本的な最小粒子をいう。自然界のすべてのものは，現時点で112種類の，もうこれ以上分けることができない「原子」とよばれる粒子からできている。

元素…元素は原子の種類を表す名称である。

原子は，中心に正電荷をもつ**原子核**があり，その周りを負電荷をもつ**電子**が回っている。原子核は，正電荷をもつ**陽子**と，電荷をもたない**中性子**からなる。

$$\text{原子}\begin{cases}\text{原子核}\begin{cases}\text{陽子}……\text{正電荷をもつ}\\\text{中性子}…\text{電気的に中性}\end{cases}\text{質量はほぼ等しい}\\\text{電子}…\text{負電荷をもち，質量は陽子，中性子の}\dfrac{1}{1840}\end{cases}$$

原子番号＝陽子数（＝※電子数）

※原子は普通電気的に中性だから，プラスと同数のマイナスが存在して中性を保っているが，イオンになっているときには，電子数は等しくならないので注意しよう。

☆ **質量数＝陽子数＋中性子数** ───── ［公式1］

1-4 電子殻に収容される電子

さきほども見たように，電子は，電子殻に収容され，原子核に近い内側の電子殻から順に**K殻**，**L殻**，**M殻**，**N殻**……という名前がついています。それぞれの電子殻に最大収容できる電子数は決まっていて，K殻には2個，L殻には8個，M殻には18個，N殻には32個の電子が収容できます。これはどういうことかといいますと，

！重要★★★ $\text{最大電子数}=2n^2$

これが関係しているんです。

では、ちょっと見てみましょうか。**最大電子数＝$2n^2$**。この式を覚えておくと、「最大何個電子が入りますか？」といったときに、おわかりいただけるわけです。n は内側から何番目の電子殻かを表します。すなわち、K殻というのは最も内側で、原子核に一番近いところだから、K殻のときは $n=1$、$2×1^2$ で2です。だからK殻には2個ですよ。

それからL殻のとき、このときは $n=2$、内側から2番目ね。$2×2^2$ で8なんですね。以下同様に考えて、

となります。

> ### 単元 1 要点のまとめ②
>
> ●電子殻と最大電子数
>
> 電子は**電子殻**に収容され、原子核に近い内側の電子殻から順にK殻、L殻、M殻、N殻……という。それぞれの電子殻に最大収容できる電子数は決まっており、K殻には**2個**、L殻には**8個**、M殻には**18個**、N殻には**32個**の電子が収容できる（最大電子数＝**$2n^2$**、n はKでは1、Lでは2、Mでは3、Nでは4と決める）。

1-5 電子配置図を書こう！

さて、図1-2 では原子の構造をそのまま書きましたが、こうやっていちいち○を使ってプラスとかマイナスとかと書いていくのは大変ですね。それ

で，もう少し簡略した書き方を紹介します。それが**電子配置図**なんです。

例として原子番号8番の酸素（$_8$O）と，19番のカリウム（$_{19}$K）それぞれの電子配置図を書いてみます 図1-3 。

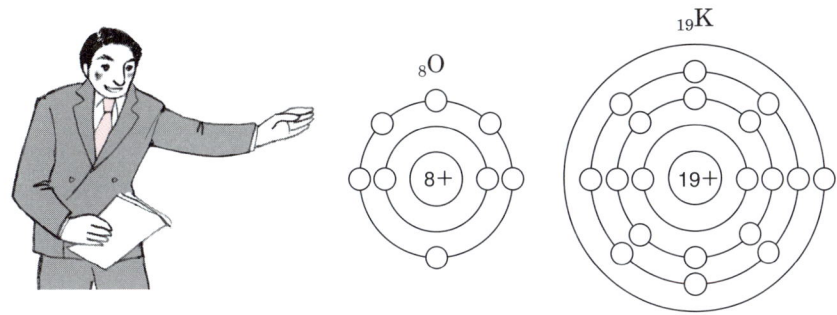

酸素とカリウムの電子配置図　図1-3

■ 酸素の電子配置図を書いてみよう

酸素の電子配置図に8＋と書いてあるでしょう。これは陽子⊕が8個という意味です。中性子はどこへ行っちゃったのか？ 中性子はこういう電子配置図の中には一切書かないんです。陽子の数だけを書けば，その電子配置図はわかるから簡略化したんです。

本の一番最初を見てください。「**元素の周期表**」というのがありますが，ここに載っている元素は112あります。だから112番目のものは， 図1-2 のように書くと，プラスの電荷をもったものを112個書かなくてはいけなくなってしまいます。大変ですよね。それで，もうちょっと簡略化した書き方をしようということなんです。

そこで陽子の8個分をもうちょっと簡単に書けば8＋となる 連続図1-4① 。

そして，まずはK殻に2個電子が入ります 連続図1-4② 。

そのあとL殻に6個ですから，6つ，左右対称に書けばよろしいわけです 連続図1-4③ 。

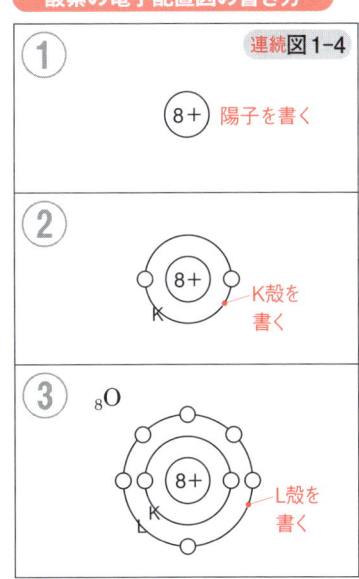

中性子に関しては数を入れる必要はない。陽子の数と電子の数を入れればいいわけです。

要するに，図1-2 のような**原子の構造を簡略化して書いたものを電子配置図**という言い方をしているんだ，ということです。

ここまでよろしいですか？

■ カリウムの電子配置図はエネルギーの高低に注意！

では，次にいきます。

19番のカリウムの電子配置図を考えてみましょう。何で $_{19}K$ なのかというと，要するに陽子の数が1個ずつ増えていくにつれ，1番から2番，3番，4番と原子番号も増えていき，19番目にちょうどカリウムというのがあるわけです。元素名の覚え方は後でまたやりますが，**1番から20番までのものはぜひ書けるようにしておいていただきたい。**

そうすると19＋ですね。

つまりプラスの電荷をもった陽子が19個あります 連続図1-5①。それに対して電子は，まずK殻に2個，L殻に8個入ります 連続図1-5②。これで10個です。ここまではいいですね。

次はM殻に何個入るかというと，「2個と8個で10個だから，あと9個入ればいいじゃないか，9個入れちゃおう」とすると，ちょっとそれが間違いになるわけです。この場合M殻には8個までしか入らないんです。「いや，おかしいぞ。第1講 **1-4** でM殻は18個まで入るといったじゃないか」と，おっしゃるかもしれません。にもかかわらずなぜ8個しか入らないのか？

理由をいう前に，実際にはどうなっているかというと，N殻にもう1個入っているという状態が，カリウム原子の構造なんです 連続図1-5③。ですから，矛盾を感じるで

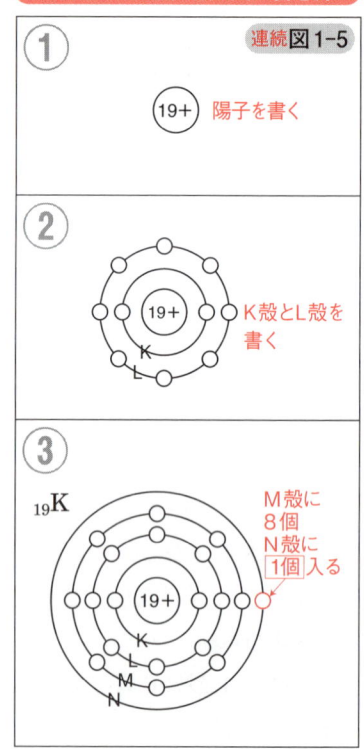

カリウムの電子配置図の書き方

連続図1-5

① 陽子を書く

② K殻とL殻を書く

③ M殻に8個 N殻に1個入る

しょう。「M殻は18個まで入るはずなのに，なぜ8個で止まっちゃうんだ？9個目の電子が入ってもいいじゃないか！」これはなぜかと申しますと，電子はエネルギーの低いところから優先的に入っていこうとするからです。いきなりエネルギーの高いところには入っていけないんですよ。

例えば，滝の水は必ず高いところから低いところに流れていきますよね。それと同じ話で，エネルギー的には低いところから最初に入っていこうとするんです。すなわち，**M殻の9個目に入るよりも，N殻の1個目に入るほうがエネルギー的に低い状態なんです**。

■ 20番カルシウム，21番スカンジウムの電子配置図はどうか？

では，20番のカルシウム（$_{20}$Ca）の場合，電子配置図はどうなるか？ **20個目の電子がどこに入ってくるかというと，やっぱりM殻の9個目よりも，N殻の2個目のほうが入りやすいんです**。実際，カルシウムは 図1-6 のようになって存在しています。

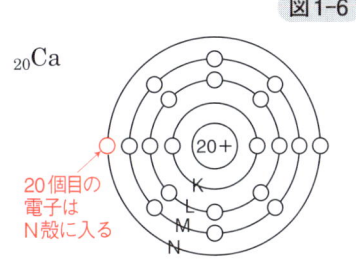

図1-6

入試では，20番までの電子配置は出題されるので，確認しておきましょう。

そして，21番目はスカンジウム（$_{21}$Sc）という元素です。21個目の電子がN殻の3個目に入るのか，またはM殻の9個目を埋めていくのか？ 今度は，M殻の9個目を埋めていくんです 図1-7 。

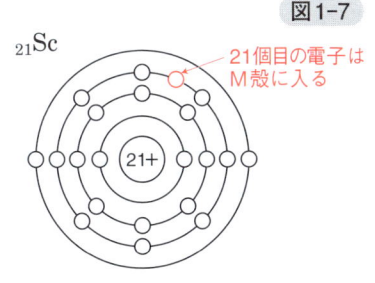

図1-7

ということで，おわかりいただけるようになってきたかと思うんですが，M殻の電子が18個まで入るという「単元1 要点のまとめ②」（→12ページ）の公式，**これは最大に入ったときです。電子殻に入る順番までは表していません。**

電子が外側の殻に入ったり，内側の殻に入ったりしながら，最大でM殻は18個まで入れることができますよ，という話なんです。

岡野流 必須ポイント ①　19番と20番の電子配置図は例外的

原子番号19番カリウムと20番カルシウムの電子配置図は例外的。原因はエネルギーの高低によるもの。

以上，電子配置図ですが，19番と20番はちょっと例外的なものでした。

1-6 電子式も知っておこう

さて，次にいきます。今度は「**電子式**」です。電子式とは，一言でいうと「**最外殻電子**」を・で表した式のことです。

最外殻電子とは，すなわち一番外側の電子です。さきほどの酸素の電子配置図 図1-4 を見ますと，K殻に2個，L殻に6個入っていました。ということは酸素の最外殻電子は6個になりますので，それを電子式で書く場合，6個の・を打ってやればいいのです 図1-8 。

図1-8

もう少し詳しくやりますと，最外殻電子のうち4個まではバラバラに・を打ちます 連続図1-9① 。次に打つときは2個がセットになるようにして，順次・を左右対称に書き入れます 連続図1-9②③ 。このとき2個セットになっていない電子を「**不対電子**」といいます。

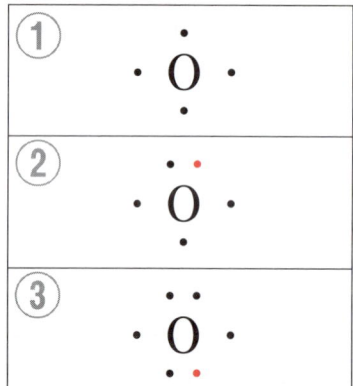

酸素の電子式　連続図1-9

もう1つ例をいいますと窒素は $_7$N ですね。そうすると，7 + だからK殻に2個入って，L殻には5個入ります。ですから，電子式は5個の・で書けばいいんです 連続図1-10①② 。窒素は「不対電子」が3個ありますね。では，まとめておきます。

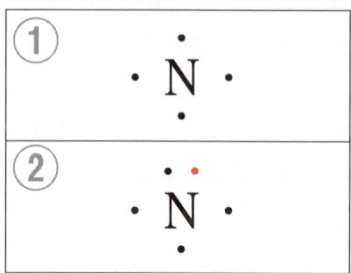

窒素の電子式　連続図1-10

単元1 要点のまとめ③

● **電子式**

電子式とは，最外殻電子を・で表した式。
例：$_8O$ は $\cdot \overset{\cdot}{\underset{\cdot}{O}} \cdot$，$_7N$ は $\cdot \overset{\cdot}{\underset{\cdot}{N}}$ と表す。

1-7 同位体と同素体を知ろう

次に「**同位体**」というものについて紹介します。言葉が似ていて，「**同素体**」というのがその次に出てきますので，注意してください。

■ 同位体

同位体は「アイソトープ」という言い方もします。

これは何かというと，原子番号（陽子数）が同じで，質量数が異なる原子を互いに同位体といいます。互いの化学的な性質はほとんど同じなんです。ただ，何が違うかというと，中性子の数が違うことによって，重い原子とか，軽い原子ができるんです。種類は同じなんだけれども，重めの原子，軽めの原子というのができてくる。それを互いに**同位体**というんです。

例を挙げます。

$$^{12}_{6}C \quad ^{13}_{6}C \; , \; ^{16}_{8}O \quad ^{17}_{8}O \quad ^{18}_{8}O$$

炭素の場合，$^{12}_{6}C$ と $^{13}_{6}C$，原子番号は6番で同じですよね。だけど12と13で質量数が違うわけです。

自然界における存在比としては，98.9％が $^{12}_{6}C$ で，わずか1.1％が $^{13}_{6}C$ なんです。炭素原子をランダムに100個取ってくるとするでしょう。そうすると，98.9個が $^{12}_{6}C$ で，あとのわずか1.1個が $^{13}_{6}C$ ということです。

酸素も同じです。$^{16}_{8}O$，$^{17}_{8}O$，$^{18}_{8}O$ とあって，一番多く存在しているのは酸素の $^{16}_{8}O$ です。$^{17}_{8}O$ や $^{18}_{8}O$ は，ほんのわずかしか入ってないんです。

■ 同素体

次に，**同位体**に対して，**同素体**というものを説明します。言葉を覚えてく

ださいね。よく引っかけられますので気をつけましょう。

同素体がどういうものかといいますと，1種類の元素からなる「**単体**」（→19ページで解説）で，構造が異なるため，性質が違う物質をいいます。**単体**というところが大事。

例を挙げていきます。例えばS（硫黄）ですが，3つの硫黄があるんですね。「**斜方硫黄**」，「**単斜硫黄**」，「**ゴム状硫黄**」です。これは軽めに知っておきましょう。

次にC（炭素）です。これはしっかり覚えておきましょう。「**ダイヤモンド**」と「**黒鉛（またはグラファイトという）**」です。

それから酸素です。これは「**酸素（O_2）**」と「**オゾン（O_3）**」です。オゾン層の破壊は環境問題になっていますね。あのオゾンです。

最後に，P（リン）ですが，これには「**赤リン**」，「**黄リン**」があります。どういう性質があるかということは，また無機化学分野で出てきます。

同素体については，

このように覚えてください。だから，**同素体といったらスコップがイメージできるように**ね。硫黄（S），炭素（C），酸素（O），リン（P）ですね。

■**同素体は単体であるのがポイント！**

ここでちょっと問題です。

「H_2OとH_2O_2は同素体であるか，ないか？」

これはよく聞かれます。H_2Oは水で，H_2O_2というのは過酸化水素といいます。さて，これらは互いに同素体ですか，それとも同素体じゃないですか？

答えは，H_2OとH_2O_2は同素体でない。

これ，なぜ違うか？　さきほど，「**単体**」というところが大事といったでしょう。これらは，単体じゃないんです。HとO，2種類の元素からできていて，こういうのは「**化合物**」といいます。繰り返します。**同素体は単体でなくちゃいけない**。では，同位体と同素体についてまとめます。

単元1 原子の構造

単元1 要点のまとめ④

●同位体（アイソトープ）

原子番号（陽子数）が同じで，質量数が異なる原子を互いに**同位体**という（化学的性質はほとんど同じで，中性子数が異なる原子）。

例：$^{12}_{6}C$　$^{13}_{6}C$，$^{16}_{8}O$　$^{17}_{8}O$　$^{18}_{8}O$

●同素体

同じ元素からなる**単体**で構造が異なるため性質が違う物質を**同素体**という。

例：**S**……斜方硫黄，単斜硫黄，ゴム状硫黄
　　C……ダイヤモンド，黒鉛（グラファイト）
　　O……酸素（O_2），オゾン（O_3）
　　P……赤リン，黄リン
　　　　　（S，C，O，Pと覚える）
　　　　　　ス　　コ　　ッ　　プ

※ H_2O と H_2O_2 は同素体でない。

1-8 物質を分類してみよう

■単体と化合物を確実に！

では「**単体**」と「**化合物**」という言葉も確実に覚えておきましょう。何となくうろ覚えというのは怖いです。確実に！いいですか。

単体，これは**1種類の元素からなる物質**をいいます。例えば，O_2，N_2，こういうのは酸素原子1種類，窒素原子1種類でしょう。また，銅は金属ですが，金属類はCu_2とかCu_3という書き方はなく，元素記号で表すという約束ですからCu。これらは全部1種類の元素だから単体です。

それに対して，**2種類以上の元素からなる物質を化合物**といいます。例えばH_2O（水）。これは水素と酸素の2種類。それからNH_3（アンモニア）は窒素と水素の2種類。$NaCl$（食塩，または塩化ナトリウム）は，ナトリウムと塩素の2種類です。3種類のものもあります。H_2SO_4（硫酸）は，水素，硫黄，酸素の3種類の元素からできている。こういうのももちろん化合物です。

■ 純物質と混合物の意味を知っておこう

さらには関連して,「**物質**」という言葉もおさえておきましょう。

物質には,「**純物質**(純粋な物質)」と「**混合物**」とがあります。入試で,「この中から混合物を選びなさい」とか,「純物質を選びなさい」とか聞かれることがありますので,その意味がわかるように説明しておきます。

純物質の中にはさらに何があるかというと,さきほど説明した単体と化合物があります。N_2, O_2 とか,1種類の元素からできている単体,あるいは H_2O, NH_3, $NaCl$ など,数種類の元素からなる化合物,これらは全部純物質です 図1-11。

図1-11

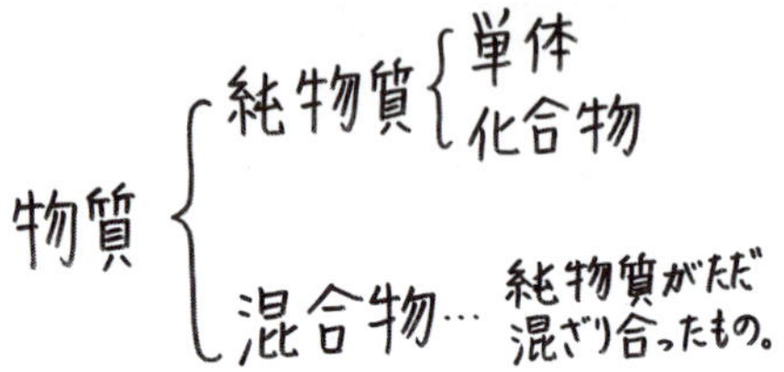

物質 { 純物質 { 単体 / 化合物 } 混合物… 純物質がただ混ざり合ったもの。

では混合物とは何か? これは純物質が(化学的に反応を起こして混ざったのではなくて),**ただ混ざり合ったものです。**

■ いろいろな混合物

例えば空気は,純物質である窒素 N_2 や酸素 O_2 などの混合物です。窒素は窒素の性質を残し,酸素は酸素の性質を残して,ただ混ざっているだけです。

海水,いわゆる塩水も混合物です。$NaCl$ と H_2O,これら純物質がただ混ざり合ったもの。

それからハンダというものがあります。ハンダは Sn(スズ)と Pb(鉛)の混合物です。

そして,試験には塩酸がよく出てきます。**塩酸というのは,水 H_2O と塩化水素 HCl の混合物なんです。**塩酸というと HCl だけだ,というふうに思っている方がいらっしゃるかもしれませんが,その水溶液が塩酸なんです。**HCl オンリーのものは塩化水素**という名前がついています。どちらも同じ HCl という化学式を使うので,間違えないように気をつけましょう。

物質には,純物質と混合物という2つがある。純物質は,さらに単体と化合物の2つに分けられ,混合物というのは,その純物質が化学変化を起こさずに,ただ混ざり合ったもの。「要点のまとめ⑤」(右ページ)を見れば,おわかりいただけるでしょう。

単元1 要点のまとめ⑤

●単体
1種類の元素からなる物質を**単体**という。
　例：O_2, N_2, Cu

●化合物
2種類以上の元素からなる物質を**化合物**という。
　例：H_2O, NH_3, $NaCl$

●物質
物質には**純物質**と**混合物**がある。

$$\text{物質}\begin{cases}\text{純物質}\cdots\begin{cases}\text{単体}\\ \text{化合物}\end{cases}\\ \text{混合物}\cdots\text{純物質がただ混ざり合ったもの}\end{cases}$$

　　　例：空気……N_2とO_2
　　　　　海水……$NaCl$とH_2O
　　　　　ハンダ…SnとPb
　　　　　塩酸……HClとH_2O

単元2 周期表　　基/I

単元2では、「周期表」について学んでいきます。
　周期表とは、元素を原子番号の順に並べたもので、**横の並びを「周期」**、縦の並びを「族」といいます。

2-1 周期表は原子番号順

　周期表は1869年、「**メンデレーエフ**」という人によって発表されました。メンデレーエフは、元素を**原子量の順**に並べると、性質の似た原子が周期的に現れることを発見し、周期表をつくりました（原子量については第4講で詳しく説明しますが、ここでは各原子の質量を相対的に表したものと、とらえておいてください）。ここで注意してほしいのは、メンデレーエフの時代の周期表は、原子量の順だったんです。ところが現在の周期表は、元素を**原子番号の順**に並べています。
　周期表が本の最初に載っているので、並びが原子量の順になっていないところを確認しておきましょう。原子番号の18番と19番を見てください。Ar（アルゴン）とK（カリウム）です。

$$_{18}\text{Ar} \quad _{19}\text{K}$$
$$40 \quad\quad 39$$

　このときに、Arの下に40と書いてありますが、この数字は原子量を表します。それで次のKの原子量は39と書いてあります。ですから、原子量の小さいものから大きいものへの順番ではありませんね。
　もう1箇所あります。52番Te（テルル）と53番I（ヨウ素）を見てください。

$$_{52}\text{Te} \quad _{53}\text{I}$$
$$128 \quad\quad 127$$

　52番のTeのほうが128というふうに大きい値になっていて、53番のIが127と、小さい値になっています。逆転しています。原子量の順に並べると、原子量の小さいものから順に並べますから、今の部分が逆になってしまいます。

しかし，今は原子番号の順に並んでいる。よって，この逆転しているところが，よく入試では聞かれます。

■ **4つの族の名前を覚えよう！**

では，もう少し詳しく見ていきましょう。下の「単元2　要点のまとめ①」の周期表を見てください。Hを除いた1族の中の「**アルカリ金属**」，Be，Mgを除いた2族の中の「**アルカリ土類金属**」，それから，17族の「**ハロゲン**」と18族の「**希ガス**」。この4つの族の名前は覚えてください。

よく，細かい参考書になると，酸素族とか窒素族とかいろいろなことが書いてある。でも，**この4つでいいので**，しっかりおさえておきましょう。

単元2 要点のまとめ①

● **周期表**

元素を**原子番号の順**に並べたもので，横の並びを周期，縦の並びを族という。

注：周期表は，1869年，**メンデレーエフ**により発表された。メンデレーエフは，元素を**原子量の順**に並べると，性質の似た原子が周期的に現れることを発見し，周期表をつくった。ただし**現在の周期表**は，元素を**原子番号の順**に並べ，その電子配置を考慮してつくられている。

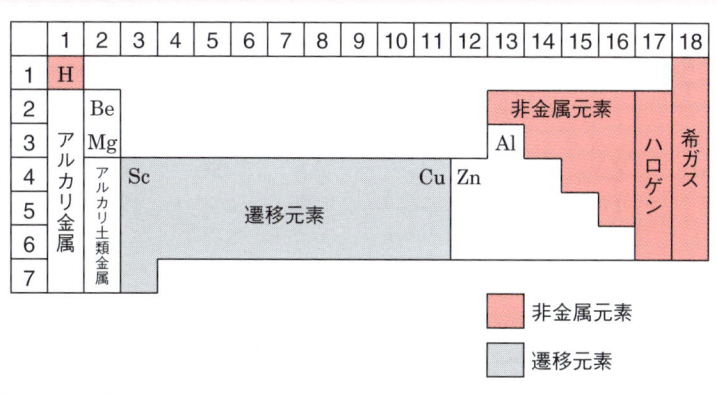

2-2 周期表の覚え方

原子番号1番から20番までの元素記号，元素名は原子番号の順に書けるようにしてください。その覚え方が下に書いてあります。
ぜひ覚えてください，お願いしますね。

単元 2 要点のまとめ②

● 周期表の覚え方

H 水素 水							**He** ヘリウム 兵
Li リチウム リーベ	**Be** ベリリウム	**B** ホウ素 ぼ	**C** 炭素 く	**N** 窒素 の	**O** 酸素 お	**F** フッ素 ふ	**Ne** ネオン ね
Na ナトリウム なー	**Mg** マグネシウム まが	**Al** アルミニウム ある	**Si** ケイ素 シッ	**P** リン プ	**S** 硫黄 ス	**Cl** 塩素 クラー	**Ar** アルゴン
K カリウム ク	**Ca** カルシウム カルシウム						
Sc スカンジウム スカンク	**Ti** チタン 千	**V** バナジウム 葉	**Cr** クロム の	**Mn** マンガン く	**Fe** 鉄 ま	**Co** コバルト 徹 子	**Ni** ニッケル に
Cu 銅 どう	**Zn** 亜鉛 会える	**Ga** ガリウム ガリガリ	**Ge** ゲルマニウム ギャル	**As** ヒ素 あっ	**Se** セレン せれば	**Br** 臭素 シュー	**Kr** クリプトン クリーム

「水兵リーベぼくのおふね」の「お」がポイントです。「ぼくのふね」にして「B，O，C」としちゃう人がいるんですよ。だからそれを防ぐために，「お (O)」がポイント。「なーまがあるシップスクラークカルシウム」と，続いていきます。
「リーベ」って，ドイツ語で「ライク」とか，「ラブ」のことなんですよ。「水兵」

は「好きです」、何を？「ぼくのおふね」を、その好きな船がどこかに航海に行っていて、戻ってくるにはまだ「間がある」。あと、「シップスクラークカルシウム」と、「船」と「クラーク博士」と「カルシウム」は、ゴロですよね。どんなやり方で覚えていただいてもいいんだけど、20番まではどうぞ覚えてください。

イメージで記憶しよう！

で、20番まででいいんですが、できればこのKr（クリプトン）の36番までを覚えられれば、怖いものナシです。

そこで21番のScから始まる覚え方ですが、「スカンク、千葉のくま、徹子にどう会える。ガリガリギャルあっせればシュークリーム」って、これも全部ゴロですね。

「スカンク」と「千葉のくま」はどのようにして(黒柳)徹子に会えるか。「ガリガリギャル」は勉強しすぎておなかがすいて「あせってシュークリーム」をほおばる。

こんな具合に、ぜひ自分なりにインパクトをつけて、ゴロと関連させて覚えてみてください。

イメージで記憶しよう！

2-3 典型元素と遷移元素

周期表の元素は大きく「**典型元素**」と「**遷移元素**」とに分類されます。23ページで色分けをしておいたので、参照してみてください。詳しくは無機化学分野のところで出てくるので、ここでは次ページの「単元2　要点のまとめ③」で確認しておきましょう。

単元2 要点のまとめ③

● **典型元素**
　1, 2, 12〜18族の元素をいう。同族元素の化学的性質は似ている。

● **遷移元素**
　3〜11族の元素をいう。最外殻電子数は族番号によらず2（または1）で、周期表との関連は、典型元素より複雑である。すべて金属元素で、同一周期の隣合った元素の性質が似ている。族としての類似性も、もちろんある。

　典型元素を1, 2, 12〜18族と覚えるのは大変でしょう。ですから、遷移元素のほうを覚えておけばいい。遷移元素か典型元素か、どっちかしかないんだから、**遷移元素の3〜11族という数字を覚えておいて、残りは全部典型元素**だと覚えればいいでしょう。

2-4 価電子数は希ガスに注意！

　それから「**価電子**」について説明します。価電子とは、化学結合に用いられる電子で、**18族以外の典型元素では最外殻電子（最も外側の殻にある電子）が価電子になります**。18族というのは希ガスです（23ページ参照）。だから、希ガス以外の典型元素では、価電子数＝最外殻電子数です。

■ 18族（希ガス）元素の価電子数はゼロ

　ではちなみに、18族のものはどうか？　**18族では価電子数をゼロと決めます**。例えば $_{10}$Ne（原子番号10番のネオン）の場合を見てください 図1-12 。K殻に2個入って、L殻に8個です。これ非常に安定した構造なんですけれど

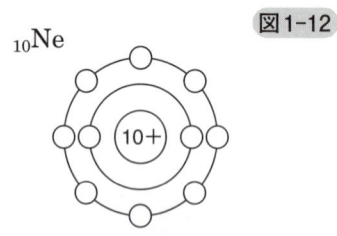

図1-12

も、「**最外殻電子数はいくつ？**」といったら、**8個**という言い方をします。最外殻、一番外側の電子は8個だから。では「**価電子数はいくつ？**」といわれたらどうなるかというと、8個といってはダメ。これは、**ゼロ**と決めたんです。おわかりいただけますね。

価電子というのは，要するに結合に関与する電子ということなんですね。この**希ガスの場合は**結合しないので，結合に関与する電子は**ゼロ**ですね。

もう1つ言っておきたいこととして，すべての元素で**周期の番号と電子殻の数が同じです**。第1周期とか，第2周期とかって，あれは電子殻の数なんです。例えば**第1周期なら，K殻1つしかないということ。第2周期というと，電子殻の数は2個，つまりK殻とL殻まであります**，ということです。第3周期ならば，さらにM殻まであります。第4周期になるとK，L，M，N殻までありますよ，という意味です。

単元2 要点のまとめ④

● **価電子**

化学結合に用いられる電子で，18族（希ガス）以外の典型元素では最外殻電子（最も外側の殻にある電子）が価電子になる。

・18族以外の典型元素では，**価電子数＝最外殻電子数**

・18族（希ガス）は価電子数を**0**と決める

例：

	$_8$O	$_{10}$Ne
最外殻電子数	6	8
価電子数	6	0

・すべての元素で，**周期の番号＝電子殻の数**

2-5 イオン式はこうつくろう！

「**イオン**」というのはよく聞かれる言葉ですけれども，一体どういう粒子なのかというと，電子を受け取ったり失ったりして，正負の電荷を帯びた原子のことをいいます。ですから，大きさとしては，ほぼ原子の大きさです。

じゃあ，そのイオンはどのような形で存在しているか，ちょっと見ていきましょう。

まずは原則からお話しします。**原子は，最外殻がK殻のときに電子が2個，それから最外殻がK殻以外のとき8個**入ると安定になります。そのような入り方をするところを調べてみますと，結局希ガスの電子配置と同じになります。希ガスの電子配置というのは，非常に安定な構造ですので，イオンができあがってくるときには，希ガスの電子配置になろうとして，できあがってくるわけです。

■ナトリウムイオン

例として，ナトリウムがナトリウムイオンになるときを見てみましょう。

Naというのは原子番号11番で，電子配置図をちょっと書いてみますと，K殻に2個，L殻に8個，あともう1個M殻に入って，合計11個です 連続図1-13①。

はい，今の話ですと，K殻が一番外側の電子殻になる場合には2個，その他の殻ですと8個入ると安定でした。

そこで，この最外殻電子が8個になる方法としては2通りあります。まず今，一番外側のM殻に1個入っていますから，あと7個電子が入って安定になる。あるいは，このM殻の1個が飛び出してしまうかです 連続図1-13②。

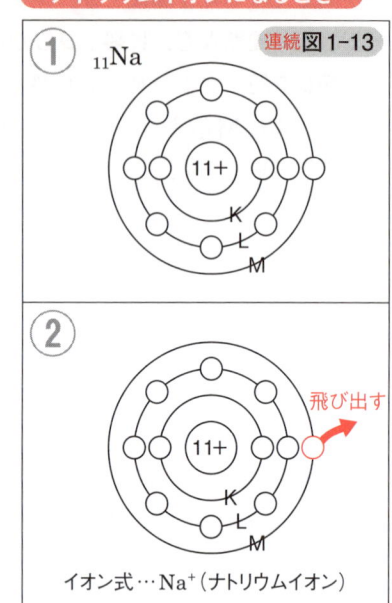

この1個の電子が飛び出していくと，もうM殻はなくなってしまい，最外殻はL殻になります。そしてL殻にはもうすでに8個ありますので，安定です。数の上から考えて，7個電子が内側に入ってくるよりも，1個飛び出していくほうが起こりやすいので，実際1個飛び出て，ナトリウムイオンになります。

それで，ナトリウムは陽子が11個です。ですから，プラスの電荷が11。一方，マイナスの電荷をもつ電子は，最初の11個から1個飛び出ていって，10個になりました。

プラスとマイナス，このひとつひとつの電荷の量は同じです。ただ，陽子のほうはプラスの電荷，電子のほうはマイナスの電荷というだけで，同じ量なんです。

そうすると，お互いに打ち消し合って，

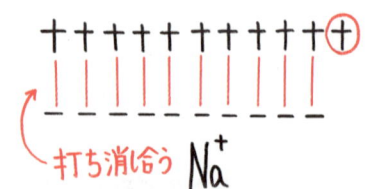

1個プラスが残る 図1-14。これをNa^+と表し，ナトリウムイオンとよぶわけです。このように元素記号の右上に電荷を書き加えたものを「**イオン式**」といいます。

■酸化物イオン

もう1つ，酸素に関して同様のことをやってみましょう。$_8$Oで陽子が8＋，電子はK殻に2個，L殻に6個入りまして，合計8個になりました 連続図1-15①。

さて，じゃあどういうふうにすれば安定な構造になるか？ これも2通りの方法があるでしょう。

1つは，最外殻のL殻の6個の電子が飛び出してしまう。そうするとK殻が一番外側になりますから，2個になって安定になるでしょう。

もう1つは，どこかから電子が2個入り込んでくることによって，L殻が8個になり安定する 連続図1-15②。実際こちらのほうが，前者より数的に起こりやすいので，このようになって安定化します。結局この構造というのは，希ガスである$_{10}$Neの電子配置と同じになります。よって，プラスが8個あって，マイナスが合計10個。マイナスが2個分だけ多くなりますから，O^{2-} 図1-16。

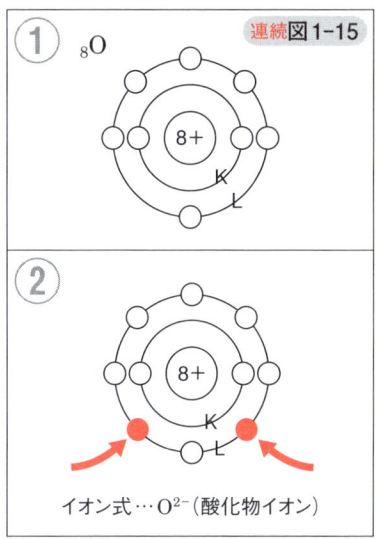

酸化物イオンはこうなる

連続図1-15

イオン式…O^{2-}（酸化物イオン）

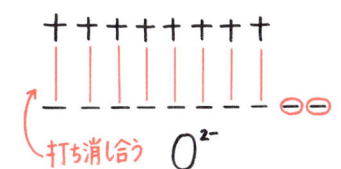

図1-16

これは酸素イオンとはいわず，酸化物イオンといいます。名前が変わるわけです。だからイオンの名前というのは，ただ元素名にイオンとつければいいというものではありません。

ここで本の最後を見ていただけますでしょうか。「イオンの価数の一覧」と書いてあって，イオンの名前がずっと羅列されています。

■知っているイオン式を増やそう

今のイオン式のつくり方で，**原子番号の1番から20番までのものは，おそらくみなさんも難なくつくれると思います**。それ以外の，例えばAg（銀）は原子番号が47番ですが，イオン式はAg$^+$。これは，はっきり言いまして，今の

やり方ではつくれません。だから**こういうのはもう覚えるしかない。Ag^+，Cu^{2+}，SO_4^{2-}などは，リスト（本の最後にある「イオンの価数の一覧表」）を見ながら，徐々に覚えていき，そして自分のわかっているイオン式の数を増やしていってください。**

■水素イオンは例外

そして，水素というのは原子番号1番ですが，水素イオンだけが例外です。

さっきの原則からいくと，K殻に2個入ると安定なので，電子が1個入ってH^-になるようなことを考えてしまいます。ところがこれだけは，電子1個が飛び出ていってH^+となり，より安定な状態になります 図1-17 。

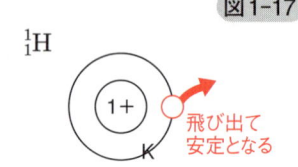

図1-17

イオン式…H^+（水素イオン）

■ $_1^1H$ は中性子がゼロに

$_1^1H$というのは，質量数，原子番号共に1ということです。質量数というのは，陽子の数と中性子の数を足したものでしたね。陽子の数は今1個ありますから，**質量数が1ということは，中性子の数がゼロということです。**普通の水素原子は，大部分この形で存在しています。たまに$_1^2H$という同位体がありますが，これは中性子の数1個を含みます。

でも大部分の水素原子は，電子が飛び出ていったら，（中性子はないのだから）陽子だけしか残らないわけです。要するに，この水素イオンH^+というのは**陽子**を表している。ですから，Hが電子1個をもらってH^-になるよりも，陽子であるH^+になったほうが，より安定だということです。おわかりいただけましたか？

いずれにしても，**水素イオンはH^+となり，H^-にはなりませんよ**，ということを**例外的に覚えておきましょう。**

■イオンをつくらない元素

原子番号1番から20番までにおいて，14族と18族にはイオンはありません。これはなぜでしょう？

まず18族というのは希ガスです。希ガスはもう，今が一番安定な状態ですから，原則としてイオンをつくらない。電子をもらってきたり，または電子が飛び出ていったりということを極力嫌がるわけです。

次に14族というのは炭素とかケイ素の列です。$_6$C（炭素）はどうなるかといいますと，図1-18 を見てください。

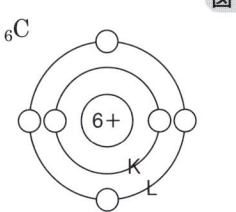

図1-18

炭素はイオンにならない！

要するにこれは，4個の電子がL殻から飛び出ていっても，K殻を2個にして安定になるし，4個の電子が入り込んできても，L殻を8個にして安定になります。

だから4個の電子が出ていこうとする力と，4個の電子を引っ張ってこようとする力が，ちょうどつり合ってはたらくというふうに考えてください。そういった理由で，14族の炭素とケイ素にイオンはありません。

周期表の14族の列には，もっと下のほうにSn（スズ）とかPb（鉛）とかがありますが，SnやPbにはイオンというのが存在します。ですから，今の話は，原子番号の1番から20番までのものであると，ご理解ください。

イオン式のつくり方は，丸暗記じゃなくて，できるだけ自分でつくれるようにしておくと，自然と覚えてしまいます。

単元2 要点のまとめ⑤

●イオン式のつくり方

電子を受け取ったり失ったりして，正負の電荷を帯びた原子をイオンという。

| 最外殻がK殻のとき | 2個 |
| 最外殻がK殻以外のとき | 8個 |

入ると安定になる。（希ガスの電子配置になるため）

ただし水素のみ例外でH$^-$とならずにH$^+$となる。また，原子番号1〜20番では14族と18族にはイオンはない。

では最後に，演習問題で確認しておきましょう。

演習問題で力をつける①
原子の構造を理解しよう！

問 次の文中の 1 ～ 11 に最も適した語句または数字を入れよ。
原子は 1 と 2 からできている。 2 の質量は 3 の質量のおよそ1840分の1である。 1 を構成している 3 の数と 4 の数の和をその原子の質量数という。 1 に含まれている 3 の数をその原子の原子番号という。原子番号11の 5 原子には，11個の 3 と11個の 2 があり，電子はK殻，L殻，M殻の順にそれぞれ 6 ， 7 ， 8 個ずつ入っている。 5 原子は最外殻電子 9 個を放出して， 5 イオンとなり，安定な 10 原子と同じ電子配置になる。一方，原子番号17の塩素原子は電子1個を取り入れて塩化物イオンとなり，安定な 11 原子と同じ電子配置をとる。

さて，解いてみましょう。

1 ， 2 は順不同でもよさそうですが，問題文を読みつづけると， 2 は**1840分の1の質量**と書かれているので「**電子**」とわかります。よって 1 が「**原子核**」になります。

岡野の着目ポイント 3 は中性子とも考えられますが，「 3 の数をその原子の原子番号という」とあるから，「**陽子**」と決まりますね。 4 は「**質量数＝陽子数＋中性子数**」… [**公式1**]から「**中性子**」です。

原子核………… 1 の【答え】
電子…………… 2 の【答え】
陽子…………… 3 の【答え】
中性子………… 4 の【答え】

5 は原子番号11の元素なので，「**ナトリウム**」とわかります（本書の最初の「周期表」参照）。

ナトリウム………… 5 の【答え】

岡野のこう解く ぜひ，原子番号1～20番までの元素については，**元素名，元素記号を原子番号順に書けるようにしておきましょう**。

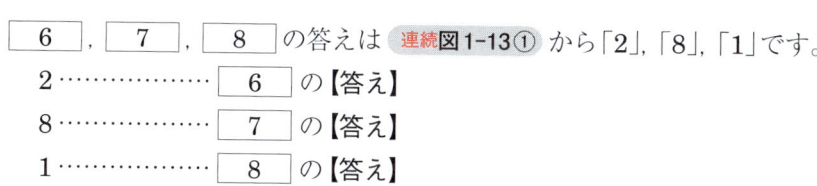

| 6 |, | 7 |, | 8 | の答えは 連続図1-13① から「2」,「8」,「1」です。

2 …………… | 6 | の【答え】
8 …………… | 7 | の【答え】
1 …………… | 8 | の【答え】

ナトリウム原子は 図1-19 のように，電子1個を放出して，安定なナトリウムイオンになります。よって， | 9 | の答えは「1」です。

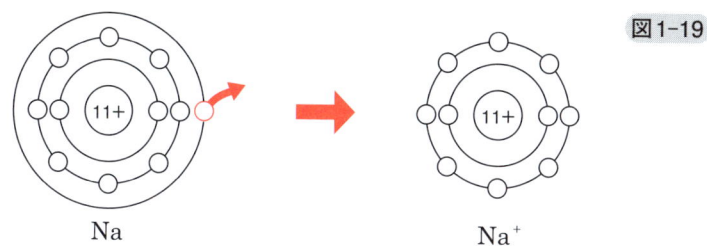

図1-19

| 10 | はナトリウムイオンと同じ電子配置になる原子なので， 図1-20 のように「ネオン」と同じですね。

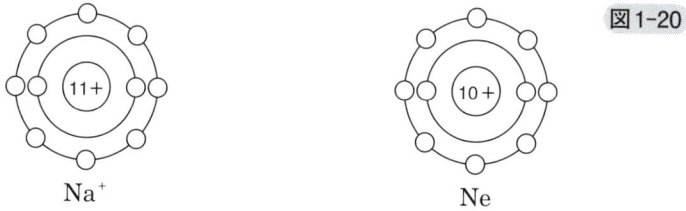

図1-20

つづいて 図1-21 を見てください。 | 11 | は塩化物イオンと同じ電子配置になる原子です。すなわち「アルゴン」です。

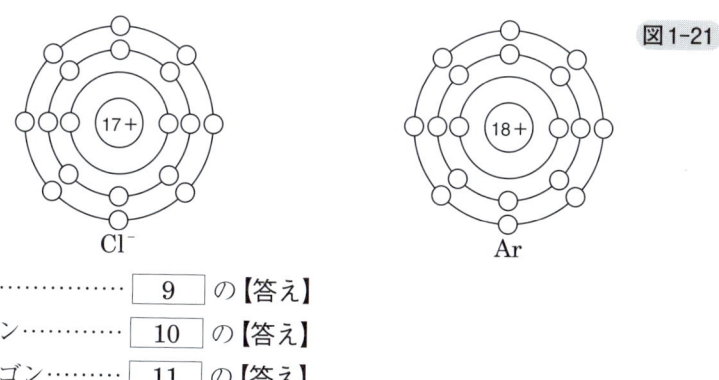

図1-21

1 …………… | 9 | の【答え】
ネオン ………… | 10 | の【答え】
アルゴン ……… | 11 | の【答え】

もう一度，名称などを確認しておくといいでしょう。初講なので長くなりましたが，今日はここまで，また次回にお会いしましょう。さようなら。

Break Time

化学計算は比例の関係

　かつて私が高校生の頃，恩師に「化学計算は簡単で，りんごの個数と値段の関係のようなものだ」と教えていただきました。そのときはあまり気にも留めずにいましたが，それから授業が進んでいくにつれ，その重要性がだんだんわかってきました。ほとんどの化学現象が比例関係で成り立つことを知り，本質を見極めることができるようになったのです。

　それ以来化学が好きになりました。そして今度は，私がみなさんに化学計算の本質をご紹介し，化学を好きになっていただこうと思います。

　比例関係はイメージしやすい量的な関係です。例えば，34gの過酸化水素がすべて分解すると，酸素が標準状態で11.2L発生しますが，では68gが分解すると，2倍の22.4Lが発生するということは，すぐにイメージできますね。

第 2 講

元素の性質・化学結合

単元 1 元素の性質 基/ⅠⅡ

単元 2 化学結合 基/ⅠⅡ

第 2 講のポイント

　今日は第 2 講「元素の性質・化学結合」というところをやっていきます。この辺はなかなかわかりづらいところなので，イメージを大切にしてください。

　　　　(1)イオン化エネルギー　(2)電子親和力　(3)電気陰性度
　それぞれの違いを正確に把握します。
　さらに，化学結合の種類を徹底理解します。

単元 1　元素の性質　　基/ I II

1-1　イオン化エネルギー

　まず「**イオン化エネルギー**」という言葉に注目です。イオン化エネルギーとは，気体状態の原子から電子1個を取り去って，1価の陽イオンにするのに必要なエネルギーのことです。

　大切なのは，**イオン化エネルギーは，その値が小さいほど1価の陽イオンになりやすい**ということです。この「小さい」というところがポイントで，意識的に覚えていないと混乱するので気をつけましょう。

　え，そんなことイキナリ言われてもわからない？　大丈夫です。ひとつひとつイメージしていきます。

　まずイオン化エネルギーの値を，グラフで確認してみましょう 図2-1 。

図2-1

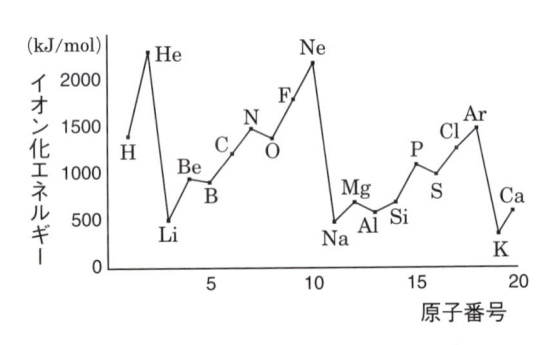

He（ヘリウム），Ne（ネオン），Ar（アルゴン）という極端に大きいところが見えるかと思いますが，これらは希ガス（→23，26ページ）です。

　ここでナトリウム原子と酸素原子を例に，イオン化エネルギーとはどういうものなのかを説明してみようと思います。

単元1　元素の性質

■イオン化エネルギーのイメージ（ナトリウム原子の場合）

$_{11}$Naの電子配置図を見てみましょう 連続図2-2①。

第1講で僕は，原子中の電子が，**K殻ならば2個，K殻以外ならば8個になると安定**だから，安定するために電子が勝手に飛び出ていってしまう，みたいなことを言いました。でも実は，ちょっとエネルギーが必要なんです。

どんなエネルギーでも構いません。最初はもう，すごく小さいエネルギーからここに当てていき，徐々に大きくしていきます 連続図2-2②。

やがて，あるところまで行くと，電子がポンと飛び出していきます。**その飛び出すのに必要な最低のエネルギーをイオン化エネルギー**（正式には第1イオン化エネルギー）**というんです** 連続図2-2③。

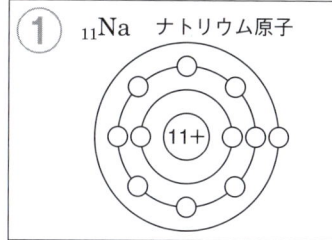

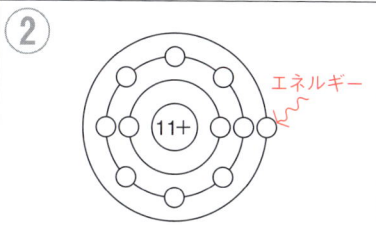

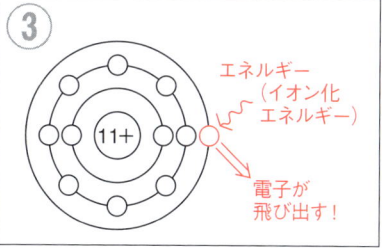

図によるイメージを大切にしてくださいね。

イオン化エネルギー……　原子にエネルギーを加え，電子を飛び出させるとき必要な最低限のエネルギー

■イオン化エネルギーのイメージ（酸素原子の場合）

今，説明したナトリウムは金属の代表例として紹介しました。それに対して非金属の代表例として酸素の場合を描いてみようと思います 連続図2-3①。

酸素の場合も，やはりエネルギーを加えて電子を飛び出させようとするわけですが，非金属は陰イオンになりや

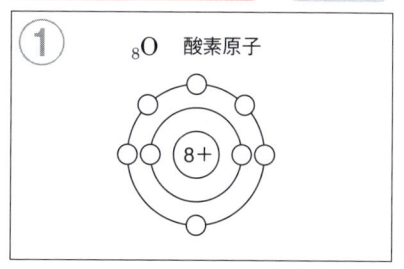

すく，陽イオンになりにくい。逆に金属はすべて陽イオンになります。

酸素は非金属ですが，ナトリウムと同様に，エネルギーを徐々に加えていきますと，ある瞬間電子が飛び出ていきます 連続図2-3②。

連続図2-3 の続き

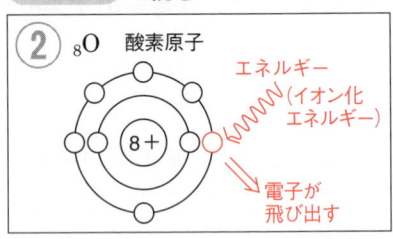

② $_8$O　酸素原子
エネルギー（イオン化エネルギー）
電子が飛び出す

■イオン化エネルギーは金属㊧，非金属㊨

このように，ナトリウムと酸素を代表例に，金属と非金属の電子が飛び出すときのエネルギーを測定してみると，次のようなことがわかります。

金属原子の電子を1個飛び出させるためのエネルギーを測定してみると，非常に小さい値で飛び出ていきます。それに対して，非金属原子にエネルギーを与えて電子を飛び出させるためには，これよりもかなり大きなエネルギーが必要になります 図2-4。

図2-4

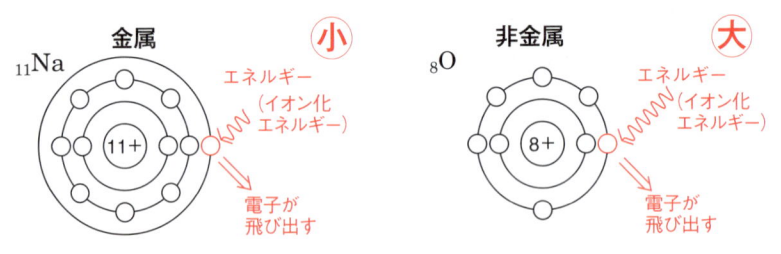

金属　㊧
$_{11}$Na
エネルギー（イオン化エネルギー）
電子が飛び出す

非金属　㊨
$_8$O
エネルギー（イオン化エネルギー）
電子が飛び出す

イオン化エネルギーが小さいほど陽イオンになりやすい。

つまり陽イオンになりやすいものは，ちょっとエネルギーを与えてやれば容易に電子が飛び出ていくわけです。だから，エネルギー的には小さくてすむ。

しかし，その金属でも，電子がただ勝手に飛び出ていくということはありません。だから，飛び出させるためには，それなりのエネルギーが必要なんです。

そして，イオン化エネルギーは**金属では小さく，非金属では大きい**。非金属の中でも，特に**希ガス**は最も安定でいい状態ですから，普通の非金属以上になかなか飛び出ていってくれない。だからイオン化エネルギーは**極めて大きな値になるわけです**。

> **単元1 要点のまとめ①**
>
> ●**イオン化エネルギー**
>   気体状態の原子から電子1個を取り去って，1価の陽イオンにするのに必要なエネルギーを**イオン化エネルギー**という。イオン化エネルギーは**その値が小さいほど，1価の陽イオンになりやすい。**
>
>   金属…小さい　　　非金属…大きい　　　希ガス…極めて大きい

1-2 電子親和力

　さて，では次にいきます。「**電子親和力**」という言葉をおさえておきましょう。「**電子親和力**」は今説明した「**イオン化エネルギー**」，そしてのちほど出てくる「**電気陰性度**」と合わせ，**3点セット**でよく出てきます。それぞれをしっかりイメージできるようになりましょう。

　まず定義を説明すると，気体状態の原子が電子1個を取り入れて1個の陰イオンになるとき放出するエネルギー，これを電子親和力といいます。

　大切なのは，**電子親和力は，その値が大きいほど1価の陰イオンになりやすい**ということです。この「大きい」というところに注目です。さきほどのイオン化エネルギーの場合，「小さい」でした。ですから，「大きい」というところを意識的に覚えておかないと，なかなかうまく正解が出ないと思います。ぜひ，そこのところはおさえておいてください。

　そして，これは今から説明していきますが，電子親和力は**金属では小さい，非金属では大きい，希ガスでは極めて小さい，**となります。

■**電子親和力のイメージ（ナトリウム原子の場合）**

　電子親和力も，ナトリウムと酸素でイメージを示します。まずナトリウムです 連続図2-5①。

　さきほどはエネルギーを加えて電子1個を飛び出させ，そのときのエネルギーをイオン化エネルギーといいました。今度は逆です。このナトリウムと

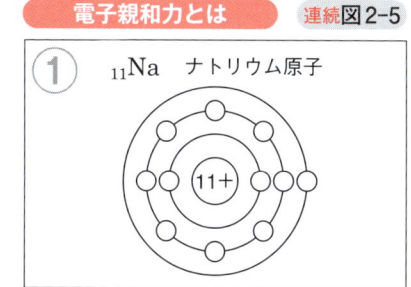

電子親和力とは　連続図2-5

① $_{11}Na$　ナトリウム原子

いう原子に電子をどんどんどんどんぶつけます！ ピストルみたいなものでバンバンバンバン撃っているようなイメージです。そうしてぶつけていると，あるとき電子がちょうどM殻のところに入り込んだとします 連続図2-5②。

はい，たまたま電子が1個入り込みました。**そうやって原子が電子を受け取ると，エネルギーが放出されるという現象が起こるんです** 連続図2-5③。

このエネルギーのことを電子親和力といいます。

連続図2-5 の続き

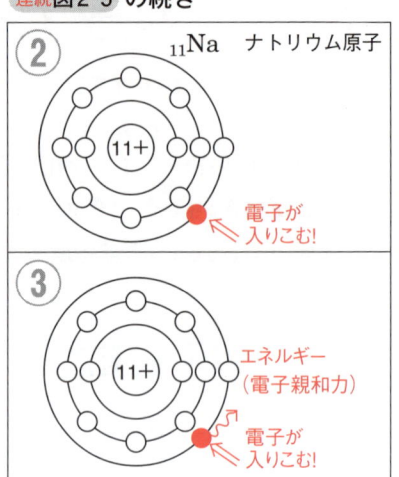

② $_{11}Na$　ナトリウム原子
電子が入りこむ!

③
エネルギー（電子親和力）
電子が入りこむ!

電子親和力……原子が電子1個を受け取るとき放出されるエネルギー

■電子親和力のイメージ（酸素原子の場合）

次に同様に，非金属の代表として酸素をちょっと見てみます。最外殻電子は6個あります 連続図2-6①。

そこにまた，電子をバンバンバンバン撃ち込みます。そして，たまたま1個受け取るときにエネルギーが放出されます 連続図2-6②。

さらに，このときに放出されるエネルギーを測定してみると，次のようなことがわかりました。

金属の場合は，このエネルギー（電子親和力）の値は小さく，非金属の場合は，大きい 図2-7。

だから，これはもう実測値でそういうふうになっておりますので，ある程度知っておかなくてはいけないでしょう。

非金属の場合　連続図2-6

① $_8O$　酸素原子

② エネルギー（電子親和力）
電子が入り込む

図2-7

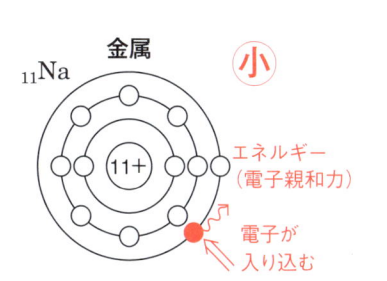

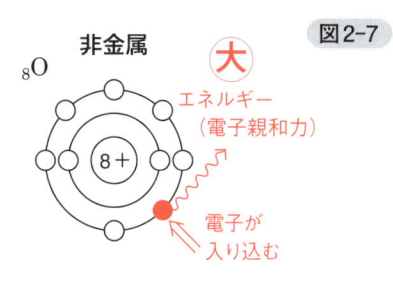

電子親和力が大きいほど陰イオンになりやすい。

> ### 単元1 要点のまとめ②
>
> ● **電子親和力**
>
> 原子が電子1個を取り入れて，1価の陰イオンになるとき放出するエネルギーを**電子親和力**という。電子親和力は**その値が大きいほど，1価の陰イオンになりやすい。**
>
> 金属…**小さい**　　非金属…**大きい**　　希ガス…**極めて小さい**

■ イオン化エネルギーと電子親和力の相違点

ここでイオン化エネルギーの 図2-4 と電子親和力の 図2-7 を見比べてみましょう。大変似ているでしょう？

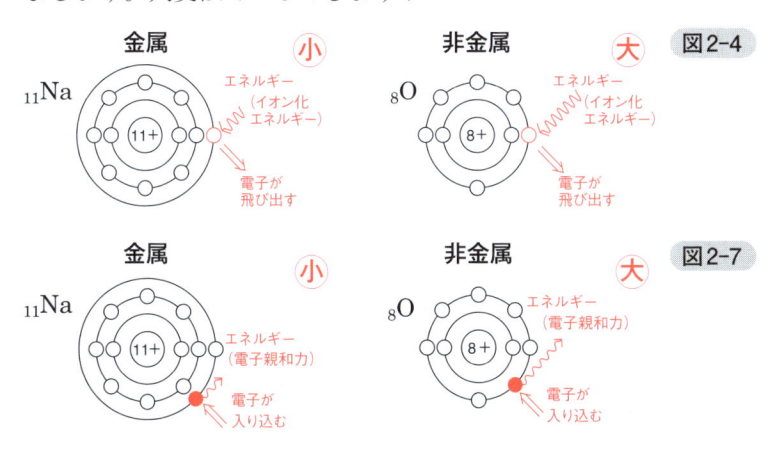

図2-4

図2-7

イオン化エネルギーの場合，エネルギーを加えると電子が飛び出ていった。金属であるナトリウムの場合，そのときのエネルギーの値は小さい。非金属である酸素の場合は大きい。

一方，逆に電子親和力は，電子が入り込んでくるとエネルギーが放出され

る。ただし，**その値の大小関係は，さきほどのイオン化エネルギーと同じで，ナトリウム（金属）は小さく，酸素（非金属）は大きい。**

つまり，エネルギーを加えて電子を飛び出させる場合はイオン化エネルギーで，逆に電子が入り込んでいったときにエネルギーが放出される場合は電子親和力ですが，その大小関係は同じになります。

岡野流 必須ポイント② イオン化エネルギーと電子親和力のイメージ

イオン化エネルギー
　…エネルギーを加えて電子を飛び出させる。
電子親和力
　…電子が入り込んでいきエネルギーが放出される。
※両方とも，その値は金属で小さく，非金属で大きい
（大小関係が同じになる）

アドバイス 希ガスの電子親和力はどうか？　希ガスの場合は，今一番安定な状態ですから，電子を非常に受け取りにくい。金属よりももっと受け取りにくい。だから，金属よりもさらに小さい値になります。すなわち「単元1　要点のまとめ②」（→41ページ）にあるように，「極めて小さい」となるわけです。

1-3 電気陰性度

では，3点セットの3番目「**電気陰性度**」です。電気陰性度とは，原子が結合するとき，その結合に関与する電子を引きつける強さの尺度です。**その値が大きいほど，電子を強く引きつけます。**この数値は覚える必要はありませんが，電気陰性度の値が大きいということは，それだけ自分の側に電子を引っ張り込む力が強いということです。

あと，次のような表現が入試によく出てきます。

> 周期表では，18族元素を除いて
> 右ほど，上ほど電気陰性度の値は大きく，
> 左ほど，下ほどその値が小さい。

では，周期表でイメージを確認しましょうか　図2-8　。

単元1　元素の性質

「**右ほど，上ほど**」とか，「**左ほど，下ほど**」とか，こういう言葉を知っていないと，急に出てきたときに，混乱してしまいます。

ここでしっかりと頭に入れておきましょう。

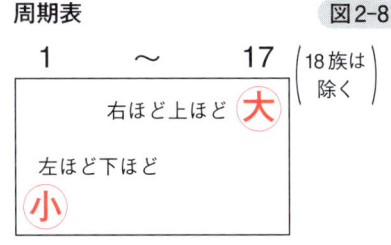

周期表　　　　　　　　　　　図2-8

```
 1  ～  17   (18族は除く)
      右ほど上ほど  大
 左ほど下ほど
  小
```

■ホンとに来るよ合格通知

それでは，ここでは何を大事に扱っていけばいいか？　まずは 図2-9 を見てください。電気陰性度は，フッ素（F）の場合3.98と書いてありますが，**この数値を覚える必要は全くありません**。けれども，値が**大きい元素**だけは知っておきましょう。これは大変よく入試に出ます。**F，O，N，Cl，この上位4つはどうぞ覚えてください**。どうやって覚えるかといいますと，

電気陰性度の値（大きいほど電子を引きつける）　図2-9

族 周期	1	2	13	14	15	16	17
1	H 2.20						
2	Li 0.98	Be 1.57	B 2.04	C 2.55	N 3.04	O 3.44	F 3.98
3	Na 0.93	Mg 1.31	Al 1.61	Si 1.90	P 2.19	S 2.58	Cl 3.16
4	K 0.82	Ca 1.00	Ga 1.81	Ge 2.01	As 2.18	Se 2.55	Br 2.96

岡野流 必須ポイント③

電気陰性度の大きい元素

大きい順　⟹　**F, O, N, ≒ Cl**
（元気いい生徒）　　ホ　ン　とに来るよ
　　　　　　　　　　合格通知

毎日元気よく努力する生徒には，本当に合格通知が来ることでしょう。ん，元気いい生徒（ゲンキイイセイト），……電気陰性度（デンキインセイド），似てますよね（笑）。そして**F，O**で「ホ」，**N**で「ン」，**Cl**で「来る」でしょう。

「**元気いい生徒（電気陰性度）ホンとに来るよ　合格通知**」と覚えます。

イメージで記憶しよう！

僕がゴロで言うのは絶対必要なときです。よろしいですね。

アドバイス　「ホンと」の「ホ」はH，Oじゃありませんよ。F，Oです。　図2-9からわかりますね。一番大きいのは，「右ほど，上ほど」だから，17族の上に来るものです。それはF，フッ素です。

■ 水素結合をもつ化合物

関連してもう1つ，知っておいてもらいたいことがあります。それは水素との化合物で水素結合をもつものです。水素結合については，またのちほど詳しく説明します（→86ページ）。

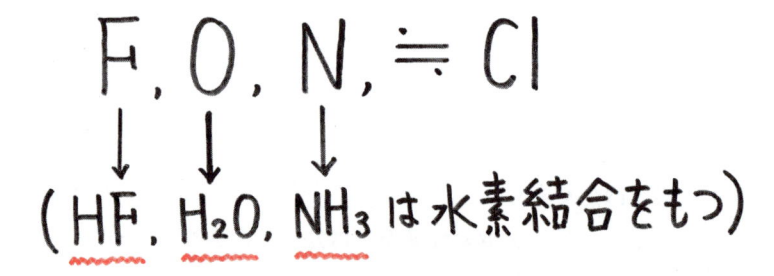

> **！重要★★★**
>
> $$F, O, N, \fallingdotseq Cl$$
> $$\downarrow \quad \downarrow \quad \downarrow$$
> $$(HF, H_2O, NH_3 \text{ は水素結合をもつ})$$

ここで注意することは，電気陰性度は$\overset{3.04}{N}$より$\overset{3.16}{Cl}$の方が大きいのですが，水素結合がNH₃にはあり，HClにはないことです。**大きさの順番を問うてくる問題のとき，このゴロだとNとClが逆になるので，このときだけは気をつけてください。**

HF（フッ化水素），H₂O（水），NH₃（アンモニア），この3つは水素結合をもつということを覚えておいてください。大変よく入試に出てくるところです。ただし，塩素の場合はもたないことに注意しましょう。

単元1　要点のまとめ③

● **電気陰性度**

原子が結合するとき，その結合に関与する電子を引きつける能力を表す尺度を**電気陰性度**という。**電気陰性度が大きいほど電子を強く引きつける。**周期表では，18族元素を除いて，右ほど上ほどその値が大きく，左ほど下ほどその値が小さい。

単元1　元素の性質　45

演習問題で力をつける②
3点セットで言葉の意味を理解しよう！

問　次の文は周期表の第3周期までの元素についてのべたものである。

(1) 次の元素のうち，第1イオン化エネルギーの最も大きいものはどれか。

①Na　②Mg　③Al　④Si　⑤P　⑥S　⑦Cl　⑧Ar

(2) 次の元素のうち，電子親和力の最も大きいものはどれか。

①Na　②Mg　③Al　④Si　⑤P　⑥S　⑦Cl　⑧Ar

(3) 次の元素のうち，電気陰性度の最も大きいものはどれか。

①Li　②Be　③B　④C　⑤N　⑥O　⑦F　⑧Ne

さて，解いてみましょう。

(1)…**第1イオン化エネルギーとイオン化エネルギーは同じもの**と考えて結構です。イオン化エネルギーの大きい元素は非金属元素であり，その中でも**希ガスが最も大きいものでしたね**。なぜなら，最外殻の電子1個を取り去るのに，希ガスが一番大きなエネルギーを必要としたからです。したがってArの⑧が解答となります。

⑧……(1)の【答え】

(2)…**電子親和力の大きい元素**は希ガスを除いた**非金属元素**でしたね。さて，ここではこれに該当するのは **Si，P，S，Cl** です。この中で一番陰イオンになりやすいものを選べば，それが電子親和力の最も大きい元素となるわけです。ここで，図2-10 を見てください。

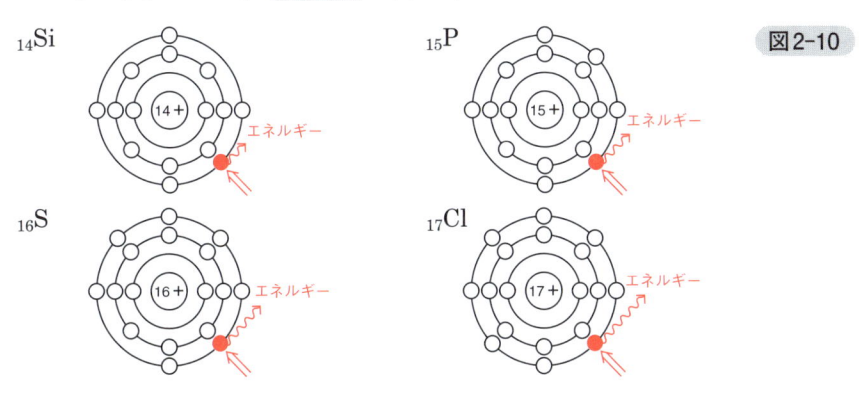

図2-10

$_{14}Si$　$_{15}P$

$_{16}S$　$_{17}Cl$

> 岡野の着目ポイント　これら4つの電子配置図をみると，どの元素も原子核から最外殻までの距離は，K殻からM殻まで存在するのでほぼ同じですね。このとき**陽子の数の多いものほど電子を引きつけやすいのです。**

　したがって，Clが一番陽子数を多くもつので，この中で最も陰イオンになりやすいということになります。
　　⑦……(2)の【答え】
　ここでよくあるご質問に，「$_3$Liと$_{11}$Naでは，Liのほうが陽子数が少ないので電子を引きつける力が弱く，陽イオンになりやすいのでは？」というのがあります。このことを少し説明しておきましょう。
　このご質問は同一周期では正しいのですが，異なる周期では違うのです。つまりLiとNaでは，Naのほうが原子核から最外殻までの距離が長い（LiはK殻，L殻，NaはK殻，L殻，M殻まである）ので，電子を引きつける力が弱く，陽イオンになりやすいと考えられます。
　ここでは陽子数と原子核から最外殻までの距離という，ちょうど正反対の要因が生じてきます。陽子数で考えるとLiのほうが陽イオンになりやすいし，距離で考えるとNaのほうが陽イオンになりやすい。いったいどっちなんでしょう？　結論をいいますと，実際には**距離が陽子数よりも優先されるのです。**ですから，**Naのほうが陽イオンになりやすいのです。**このことは**一部例外はありますが，ほとんど成り立ちます。**
(3)…電気陰性度の大きい順は，次の元素のみ覚えておきましょう。

> 岡野のこう解く
>
> 　　大きい順　　　F,　O,　N,　≒ Cl
> 　（元気いい生徒）　　ホ　　ン　とに来るよ　合格通知

　したがってF（フッ素）が最も大きくなります。
　　⑦……(3)の【答え】

単元 2　化学結合　　基／Ⅰ　Ⅱ

次は「化学結合」をやっていきましょう。前回，価電子についてやりました（26ページ）が，化学結合とは，原子どうしがお互いの価電子を用いてつくる結合のことです。

2-1　化学結合の種類

主な化学結合は，「**イオン結合**」，「**共有結合**」，「**金属結合**」の3種類があります。「配位結合」を含めると4種類になりますが，**最初の3つを特にしっかりおさえておきましょう。**

2-2　イオン結合

では，それぞれ見ていきましょう。まずは「**イオン結合**」です。

陽イオンになりやすい金属元素は，最外殻の電子を放出して陽イオンになり，陰イオンになりやすい非金属元素は，最外殻に電子を取り入れて陰イオンになり，安定な電子配置を取ろうとします。陽イオンと陰イオンの間には，**静電気的な引力**（**クーロン力**）がはたらいて結合が生じるんですね。これがイオン結合です。それから，次が大きなポイントになります。

> ❗ **重要★★★**　金属と非金属の結合であれば、すべてイオン結合

金属と非金属の結合であれば，すべてイオン結合です。そこで見分けます。よろしいでしょうか。

じゃあ，金属と非金属って何なのか？　はい，これをおさえておきましょう。

> ❗ **重要★★★**　原子番号1〜20番までの金属元素は 7種。
>
> Li　Be　Na　Mg　Al　K　Ca

金属か非金属かということがきっちりわかっている人は，イオン結合がパッとわかるわけです。**ちなみにこの7種が金属元素ですから，残りの13種はすべて非金属元素です。**ここはぜひ知っておいてくださいね。

■イオン結合を電子式で見ると…

では電子式でイオン結合の例を見てみましょう。**電子式とは，最外殻電子を点で表した式でしたね**（→16ページ）。

ナトリウム原子から，電子が1個飛び出します 連続図2-11①。そうしたら，このときの電子式はどういうふうになるでしょう？

まずNa^+，これはイオン式ですね。

ところが電子式というと，最外殻電子を点で表します。そこで 連続図2-11①でM殻の1個が飛び出したから，L殻の8個が最外殻になる。そうすると電子式は 連続図2-11②のように書けそうですが，最近はこの表記はやめようということになりました。

つまり，電子が1個飛び出ていったら，もう最外殻電子はなくなったと考えるわけです。だから点を打つ必要はなくて，Na^+と書けばいい 連続図2-11③。**すなわち，金属の場合は，** 連続図2-11③**のような表記がイオン式でもあり，かつ電子式も表しています。**よろしいですね。

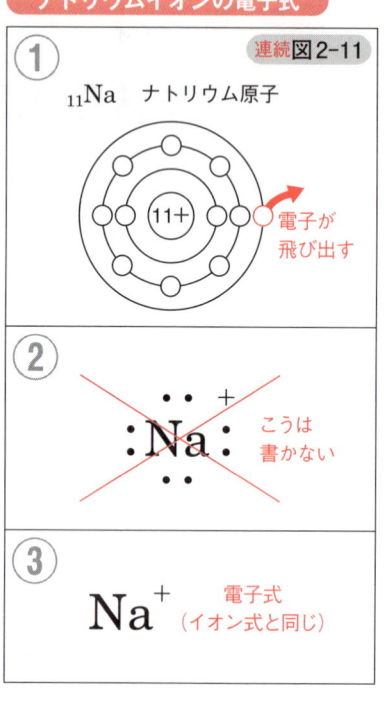

それに対して塩素の場合，電子1個がM殻に入り込んできて，最外殻電子は合計8個になりました 連続図2-12①。

そこで，イオン式はCl^-で，塩化物イオンといいます。そして電子式のほうは 連続図2-12②のように一番外側に最外

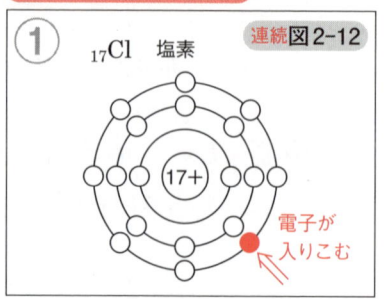

殻電子が8個あって，さらに負電荷を帯びているので－と記します。これが塩化物イオンの電子式になります。

ここまでおわかりいただけましたでしょうか？

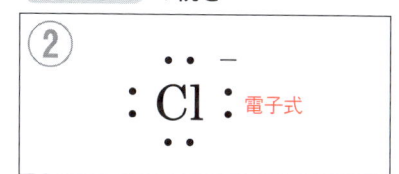

■ クーロン力によるイオン結合

そしてナトリウムイオンと塩化物イオンがプラスとマイナスの引っ張り合いで結合をつくります。例えば，磁石ではS極とN極が引っ張り合うということは，僕らは小さいころずいぶん遊んだので，もう経験としてわかっています。電気の場合も，プラスとマイナスが近づいてくると，それらが引っ張り合うという現象が起こります。そこではたらく力を**クーロン力**とよぶんですね。

で，連続図2-13①のように結びついた。**必ず＋と－と書かなきゃダメです。**このときの書き方として，NaとClの間の点がどっちの点だかちょっと区別しにくいので，**マイナスのイオンのほうは括弧をつけてやります** 連続図2-13②。

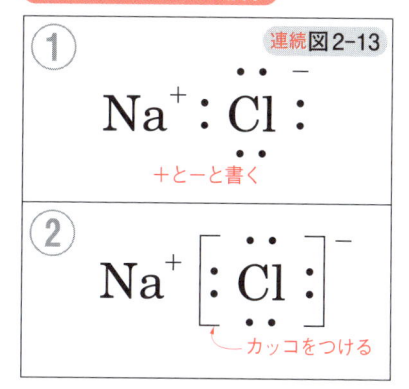

もう1つ似たもので，$MgCl_2$をちょっとやってみましょうか。マグネシウムは金属で塩素は非金属だから，これはイオン結合です。

マグネシウムは原子番号12番。K殻に2個，L殻に8個，M殻に2個です。だから，一番外側の2個が飛び出ていって，Mg^{2+}になります 連続図2-14①。

これはイオン式を表し，かつ電子式も表しているということです。そうすると，Cl^-はさきほどと同じですから，電子が8個外側にありまして，忘れずに－をつけます 連続図2-14②。

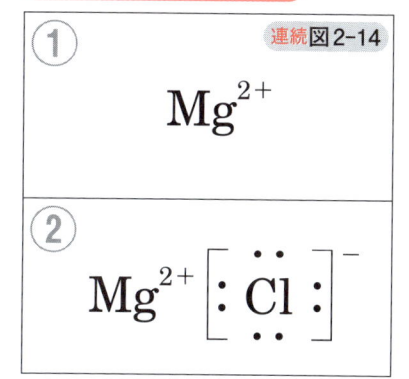

さて，もう1つのCl⁻をどこにくっつけるか？これをすぐ隣にくっつけますと，マイナスとマイナスで反発してしまいます 連続図2-14③ 。つまり，プラスとマイナスが結びつくのだから，どこでもいいので，このマグネシウムイオンの周りにCl⁻を書く。そうすると，まあ，これは横に書くのがいいでしょう 連続図2-14④ 。

連続図2-14 の続き

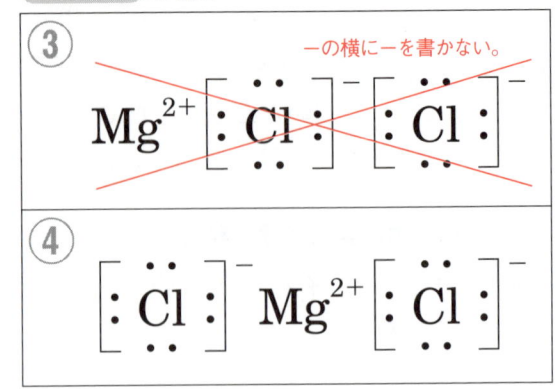

③ －の横に－を書かない。
[Mg²⁺ と Cl⁻ と Cl⁻ を横並びにした図に×印]

④ [Cl⁻ Mg²⁺ Cl⁻ の配置図]

単元2 要点のまとめ①

● **イオン結合**

陽性の強い金属元素は外側の殻の電子を放出して陽イオンになり，陰性の強い非金属元素は最外殻に電子を取り入れて陰イオンになり，いずれも安定な電子配置を取ろうとする。陽イオンと陰イオンの間には**静電気的な引力（クーロン力）**がはたらいて結合が生じる。

このような結合を**イオン結合**という（金属と非金属の結合）。

2-3 共有結合

今度は「**共有結合**」です。共有結合とは，2つの原子が互いに同じ数ずつ電子を出し合って電子対というものをつくり，これを共有して結びつく結合です。はい，この見分け方のポイントは，

> !重要★★★ 非金属どうしの結合

金属と非金属でできた結合はイオン結合，非金属どうしでできた結合は共有結合です。そして，共有結合をつくるとき**水素原子では2個，その他の原子では8個**の最外殻電子が自分のもち分になると安定します。

共有結合はどのようにしてできあがってくるか？　さきほどイオン結合では，プラスのイオンとマイナスのイオンがあると，プラスとマイナスの引っ張り合いで結合ができました。ちょっと積極的な結合ですね。一方，今回の共有結合は，2つの原子が安定になろうとするわけです。だから，たまたま酸素原子が飛んできて，そこに水素原子が近づいてきたときに，お互いに安定になろうとして電子を貸し与える。そこで結合をつくったという偶然の結果なんです。

■共有結合の成り立ち

では，共有結合の例として，まず水を取りあげて説明しますよ。

結合に関係があるのは最外殻電子，一番外側の電子でしょう。だから，内側の殻は今考えません。ここに酸素Oがあって，最外殻だけを考えますと，6個の電子が入っています 連続図2-15①。これは，僕が勝手に考えた「岡野流」の書き方ですので，普通はこんなこと書きません。

連続図2-15
電子を共有して結びつく

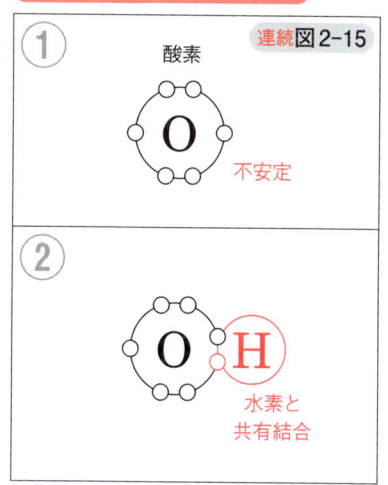

① 酸素　不安定

② O H　水素と共有結合

さて水素原子では，電子が2個，その他の原子では8個自分のもち分になると安定です。

ここではまだ6個しか自分のもち分になってないから，不安定ですね。そこで安定になろうとして，水素と共有結合をします 連続図2-15②。

水素が酸素に近づいてきて，**お互いに同じ数ずつ電子を貸し与える。**この場合は1個ずつですね。共有というのは，自分のものでもあるけれど，他人のものでもあるわけでしょう。共有財産とか，共有地とかね。

だから，連続図2-15②の赤い水素にしてみれば，ここにある赤い電子はもちろん自分のものだけど，白い電子も自分のものだと言っていいわけです。共有の関係になりますから。

そういうことで，水素だけ見れば，自分のもち分が白と赤1個ずつで合計2個になったでしょう。**水素原子では電子2個が自分のもち分になると安**

定だから，水素にしてみればこれで大満足です。ところが酸素にしてみれば，まだ満足していない。白6個と赤1個だから合計まだ7個しかない。8個にならないと安定にならないから，もう1回同じことが繰り返されるわけです 連続図2-15③ 。

連続図2-15 の続き
③ H₂O
安定となる

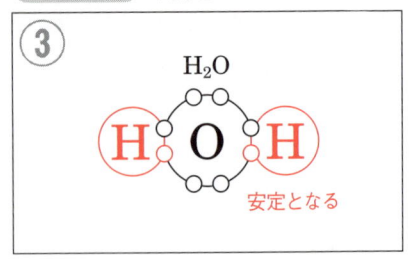

これで，左右の水素とも電子2個が自分のもち分になり，さらに酸素は白の6個と赤の2個（合計8個）が自分のもち分になり，安定です。共有関係ですね。

これを電子式で表したいなら，最外殻電子を点で表せばいい。そうすると， 図2-16 のようになりますね。さきほどの**イオン結合の場合は，＋と－という符号がかならず入りました。今回，共有結合の場合は入っていない。**そこが少し違います。よろしいですね。

水（H₂O）の電子式　図2-16

$$H:\overset{..}{\underset{..}{O}}:H$$

上図③の最外殻の線を消し，電子の丸をぬりつぶすとこうなる。

■ アンモニアが生成する共有結合

じゃあ，アンモニアについてやってみます。まず窒素原子Nを考えます。

これも「岡野流」で，最外殻電子だけをわっか状に表してみようと思います。すると，窒素は原子番号7番だから，K殻2個，L殻5個です。だから最外殻に電子が5個ありますね 連続図2-17① 。

これでは安定しないので，水素とお互いに共有結合の関係になろうとします 連続図2-17② 。これで水素は2個自分のもち分となり安定でしょう。

だけど，まだ窒素は5個＋1個で6個なので安定になっていません。あと2個電子が欲しい。そこでさらに2回同じように繰り返す。すると 連続図2-17③ のようになりますね。

アンモニアの場合
① 連続図2-17
N
不安定

② N H
水素と共有結合

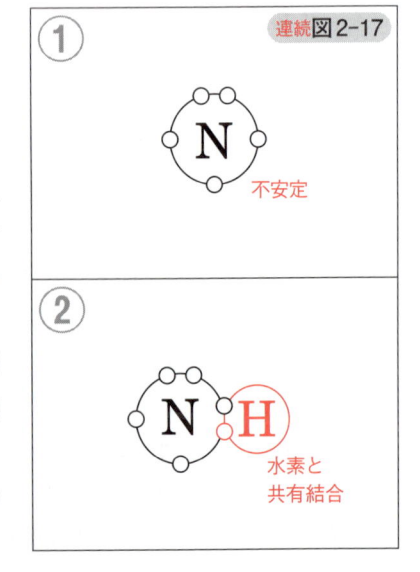

単元 2 化学結合

これで窒素のもち分としては、白5個+赤3個で**8個**となり、満足です。水素にしてみても、それぞれ**2個**ずつ自分のもち分だから全部満足。ということで、どの原子もすべて満足な状態になっているわけです。

そして、これを電子式で書けば、図2-18 のようになります。

よろしいですね。

■ **共有電子対と非共有電子対**

あとはちょっと言葉を覚えていただきたい。図2-19 を見てください。図のうち、共有結合に関係のないところの電子のペアのことを「**非共有電子対**」といいます。一方、共有結合に関係のある電子対、これは、「非」ではなくて、「**共有電子対**」といいます。

■ **構造式**

それから「**価標**」と「**構造式**」というものを紹介します。価標とは、1対の共有電子対を1本の線で表したものです。

すなわち、図2-19 を価標を用いて表すと、図2-20 のようになります。**非共有電子対はもう全然書かなくていいんですね。**そしてこのように、**価標を用いて表した式のことを構造式**といいます。

ちなみに、図2-18 のアンモニアも構造式で表すと、図2-21 のようになります。おわかりいただけましたね。

連続 図2-17 の続き

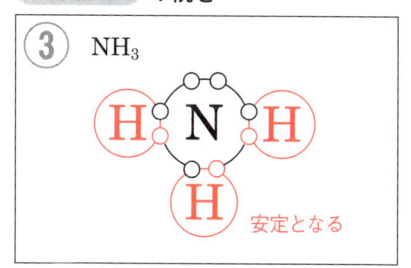

③ NH_3

安定となる

図2-18

アンモニア(NH_3)の電子式

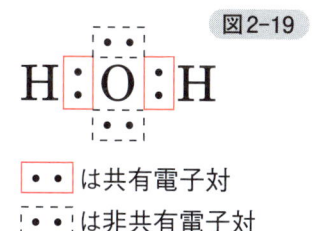

$$H:\!\overset{..}{\underset{..}{N}}\!:H$$
$$H$$

図2-19

$$H:\overset{..}{\underset{..}{O}}:H$$

・・ は共有電子対
・・ は非共有電子対

水の構造式　図2-20

$$H-O-H$$

アンモニアの構造式　図2-21

$$H-\underset{\underset{H}{|}}{N}-H$$

単元2 要点のまとめ②

●**共有結合**

2つの原子が**互いに同じ数ずつ電子を出し合って電子対**をつくり、これを共有して結びつく。この結合を**共有結合**という（**非金属どうしの結合**）。このとき**水素原子では2個、その他の原子では8個の最外殻電子**が自分のもち分になると安定する。

- **共有電子対**…… 共有結合において2つの原子間に共有された電子対
- **非共有電子対**… 共有結合において結合に関係しない電子対
- **価標**………… 1対の共有電子対を1本の線で表したもの
- **構造式**………… 価標を用いて表した式

2-4 金属結合

では、次にいきます。「**金属結合**」です。金属結合というのは、金属陽イオンとその周りを「**自由電子**」が動き回ることによって生じる結合のことです。自由電子というのは、名前のとおり自由に動き回ることができる電子という意味です。そして、見分け方のポイントは、

> !重要★★★　**金属単体であれば、すべて金属結合**

このように考えてもらって大丈夫です。鉄なら鉄、ナトリウムならナトリウム、こういう単体、すなわち1種類の元素からできている場合であれば、かならず金属結合が使われているということです。

■自由電子

自由電子というのをちょっと説明しておきますが、**自由電子というのは特に金属の最外殻電子**のことをいいます。別の言い方をすると、**金属の価電子**です。一番外側の電子というのは自由に飛んでいって（放出されて）、その結果、原子は陽イオンになりやすいわけです。1つの原子に拘束されないから、自由に動き回れる電子ということで自由電子なんですね。

単元 2　化学結合

■ 金属結合のイメージ

図2-22

図2-22 を見てください。
ナトリウムという金属があって，これの自由電子が飛び出ていくと陽イオンになります。ナトリウムの陽イオンです。イメージとしては，この陽イオンが，飛び出ていった自由電子の海の上に，ぽっかり浮かんだようになっていると思ってください。

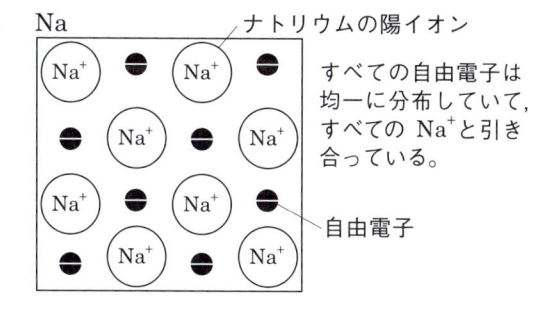

すべての自由電子は均一に分布していて，すべての Na^+ と引き合っている。

自由電子

金属結合は 図2-22 のように，自由電子がナトリウムの陽イオンを取り囲み，プラスとマイナスの引っ張り合い，いわゆるクーロン力によって，ナトリウムはもうこれ以上自由に動けない状態にあります。電子が間を取りもって，プラスとマイナスで引っ張っていて，それによって結合ができているということです。

自由電子と**金属結合**という言葉を，大事におさえてください。

単元 2　要点のまとめ③

● **金属結合**

金属陽イオンとそのまわりを**自由電子**が取り囲むことによって結合が生じる。この結合を**金属結合**という（**金属単体**）。

2-5　配位結合

次に「**配位結合**」にいきます。

配位結合とは，一方の原子は電子を出さず，もう一方の原子がその非共有電子対を出し，その電子対を共有するという結合です。

つまり，配位結合は共有結合の特別な場合で，**できてしまえば他の共有結合と区別はつかないんですね。**

■一方的に電子を貸し与える

　例として，アンモニアと水素イオンからアンモニウムイオンができる場合をちょっと見てみましょうか。

　アンモニアの電子式は 連続図2-23① のように書けます。

　このとき図にしたがいますと，アンモニア分子には非共有電子対，すなわち共有結合に関係のない電子対が1つあるわけです。

　さて，今まで共有結合というのは，さきほども見てもらったように，お互いに同じ数ずつ電子を貸し与えました。

　ところが，今度の配位結合の場合，**この非共有電子対の2つの電子を一方的に貸し与えます** 連続図2-23② 。

　だれに？　これは水素イオンH^+にです。

　もともと水素原子は電子を1個しかもっていないので，電子が1個飛び出してできる水素イオンというのは，電子を全然もっていません。そういう状態のものに，電子を一方的に貸し与える 連続図2-23③ 。

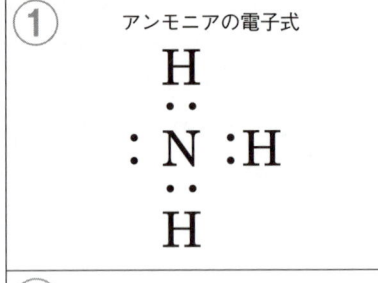

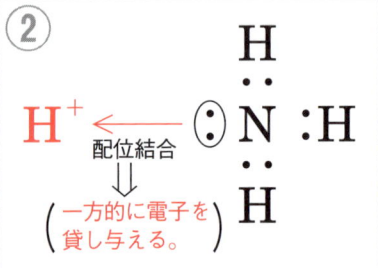

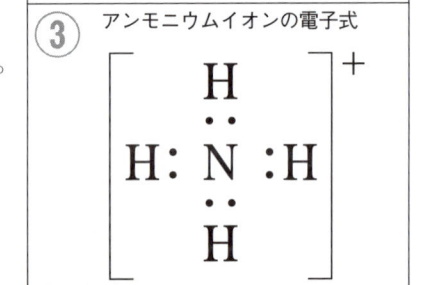

　これを配位結合といいます。配位結合のポイントは，

❗重要★★★　一方的に電子を貸し与える

というところです。

　こうして，できあがった後というのは，もはやどこの部分が配位結合だったかわからないわけです。だから，**共有結合との区別がつかなくなるんですね。**

配位結合の例　　　　連続図2-23

① アンモニアの電子式

$$H:\overset{..}{\underset{..}{N}}:H$$
$$H$$

②
$$H^+ \leftarrow :\overset{H}{\underset{H}{\overset{..}{N}}}:H$$
配位結合
⇩
（一方的に電子を貸し与える。）

③ アンモニウムイオンの電子式

$$\left[H:\overset{H}{\underset{H}{\overset{..}{N}}}:H\right]^+$$

単元2 化学結合

単元2 要点のまとめ④

● 配位結合
　一方の原子は電子を出さず，もう一方の原子が非共有電子対を出し，お互い電子対を共有することによる結合。**配位結合は，共有結合の特別な場合であり，できてしまえば他の共有結合と区別はない。**

2-6 化学式とその名称のつけ方

　じゃあ，あとは化学式とその名称のつけ方ということで，原則をお教えします。ここでは，特にイオン結合からなる物質についてやりましょう。例として，NaCl と $Ca_3(PO_4)_2$ を挙げて説明します。

　NaCl，$Ca_3(PO_4)_2$ とも，金属と非金属からなるので，イオン結合でできています。さきほど原子番号1～20番までの7個の金属元素というのを紹介しましたが，ここではナトリウムとカルシウムが金属です。よってその他は非金属です。また，**化学式をつくるときは，陽イオンと陰イオンの合計した電荷がゼロになるようにします。**

■ NaCl（塩化ナトリウム）

　ナトリウムイオン Na^+ と塩化物イオン Cl^- が，プラスとマイナスちょうど1個ずつで数が合いますから，1個ずつ結びつければいい。そして化学式と名称のつけ方，書き方には次のような原則があります。

$$\text{化学式は} + \rightarrow - \text{に書く。}$$
$$\text{名称は} - \rightarrow + \text{に書く。}$$

　図2-24 を見てください。**化学式は＋から－に書く**という約束だから，ナトリウムのほうから先に書いて，塩素のほうを後に書きます。よって NaCl。これをClNaとは書きませんね。

　そして**名称は－から＋**ですが，このとき「**イオン**」や「**物イオン**」という言葉は省

図2-24

Na^+ ……ナトリウムイオン
Cl^- ……塩化物イオン

　　　　　（＋→－）
化学式　　NaCl

　　　　　（－──→＋）
名称　　塩化ナトリウム

略します。陰イオンのほうから読んで，「塩化ナトリウム」といいます。よろしいですね？

■ $Ca_3(PO_4)_2$（リン酸カルシウム）

カルシウムの場合も同様です 図2-25 。

Ca^{2+} ……カルシウムイオン　　図2-25
PO_4^{3-} ……リン酸イオン

カルシウムイオンはCa^{2+}，リン酸イオンはPO_4^{3-}。それぞれ電荷が＋2と－3なので，組み合わせるときは**最小公倍数の6**をもってくるわけです。

化学式　　Ca^{2+}
　　　　　Ca^{2+}　PO_4^{3-}
　　　　　Ca^{2+}　PO_4^{3-}　∴ $Ca_3(PO_4)_2$

名　称　　リン酸カルシウム

6個のプラスと6個のマイナスを結びつければいい。そのためには，Ca^{2+}が3つ，PO_4^{3-}が2つ必要なんですね。これでちょうど電荷がゼロになります。

それで，化学式を書くときは＋から－です。Caが3つ分。その場合には下に小さく3と書くという約束です。PO_4は，これ全体が2つ欲しいから，全体を括弧して下に2と書きます。括弧がないとPO_{42}となり，おかしいですね。

名前はリン酸イオンとカルシウムイオンで，さきほどと同じく「イオン」という言葉を取り去り，－から＋だから，「リン酸カルシウム」という名前になります。

意外とスッキリしてるでしょう？

■共有結合は例外

ただし，共有結合でできた物質というのが，ちょっと例外です。硝酸イオン（NO_3^-）と水素イオン（H^+）の場合，さきほどの考え方をすれば，HNO_3で，－から＋に読むと「硝酸水素」になってしまいます。しかし，硝酸水素という言い方はしません。水素というのは，この場合省略して，「硝酸」といいます。同様に硫酸（H_2SO_4），炭酸（H_2CO_3），リン酸（H_3PO_4）などがあります。

はい，この原則を知っておくと，かなりの数の物質の名前と化学式が書けるようになります。

では，まとめておきましょう。

単元2 要点のまとめ⑤

●化学式とその名称のつけ方

特にイオン結合からなる物質について，陽イオンと陰イオンの合計した電荷が0になるようにする。

　　化学式は＋ ⟶ －の順に書く。

　　名　称 は－ ⟶ ＋の順に書く。

このとき「**イオン**」や「**物イオン**」という語は省略する。

本の最後に，イオン式と名称のまとめがありますので，参考にしてください。

それでは，演習問題にいきましょう。

演習問題で力をつける③
結合の種類を見分けよ！

問 次の物質はイオン結合，共有結合のいずれか。イオン結合にはa，共有結合にはbと記せ。また，①，②，⑧についてはその電子式も記せ。
① フッ化ナトリウム　② 硫化カリウム　③ 水　④ アンモニア
⑤ 二硫化炭素　⑥ 二酸化硫黄　⑦ 塩化リチウム　⑧ 塩化水素
⑨ 酸素　⑩ 窒素

さて，解いてみましょう。

まず①〜⑩を化学式で示してみましょう。
① NaF　② K_2S　③ H_2O　④ NH_3　⑤ CS_2
⑥ SO_2　⑦ $LiCl$　⑧ HCl　⑨ O_2　⑩ N_2

②の硫化カリウムは，カリウムイオンK^+と硫化物イオンS^{2-}によるイオン結合からできています。**よく，硫酸イオンSO_4^{2-}と間違えるので，気をつけましょう。**

岡野の着目ポイント これらが，イオン結合，共有結合のいずれか？ ということですが，見分けるポイントがありましたね。**イオン結合は金属と非金属の結合，共有結合は非金属どうしの結合**でした。

岡野のこう解く そして，原子番号1〜20番までの金属元素は次の7種でした。これが大切です。

Li, Be, Na, Mg, Al, K, Ca

この7種の元素が金属元素なので，残り13種の元素は非金属元素です。
これさえ知っていれば，解答はすぐに出せますね。
① 金属と非金属 ∴ a　② 金属と非金属 ∴ a　③ 非金属どうし ∴ b
④ 非金属どうし ∴ b　⑤ 非金属どうし ∴ b　⑥ 非金属どうし ∴ b
⑦ 金属と非金属 ∴ a　⑧ 非金属どうし ∴ b　⑨ 非金属どうし ∴ b
⑩ 非金属どうし ∴ b　……【答え】
よくある間違いは，⑧の**HClをイオン結合としてしまう**ことです。注意

単元2 化学結合

しましょう。

次に①，②，⑧の電子式を示しますが，①，②はイオン結合で，⑧は共有結合であることを，もう一度確認しておきましょう。

①…イオン式Na^+と電子式Na^+の表し方は同じです。最外殻電子はなくなったと考えるわけです（→48ページ）。

そして，イオン式F^-は，電子式では
$:\overset{..}{\underset{..}{F}}:^-$ と表します 図2-26。

図2-26

$\cdot\overset{..}{F}:$ →（陰イオンになる）→ $:\overset{..}{\underset{..}{F}}:^-$

したがって，NaFの電子式は，

$Na^+\left[:\overset{..}{\underset{..}{F}}:\right]^-$ ……①の【答え】

となります（陰イオンに［ ］をつける約束です）。

それぞれの電子式をつくった後に，それらを合わせて生成物の電子式をつくる，この手順をおさえましょう。

②…①と同じ要領で，イオン式K^+と電子式K^+の表し方は同じです。

そして，イオン式S^{2-}は電子式では：$\overset{..}{\underset{..}{S}}:^{2-}$と表します。

したがってK_2Sの電子式は，

$K^+\left[:\overset{..}{\underset{..}{S}}:\right]^{2-}K^+$ ……②の【答え】

となります。

⑧…Hでは2個，Clでは8個の最外殻電子が自分のもち分になると，安定します。安定になろうとして互いに結合すると，共有結合になるのです。

したがってHClの電子式は，

$H:\overset{..}{\underset{..}{Cl}}:$ ……⑧の【答え】

となります。

岡野の着目ポイント それから，**これは間違いなので気をつけましょう！**

$H^+\left[:\overset{..}{\underset{..}{Cl}}:\right]^-$

この間違いは，HClがイオン結合であるとしてしまったときに起こります。**大前提である「結合の種類」を，正確に区別できるようにしましょう。**

それでは，また次回お会いいたしましょう。さようなら。

Break Time

ppmの話

　ppmはparts per million（百万分率）を表します。濃度の単位としてppmをよく使いますが，何か大変とっつきにくいですよね。しかしパーセントと同じくらい理解しやすい単位です。

　今，二酸化炭素の濃度が上がって地球温暖化が問題になっています。大気中に二酸化炭素は現在0.037％含まれています。さて，これをppmの単位で表すと370ppmになるのです。1％とは100L中に1Lを含む割合のことです。では1ppmとは，1000000（10^6）L中に1Lを含む割合のことなのです。

　つまりパーセントを求めるときは，小数で表した割合を100倍するのに対して，ppmのときには1000000（10^6）倍するだけなのです。例えば0.037％は小数では0.00037となるので，$0.00037 \times 10^6 = 370$ppmとなります。意外と簡単にできますね。

第 3 講

結晶の種類・分子の極性

- 単元 1　結晶とは何か？　基/ⅠⅡ
- 単元 2　分子の極性　基/ⅠⅡ
- 単元 3　分子間にはたらく力　基/Ⅱ

第 3 講のポイント

　こんにちは。今日は第 3 講「結晶の種類・分子の極性」というところをやってまいります。
　結晶を見分けるポイントは，共有結合結晶には 4 つがあります。岡野流でスッキリ整理しましょう。

単元 1　結晶とは何か？　基/ⅠⅡ

「結晶」とは何か？　簡単にいって，粒子が規則正しく並んでできた固体のことです。そして結晶には4つの種類があるんですね。

1-1　イオン結晶

まず1つ目，「**イオン結晶**」とはイオン結合によってできる結晶です。ポイントは，

> ❗**重要**★★★　金属と非金属の結晶

イオン結合とは，金属と非金属の結合でした。そして今回は**金属と非金属の結晶であれば，すべてイオン結晶と言ってしまって構わないんです**。だから，見分け方は非常に簡単ですね。

例えば$NaCl$。Na（ナトリウム）は金属，Cl（塩素）は非金属。だから，金属と非金属でイオン結晶です。

$CuSO_4$（硫酸銅）もそうです。Cu（銅）は金属，S（硫黄）は非金属，O（酸素）も非金属ですから，金属と非金属の結晶でイオン結晶。

さらにはCaO（酸化カルシウム）。Ca（カルシウム）は，アルカリ土類金属といわれる金属です。これも金属と非金属ですから，イオン結晶です。

■ NH_4Clは例外でイオン結晶

ところが，NH_4Cl（塩化アンモニウム）だけはちょっと**例外**です。窒素は非金属，水素は非金属，塩素も非金属ですよね。だから，これは非金属どうしの結合だから，本来ならイオン結合からはずすんだけれども，例外でイオン結合が主なのです（注：個々の窒素と水素の結合だけを見ると，共有結合と配位結合をもつことも事実です（→57ページ））。なぜそうなるのでしょうか？

図3-1を見てください。赤く囲んだ部分は陽性が強く，陽イオンになりやすいという意味から，NH_4^+**は金属の陽イオンとみなしてしまう**んですね。

実際に金属の陽イオンと非金属の陰イオンという形でプラスとマイナスの引っ張り合い，すなわちクーロン力からできた結晶になっています。

図3-1

NH_4Cl

NH_4^+は金属イオンとみなす

NH₄Clは非金属どうしの結合でも例外でイオン結晶

入試によく出てきますし，みんな間違えるので，注意しておきましょう。

1-2 イオン結晶の特徴

次に，イオン結晶の特徴をおさえていきましょう。

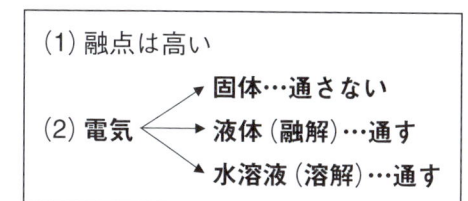

(1) 融点は高い
(2) 電気 → 固体…通さない
　　　　　→ 液体（融解）…通す
　　　　　→ 水溶液（溶解）…通す

固体が熱をもらって液体になるときの温度を「融点」といいます。そこで，(1)「融点は高い」ということですが，それだけではイオン結晶だとは判断できないんですね。だから，これは軽めにおさえておきましょう。

　(2)が大事です。電気を通すか通さないか。「**固体…通さない**」，「**液体（融解）…通す**」，それから「**水溶液（溶解）…通す**」。イオン結晶というのは，固体では電気を通さないけれども，融解または溶解した状態では電気を通すということですね。では，この辺をちょっとイメージしてみましょうか。

　例えば，連続図3-2①を見てください。豆電球と電池があって，そして銅板を入れて平行にします。この状態ではまだ電気は通っていません。

　それで，銅板のところにビー

イオン結晶が電気を通すとき

① 連続図3-2

豆電球
電池
銅板

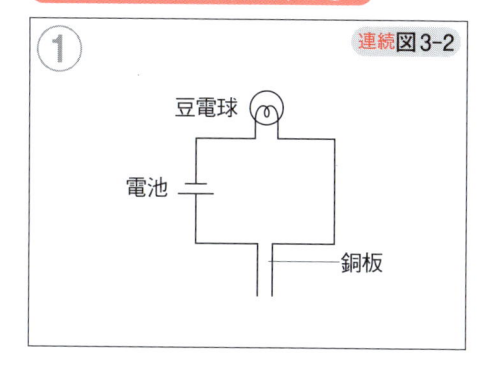

カーをもってきて，イオン結晶の物質，例えば塩化ナトリウム（NaCl）を入れて，差し込んでやります 連続図3-2②。まずは固体，要するに，白い塩の粒です。そうするとどうなるか？ 固体のままでは電気は通しません。

連続図3-2 の続き

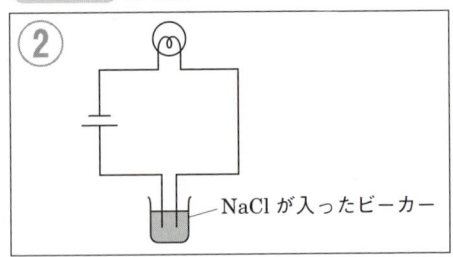

■ 2つの「とける」

ところが，これを水溶液（溶解），すなわち食塩水にしましょう。溶解すると電気を通すんです。

それから，もう1つは「液体（融解）」と書いてある。これはどういうことかといいますと，**日本語では固体が「とける」という意味は2つあるんですよ**。1つは砂糖が「溶ける」。もう1つは氷が「融ける」。意味合いが違うでしょう？

砂糖が溶けるって，普通は水に溶けることを言いますよね。ですから，それを「**溶解**」といいます。それに対して「**融解**」というのは，例えば「氷が融ける」。水の固体である氷が，熱をもらって液体になるということです。

同様に，塩化ナトリウムの固体が，熱をもらって液体になる。ただこれは，家庭用のガスコンロぐらいの熱ではなかなか融けません。特殊なガスバーナーでやりますと，確かに融けるんです。

ですから，そうやって融かしたときに，イオン結晶の物質は電気を通すという事実を知っておいてください。

単元1 要点のまとめ①

●**イオン結晶**

イオン結合によってできる結晶のこと（**金属と非金属の結晶**）。

例：$NaCl$，NH_4Cl，$CuSO_4$，CaO など

特徴：(1) 融点は高い

(2) 電気
- 固体…通さない
- 水溶液（溶解）…通す
- 液体（融解）…通す

1-3 共有結合結晶

では2つ目は「**共有結合結晶**」です。はじめて聞かれる方もいらっしゃるでしょう。共有結合結晶とは，原子が共有結合し，立体的に無限に繰り返されてできる結晶です。

見分け方のポイントは，

> ❗**重要★★★**　非金属どうしの結晶

という点です。金属か非金属かが区別できれば，見てすぐわかりますね。

■結晶で混乱しないために

さて，ここで注意！　のちほどまた詳しくやりますが，3番目の結晶に「**分子結晶**」というのがあります。これは，共有結合でできた分子が分子間力（ファンデルワールス力）によって結びついた結晶です。で，**ポイントが，これもやっぱり非金属どうしの結晶ということなんです！**

ここが一番混乱するところなんですよ。何が混乱するかといいますと，こういうことです。

```
・イオン結合 ── イオン結晶
                  ┌── 共有結合結晶（C，Si，SiO₂，SiC）
・共有結合 ───┤
                  └── 分子結晶
・金属結合 ── 金属結晶
```

結合の種類って，**主な結合は**全部で**3種類**しかなかったんです。それに対して，**結晶は4種類**。

いいですか？　イオン結合は，金属と非金属の結合。共有結合は，非金属どうしの結合。金属結合は金属単体。それぞれに対して「結晶」という言葉が出てくるんです。ここまではいいんですよ。

問題は，真ん中の共有結合が二手に分かれるところです。だからわかりにくい。**共有結合からできている非金属どうしの物質というのは，二手に分かれる。1つは「共有結合結晶」，もう1つは「分子結晶」です。**

1-4 共有結合結晶は岡野流で攻略

それでハッキリいいます。**入試に出る共有結合結晶は，わずか4つしかないのです！** ですから，これはもう覚えちゃってください。

> ■ 入試に出る共有結合結晶はこの4つだけ！

C（ダイヤモンド，黒鉛），Si（ケイ素），SiO_2（二酸化ケイ素），SiC（炭化ケイ素）と，この4つなんですよ。

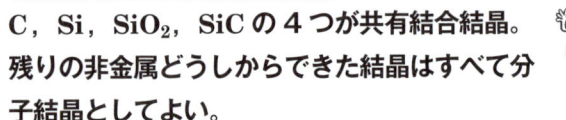

> **岡野流 必須ポイント ④**
> **共有結合結晶はこの4つ**
> C，Si，SiO_2，SiC の4つが共有結合結晶。残りの非金属どうしからできた結晶はすべて分子結晶としてよい。

これはもう言いきってしまいます。厳密に言うと「いや，共有結合結晶の例は，これもあるぞ，これもあるぞ」となるのですが，**入試であれば，まずこの4つしか出ません。それ以外は，非金属どうしであれば，すべて分子結晶だと言ってしまって構いません！**

もう1回，細かくいきますよ。C（ダイヤモンド，黒鉛）です。黒鉛は「**グラファイト**」という名前で出る場合もあります。

それから，Si（ケイ素），SiO_2（二酸化ケイ素），これらはいいですね。最後，SiC（炭化ケイ素）ですが，外国語名で「**カーボランダム**」という名前もあります。これは特殊な名前なので，知らないと絶対答えられません。はい，この4つは覚えてしまいます。

1-5 共有結合結晶の特徴

特徴にいきますよ。

> (1) 融点は非常に高い
> (2) 電気は（黒鉛を除いて）通さない

(1)「融点は非常に高い」。これはポイントです。

ダイヤモンドを例にとりますと、融点は3500℃前後です。3500℃って、想像がつかないくらい、すごく高い温度ですね。だから「非常に」とかの形容詞がついてきます。

それから(2)の「電気は通さない」。ただ例外として、黒鉛だけは電気を通します。いいですね。

では、共有結合結晶についてまとめておきましょう。

単元1 要点のまとめ②

● **共有結合結晶**

原子が共有結合し、立体的に無限に繰り返されてできる結晶（**非金属どうしの結晶**）。

例：**C**（ダイヤモンド，黒鉛），**Si**（ケイ素）

SiO_2（二酸化ケイ素），SiC（炭化ケイ素）

数は少ないので、**この4つは覚えること。**

特徴：(1) 融点は非常に高い

(2) 電気は（**黒鉛を除いて**）通さない

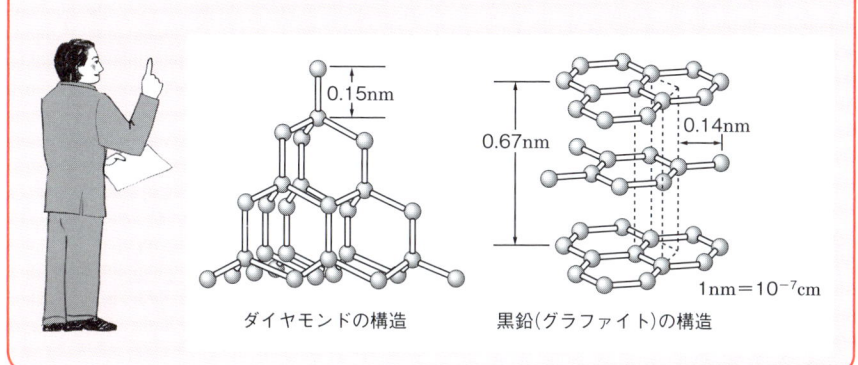

ダイヤモンドの構造　0.15nm

黒鉛（グラファイト）の構造　0.67nm　0.14nm

$1nm = 10^{-7}cm$

1-6 分子結晶

では、3つ目、「**分子結晶**」にいきます。第3講 1-3, 1-4 で説明したように、**C，Si，SiO_2，SiC以外の非金属どうしの結晶は、すべて分子結晶です。**

例を見てみましょう。例えばH_2O（水）ですが、この場合は結晶だから氷のことです。それからCO_2（ドライアイス），I_2（ヨウ素）などです。

その他にも有機化合物というものが該当しますが，これは無数にあります。無数にあるものをたくさん覚えたって，そんなの意味がない。だから4つしかない共有結合結晶のほうをがっちり覚えて，残りは全部分子結晶というふうに考えるとわかりやすいですね。

1-7 分子結晶の特徴

それから特徴へいきます。

> (1) 融点は低い
> (2) 電気は通さない
> (3) **昇華性**を示すものがある（気体 ⇌ 固体）

特に，(3)の「昇華性を示すものがある」という点はおさえておきましょう。「**昇華性**」という言葉は大切です。

!重要★★★　昇華性

これはどういう性質なんでしょう？　普通，固体が気体になる場合，間に液体を通るんですよ。固体が液体になって，それから気体になる。でも分子結晶の中には，液体を通らないで変化するものがあり，その状態変化を「昇華」といいます。ドライアイス（CO_2）やヨウ素（I_2）が昇華性を示します。固体から気体，または気体から固体，どちらの変化も昇華というんです。

単元1 要点のまとめ③

●**分子結晶**
　共有結合でできた分子が**分子間力（ファンデルワールス力）** によって結びついた結晶。（非金属どうしの結晶）
　　例：H_2O，CO_2，I_2，有機化合物（無数にある）
　　特徴：(1) 融点は低い
　　　　　(2) 電気は通さない
　　　　　(3) **昇華性**を示すものがある（気体 ⇌ 固体）

単元1　結晶とは何か？

1-8　金属結晶

最後，「**金属結晶**」です。金属結晶とは，金属陽イオンと自由電子によってできる結晶です。金属結合の「結合」が「結晶」という言葉に変わっただけです。
ポイントは「金属単体」，これが見分け方。よろしいですね？

例としては金属単体ですから，鉄(Fe)，ナトリウム(Na)，水銀(Hg)など，いろんなものがあります。

1-9　金属結晶の特徴

特徴，いきますよ。

> (1) 融点は高いものから低いものまである
> (2) 電気，熱はよく導く
> (3) **展性，延性を示す**

(1)の「融点は高いもの」ですが，鉄の1535℃っていう温度から，「低いもの」だと水銀のように－38℃くらいのものもある。水銀は常温で，もう融けて液体状態になっているんですね。

それから(2)の「**電気，熱はよく導く**」と(3)の「**展性，延性を示す**」，これらは両方とも大事な特徴です。

世間にはいろいろと「運び屋さん」っていますが，ここでは自由電子が電気も熱も運び，よく導くのです。

そして，「**展性**」というのは，簡単に言って「広がる」ということです。例えば金箔ってありますよね。大昔のCMにあったんですが，1cm³の金をおじいさんとおばあさんがこん棒みたいなものをもって，ボコンボコンと引っぱたくんです。で，1cm³の金が，何と，6畳分まで広がるんです！　何の宣伝だったかわからないんだけど，僕はその広がることだけを覚えているんですよね(笑)。つまり，これは展性です。

イメージで記憶しよう！

では,「**延性**」というのは何か? 例えば,エナメル線とか銅線とかを機械の力でグーッと引っ張ると,**均一の線状になって,どんどん延びていきます**。それを延性と言っているんです。ここで「展性,延性」は,セットで理解してください。

これらが金属結晶の特徴です。

1-10 分子結晶と共有結合結晶

では,最後にとどめをさします。「分子結晶」と「共有結合結晶」の違いをもっと簡単に,構造的に見てみましょう。

■共有結合結晶(ダイヤモンド)

では,まず,「共有結合結晶」の「ダイヤモンド」です。正式なものは「単元1 要点のまとめ②」(→69ページ)に,正四面体構造でたくさん重なったものが書いてあります。ところが,もう少しわかりやすく書くと,炭素があって,手が4本出ています 連続図3-3①。

その炭素の4本の手は,全部使われて次の炭素とつながり,そしてまた次の炭素へと手を出して,どんどんつながっていくわけです 連続図3-3②。

炭素と炭素って非金属どうしだから,共有結合ですね 連続図3-3③。このように,共有結合結晶は,立体的に無限に繰り返されてできる結晶ですが,これを一言で「巨大分子」ともいいます。以上が,共有結合結晶であるダイヤモンドの構造です。

■分子結晶(ヨウ素)

それに対して,「分子結晶」はどのようになっているのか?

ダイヤモンドの構造 連続図3-3

① 炭素

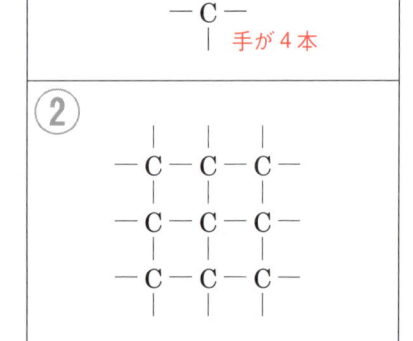

$-\overset{|}{\underset{|}{C}}-$ 手が4本

②

$-\overset{|}{\underset{|}{C}}-\overset{|}{\underset{|}{C}}-\overset{|}{\underset{|}{C}}-$
$-\overset{|}{\underset{|}{C}}-\overset{|}{\underset{|}{C}}-\overset{|}{\underset{|}{C}}-$
$-\overset{|}{\underset{|}{C}}-\overset{|}{\underset{|}{C}}-\overset{|}{\underset{|}{C}}-$

③ ダイヤモンドは巨大分子

□は共有結合

例として，ヨウ素（I_2）を見てみます。まずヨウ素は17族の元素でハロゲン，すなわち非金属元素です。ということは，非金属と非金属の結合ですから，これも共有結合になります。

そして17族ですから，最外殻電子が7個入っています。はい，ここで第2講を思い出してください。7個の電子が入っているときに，安定になろうとしてお互いに1個ずつ電子を貸し与えるという，例の共有結合です。

そうするとここで，IとIで結合ができるんですよ 連続図3-4①。ヨウ素とヨウ素は確かに共有結合が起こっています。**だけど悲しいかな，不対電子がもうあまっていないため，その隣のヨウ素とまた共有結合されて，さらにまた隣のヨウ素と共有結合……ということにはならないんです。** I_2は，原子2つが結びついたらそれまでで，炭素のように，次々に共有結合が広がってはいきません。

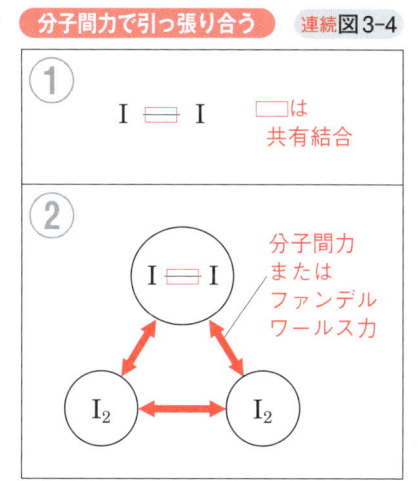

■ 分子間力

ヨウ素はIとIで分子をつくり，それぞれが 連続図3-4② のようにお互いに引っ張り合って結びつくんですね。こういう分子と分子の引っ張り合う力を「**分子間力**」，または「**ファンデルワールス力**」といいます。これは万有引力とは違いますが，似たような力です。大変弱い力で引っ張り合っている。

だからダイヤモンドのように，炭素の共有結合が次々につながっていくという強い結合とは違うんですよ。共有結合結晶と分子結晶では全然違う性質を示すということですね。

文章を読むだけでは，なかなかこの辺はわからない。イメージとしてここで理解していただくと，「あ，そういうことか！」とおわかりいただけるでしょう。

それでは，演習問題にいきましょう。

演習問題で力をつける④
分子結晶と共有結合結晶の違いがポイント！

問 結晶は粒子間の結合の仕方で4種類に大別される。

① イオン結晶　　② 共有結合結晶
③ 分子結晶　　　④ 金属結晶

下のA群には，それぞれの結晶を構成する粒子の種類が，B群にはその粒子間を結び付けている結合力の種類が，C群には4種類の結晶の特徴的な性質が，D群には各種の結晶の実例が示してある。各群より上の①～④に対応するものを選んで，記号を答えよ。ただしD群よりは2個ずつ選べ。

A群　（ア）原子　　　　　　（イ）分子
　　　（ウ）陽イオンと電子　（エ）陽イオンと陰イオン
B群　（オ）自由電子による結合　　（カ）静電気的な引力
　　　（キ）電子対の共有による結合
　　　（ク）ファンデルワールス力
C群　（ケ）極めて硬く，融点も高い。
　　　（コ）展・延性を有し，電気伝導性がよい。
　　　（サ）電気伝導性はないが，水溶液や融解状態では電気を伝導する。
　　　（シ）一般に軟らかく，融点が低い。昇華性を示すものもある。
D群　(a) ヨウ素　　(b) 塩化鉄(Ⅲ)　　(c) ナトリウム
　　　(d) 臭化カリウム　(e) クロム　　(f) 炭化ケイ素
　　　(g) ドライアイス　(h) ダイヤモンド

さて，解いてみましょう。

では，問題を解いていきます。

岡野のこう解く　まず，最初にD群の物質を，化学式で書いてみましょう。

(a) I_2　　(b) $FeCl_3$　　(c) Na
(d) KBr　 (e) Cr　　　 (f) SiC
(g) CO_2　(h) C

D群 (a) のヨウ素は，I_2 ですね。これは第2講でも言ったように，非金属どうしの結合である共有結合からできているものは，もう丸暗記していくしかないんですね。ですから共有結合からできている物質は個々に出てくるたびに覚えていきましょう。

　次の (b) 塩化鉄 (Ⅲ) は $FeCl_3$ になるんですが，**そのⅢの意味は何なのでしょう？　これは金属イオンの価数を表しています。**

　ところで金属イオンというのは，かならずプラスイオンなんです。金属にマイナスイオンは絶対ありません！　ですから，(Ⅲ) とか (Ⅱ) とか (Ⅰ) とかって書いてありますが，今回の場合は鉄 (Ⅲ) イオンなので Fe^{3+} であると考えていただければいいわけです。

　さらに塩化物ですから塩化物イオン Cl^-，これが3つでちょうどプラスとマイナスが3つずつでつり合い，$FeCl_3$ というのが塩化鉄 (Ⅲ) の式になるわけですね 図3-5。

図3-5

$$FeCl_3 \quad \begin{pmatrix} & Cl^- \\ Fe^{3+} & Cl^- \\ & Cl^- \end{pmatrix}$$

　で，(c) ナトリウムは単体で，Na ですね。それから (d) は臭化カリウム。これはカリウムイオン (K^+) と臭化物イオン (Br^-) が結びついて KBr です。(e) クロムは Cr。(f) 炭化ケイ素はさきほどやりました共有結合結晶の代表例で SiC。それから (g) ドライアイスは，二酸化炭素の固体で CO_2。(h) ダイヤモンドは C ですね。

イオン結晶の特徴を思い出そう！

　ということで「①イオン結晶」に関することを選んでいきましょう。そうすると，A群は結晶を構成する粒子の種類を見ます。イオン結晶の場合は，陽イオンと陰イオンのクーロン力で結びつく粒子ですから，A群「**(エ) 陽イオンと陰イオン**」を選びます。

　それからB群ですが，イオン結晶の結合力はクーロン力。クーロン力というのは「**静電気的な引力**」であり，(カ) が入ってきます。

　で，C群の性質のところは，「**(サ) 電気伝導性はないが，水溶液や融解状態では電気を伝導する**」ということになります。さて，それで，最後D群からは，**金属と非金属**からできているもの (イオン結晶の特徴) を選びます。

(b) は鉄 (金属)，塩素 (非金属)。それから (d) がカリウム (金属) と臭素 (非金属) です。

　　　　(エ)—(カ)—(サ)—(b)，(d)　……①の【答え】

> 共有結合結晶の特徴は？

　はい，じゃあ次，「②共有結合結晶」です。これは粒子は原子なんですよ。思い出してください。だからA群は「**(ア) 原子**」。

　B群は「**(キ) 電子対の共有による結合**」ですよね。ここで，分子結晶でも同じことが言えるんじゃないかって思われるかもしれませんが，分子結晶の場合は「**(ク) ファンデルワールス力**」という言葉が入っていますので，ここでは(キ)が選ばれることがおわかりになると思います。

　そして，C群。**極めて硬く，融点も高いから**，(ケ)が入ってくる。

> 岡野の着目ポイント　実例としてさきほど挙げたもののうち，D群に入っているのは (f)「炭化ケイ素」と (h)「ダイヤモンド」。入試では，これに Si (ケイ素) と SiO_2 (二酸化ケイ素) を加えた4つしか問われませんので，それを覚えておけば，まず大丈夫です。

　　　　(ア)—(キ)—(ケ)—(f)，(h)　……②の【答え】

> 分子結晶の特徴は……

　では，「③分子結晶」にいきます。これは分子と分子の分子間力によるものですね。よって，A群は (イ) です。それからB群は「**ファンデルワールス力**」の(ク)。C群は「**昇華性**」という言葉が入っている(シ)を選べばいい。あとは非金属どうしの結合ですから，**共有結合結晶以外の非金属どうしのもの**といったら (a)「ヨウ素」とそれから (g)「ドライアイス (二酸化炭素)」ですね。

　　　　(イ)—(ク)—(シ)—(a)，(g)　……③の【答え】

> 金属結晶の特徴はコレだ！

　あとは残りを選べばいいわけですが，確認のためにもきちんとおさえていきましょう。「④金属結晶」を構成する粒子は「**(ウ) 陽イオンと電子**」。

アドバイス ここで，自由電子と入れておくとすぐわかってしまうので，あえて「自由」という言葉が抜かれています。

　B群は「(オ)**自由電子による結合**」です。それからC群，「**展性，延性**」というところ，(コ)が金属結晶の特徴ですね。で最後，**金属単体**をD群より選ぶと，(c)「ナトリウム」と(e)「クロム」ですね。

　　　(ウ)―(オ)―(コ)―(c)，(e)……④の**【答え】**

　そういうことで解答ができあがります。この辺は，はじめてやると，意外とポイントがおさえきれないところです。**でも要するに，分子結晶と共有結合結晶の違いがはっきりわかれば，スンナリと解けます。**もう一度復習しておくといいでしょう。

単元 2 分子の極性　　基/ⅠⅡ

つづけて,「**分子の極性**」というところをやっていきます。いったい「**極性**」とは何か？　まずは,ちょっと読んでみましょう。

> **単元 2 要点のまとめ①**
>
> ●**極性**
> 　電気陰性度の異なる原子が共有結合すると,**電気陰性度の大きい原子のほうが小さい原子より共有電子対をより強く引きつけるため,原子間に電荷のかたよりが生じる。このような電荷のかたよりを極性という。**

「電気陰性度」で覚えていただくのは,**大きい順番**。 **F, O, N, ≒Cl**,「ホンとに来るよ　合格通知」と覚えるんでしたね。

はい,とにかく「**極性って何？**」といわれた場合,「**電荷のかたより**」と答えればいい。これが一番わかりやすいでしょう。

2-1 極性分子

そして,分子全体として電荷のかたよりをもつ分子を「**極性分子**」といいますが,入試に出る代表例を3つおさえておきましょう。

> **単元 2 要点のまとめ②**
>
> ●**極性分子**
> 分子全体として電荷のかたよりをもつ分子を極性分子という。
>
> 例： H_2O　　　　　NH_3　　　　　HCl
>
> 折れ線形　　　三角錐形　　　直線形

H_2O, NH_3, HCl, この3つです。

■ H_2O は折れ線形

極性を理解するためには，水分子の構造を知っておかなければなりません。構造式で書きますと，水分子というのは 連続図3-6① のように，「**折れ線形**」という形になっています。

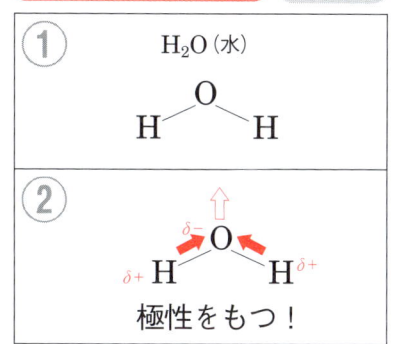

そこで，さきほど電気陰性度のことを言いましたが，「F，O，N，Cl」の4つは，電子を自分の側に引っ張り込む力がやたらに強いんです。酸素と水素の間には電子対がありますからね。その電子が，酸素に強く引っ張られるわけです。

そうすると，どういうことになるか？　両側から「せーの」で，同じ力で押すと，酸素は 連続図3-6② のように，上に上がっていってしまいますね。**これが極性（電荷のかたより）をもつ理由です。**

極性分子：折れ線形　連続図3-6

① H_2O（水）

② 極性をもつ！

■ δ は「ごくごく小さな」

そして「単元2　要点のまとめ②」や 連続図3-6② を見ると，「デルタマイナス（δ−）」とかって書いてあるでしょう。**δ は，「ごくごく小さな」**という意味です。

だから，H_2O の場合，電子が近寄ることによって，O はマイナスの電荷を帯びてくる（$O^{δ-}$）。逆に H はマイナスが遠ざかったから，「デルタプラス（δ+）」といって，プラスの電荷を帯びてくる（$H^{δ+}$）。

つまりここには，ごくごく小さなプラスとマイナスの電荷のかたよりを生じる。ですから極性分子です。

■ CO_2 は直線形

比較してもらうために，無極性分子の二酸化炭素をちょっと見てみます。CO_2 を構造式で見ると，連続図3-7① のようになっており，「**直線形**」です。この場合

無極性分子：直線形　連続図3-7

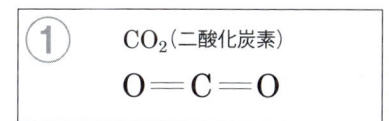

① CO_2（二酸化炭素）
O＝C＝O

は，電気陰性度の強いOが，連続図3-7②のように電子を引っ張ります。

これは，わかりやすいですよね。同じ力で両端の酸素が電子をぐっと引っ張ると，力がつり合うから動かないんですよ。

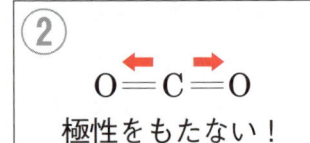

こういう場合は無極性，すなわち電荷にかたよりが生じません。

連続図3-7の続き

② O=C=O
極性をもたない！

■ NH_3 は三角錐形

アンモニア（NH_3）の場合はどうなるか，ちょっと見てみましょう。

アンモニアの場合は，連続図3-8①のように「**三角錐形**」になります。Nは電気陰性度が大きいですから，電子を強く自分の側に引っ張り込みます。

そうすると当然，連続図3-8②のように，マイナスの電荷が窒素に近づいたから，ここは$\delta-$（$N^{\delta-}$）となります。それに対し水素はそれぞれ$\delta+$（$H^{\delta+}$）となり，プラスの電荷を帯びてくる。

ここでは「**三角錐形**」という形を覚えてくださいね。よく聞かれてきますよ。

極性分子：三角錐形　連続図3-8

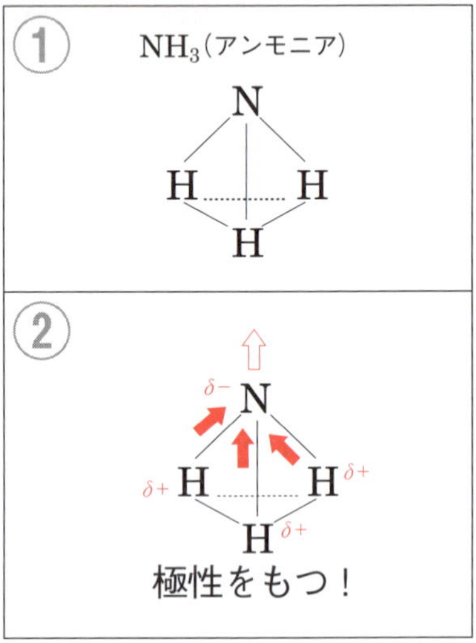

① NH_3（アンモニア）
② $\delta-$ N，H $\delta+$，H $\delta+$，H $\delta+$
極性をもつ！

■ HCl は直線形

HCl（塩化水素）は，一番簡単です。HとClの2点しかないから「**直線形**」になります 連続図3-9①。電子がCl側に引っ張られて，それぞれ$Cl^{\delta-}$，$H^{\delta+}$となります 連続図3-9②。これも電荷にかたよりを生じているんですね。

以上，極性分子の代表例は，**H_2O，NH_3，HCl**でした。極性をもつ理由と，それぞれの形をしっかりおさえてください。

最も簡単な直線形　連続図3-9

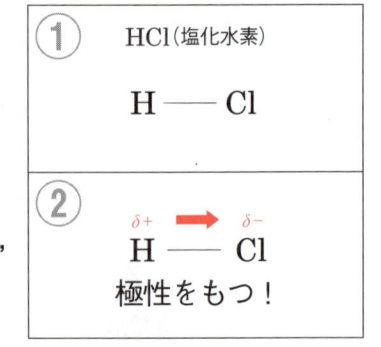

① HCl（塩化水素）
H —— Cl
② $\delta+$ H —— Cl $\delta-$
極性をもつ！

2-2 無極性分子

つづけて,「**無極性分子**」を見ていきます。とりあえず,まとめておきますね。

単元 2 要点のまとめ③

● **無極性分子**
(a) 電気陰性度の差が 0 のもの(**単体**)
　例:H_2,Cl_2,O_2
(b) 各原子間ではかたよりがあるが**互いに打ち消し合い,分子全体としては無極性になるもの。**

例:　　CO_2　　　　　CH_4　　　　　　CCl_4

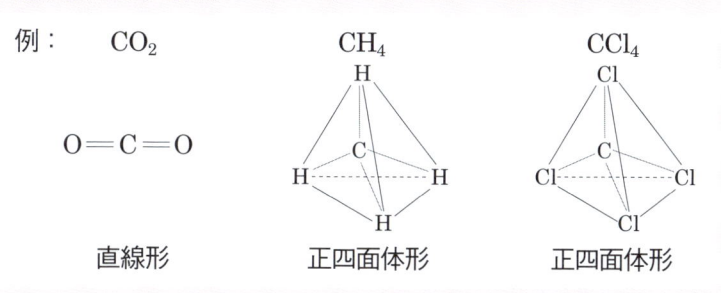

$O=C=O$

　　直線形　　　　正四面体形　　　　正四面体形

■ 電気陰性度の差がゼロ

まず,(a)「電気陰性度の差が 0(ゼロ)のもの」とあります。これは,要するに「**単体**」のことを言っています。

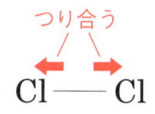

単体というのは,例えばCl_2。共有結合で Cl と Cl がお互いに電子を引っ張り合っています。反対方向に同じ力で引っ張り合っているから,つり合っています 図3-10 。もう 1 つ,ゼロっていうのが気になる。「ゼロ」って何か？

図3-10

つり合う
Cl—Cl

電気陰性度の値を見ると,Cl は 3.16 なんです。別にこんな数字を覚える必要はありませんが,この場合はあえていうと,同じ原子どうしの力だから,3.16 から 3.16 を引いてゼロということです。そうすると,ゼロのものは極性をもたない,つまり無極性になります。

一方，HとCl，この場合はどうなるか？　それぞれの電気陰性度はHが2.20で，Clは3.16，その差は0.96という値になります。**この差が大きければ大きいほど極性は強いというわけです。**

■ かたよりを互いに打ち消し合うもの

今度は，(b)のほうへいきますね。二酸化炭素（**CO₂**）の話です。CとOというこの原子間では，Oのほうが引っ張る力が強いんだから，極性はあるはずです。だけどその力が**互いに打ち消し合い，分子全体としては無極性**になります。第3講 **2-1**（→79ページ）で説明したとおりです。他にも**CH₄（メタン）とCCl₄（四塩化炭素）も無極性分子で，この2つは「正四面体形」**です。

■ CH₄（メタン）の場合

CH₄（メタン）の場合は 連続図3-11①のようになります。

構成元素は，CとHです。電気陰性度の値がCが2.55，Hが2.20だから，Cのほうが引っ張ります 連続図3-11②。

ところが，**正四面体の中心にCがあり，この場合には，空間ベクトルの合成で力が互いに打ち消し合い，ゼロになります。**つまり，分子全体としては力が働いていないのと同じ状態です。

だから無極性分子になるんですね。

■ CCl₄（四塩化炭素）の場合

CCl₄（四塩化炭素）の場合は，Clが非常に強い力で電子を引っ張ります 図3-12。

この場合も，**正四面体構造の場合には，引っ張ろうが押そうが，結局は空間ベクトルの合成で力はゼロになる**，という事実を知っておいてください。

空間ベクトルを合成 連続図3-11

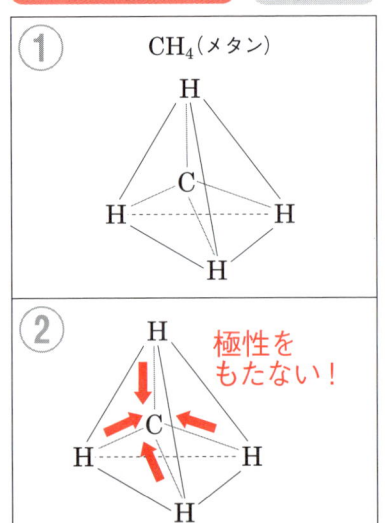

① CH₄（メタン）

② 極性をもたない！

正四面体形の例 図3-12

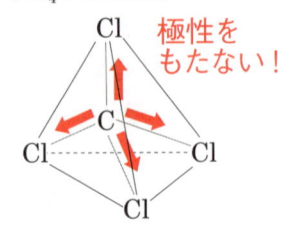

CCl₄（四塩化炭素）

極性をもたない！

■ 三角錐形と正四面体形の違い

ここでちょっと補足しておきます。2-1 で説明した三角錐形（→78ページ）と，今説明した正四面体形，「これって，結局，同じじゃないか！」と思われる方がいらっしゃるかもしれません。

でも，それは違うんですね。図3-13 を見てください。

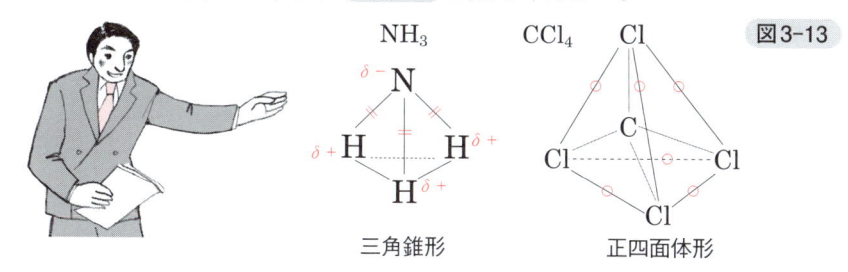

図3-13

三角錐形　　　　正四面体形

NH_3 の三角錐は**二等辺三角形**が3つあるのに対し，CCl_4 の正四面体というのは，どこの三角形もすべて**正三角形**なんですね。そこの違いがありますので，区別して覚えておいてください。

2-3 極性分子の応用

極性分子と無極性分子について，それぞれご理解いただけたかと思いますが，これですべてではありません。あとの例は応用をきかせてつくれるようにしましょう。

■ 同族元素で置きかえる

応用のポイントは，

同族元素で置きかえても構造は同じ

ということです。

例えば，連続図3-14① を見てください。極性分子の H_2O です。

はい，酸素の同族元素って何でしょう？　周期表を見ると，酸素は16族であり，同族元素には硫黄などがあります。

酸素を硫黄に置きかえる

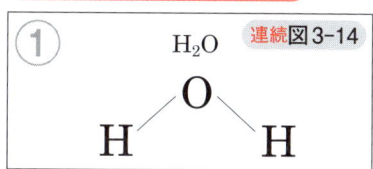

① 連続図3-14

H_2O

そこでこの硫黄を，酸素のかわりに置きかえてみる 連続図3-14②。

そうすると，これは硫化水素（H_2S）といって，**H_2O同様，折れ線形で極性分子になります。**

おわかりいただけましたか？

連続図3-14 の続き

② H O H
　　H S H

酸素→硫黄でも，
折れ線形で極性分子

■ **脈絡なく出題されるもの**

もう1つ，これは構造が難しいのですが，脈絡なくピョコンと出題されるので紹介しておきます。

SO_2（二酸化硫黄）です。実はこれは，配位結合（→55ページ）が関係しているので，構造はちょっと難しいんですよ 図3-15。図の矢印が，配位結合を表します。二重結合したOと，もう1つ配位結合を含んだOがありまし

図3-15

SO_2（二酸化硫黄）

二重結合　　配位結合
O＝S→O

折れ線形で極性分子

て，今までのものとは全然違うんですね。だけど，これもやっぱり**折れ線形で極性分子です。**

はい，極性分子，今日やったものは，H_2O，NH_3，HCl，さらにはH_2OのOを同族元素SにかえたH_2S。ちょっと気になるんで，SO_2も出しておきました。

単元2 要点のまとめ④

● **極性分子（＋αでおさえよう！）**

H_2S

　　$S^{δ-}$
$H_{δ+}$　$H_{δ+}$

折れ線形

SO_2

　　$S^{δ+}$
$O_{δ-}$　$O_{δ-}$

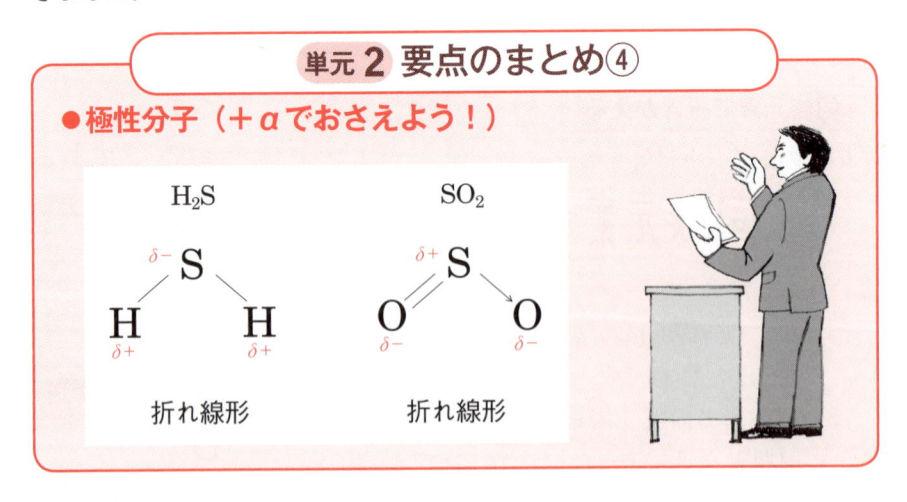

折れ線形

2-4 無極性分子の応用

無極性分子にも，同族元素で置きかえて考えることができるものがあります。

連続図3-16① を見てください。

これはCH_4（メタン）です。この炭素原子を同族元素で置きかえます。さて，炭素の同族元素にはどんなものがありました？　例えばケイ素（Si）です。ケイ素に置きかえても，同じように**正四面体形で無極性**です 連続図3-16②。ちなみにこの物質の名前は「シラン」といいます。

同族元素で置きかえると，大変似た性質が出てくるわけです。

炭素をケイ素に置きかえる

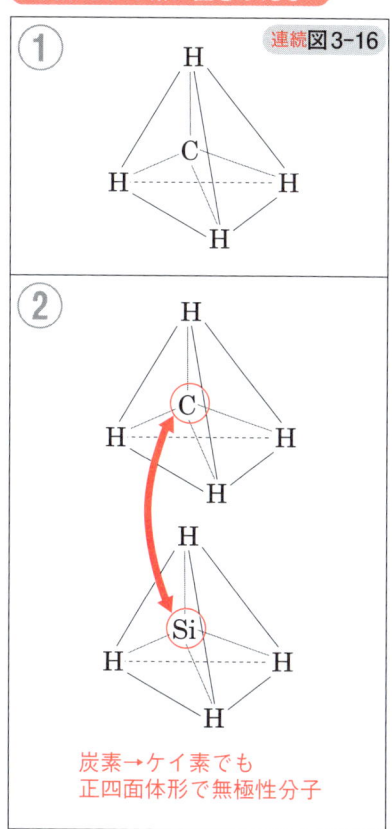

連続図3-16

炭素→ケイ素でも
正四面体形で無極性分子

単元3 分子間にはたらく力 基/Ⅱ

今度は分子間にはたらく力について見ていきましょう。

3-1 水素結合

「**水素結合**」は分子間にはたらく力の代表的なものです。意味は次のようになります。

> 電気陰性度が非常に大きいF, O, N原子に直接結合し, 正に帯電した水素原子と, 他の分子または分子内の負に帯電したF, O, N原子間に働く結合力を水素結合という。

これだけではイメージがつかめないでしょう。大丈夫, ひとつひとつおさえていきますよ。

まずは, 以下のことがポイントになります。**水素結合は分子間力（ファンデルワールス力）より強い結合力なので, 水素結合がはたらく分子からなる物質の沸点や融点は, はたらかない場合に比べて特異的に高くなる**, ということです。

■ 水素結合をもつもの

水素結合をもつのは, 電気陰性度の大きい次の元素3つです。**F, O, Nと水素との化合物は水素結合をもつ**, という事実を知っておいてください。

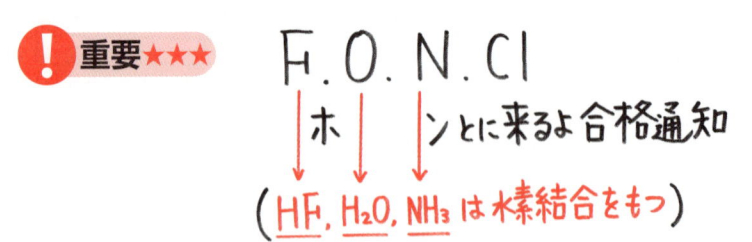

!重要★★★

F, O, N, Cl
ホ ン とに来るよ合格通知

(HF, H₂O, NH₃ は水素結合をもつ)

ここで**HClでは水素結合はもちません**。HClは, 一応極性分子だし, 原子間で引っ張り合っているんだけれども, 水素結合と言われるまでの力にはならないのです。

3-2 水素結合のイメージ

■ HFの例

では例を見ていきましょう。**HF**（**フッ化水素**）です。そうすると，このH—FのFが電子を引っ張り，$\delta+$，$\delta-$という極性を生じます 連続図3-17①。これによって，できあがってくるのが，いわゆるプラスとマイナスのクーロン力であり，**このクーロン力を特に水素結合といいます** 連続図3-17②。

連続図3-17　水素結合もクーロン力

① $H \rightarrow F \quad H \rightarrow F \quad H \rightarrow F$
Fが電子を引っ張ると極性を生じる

② $H \rightarrow F \cdots H \rightarrow F \cdots H \rightarrow F$
水素結合

覚えていますか？　プラスとマイナスの**強いクーロン力による結合を，イオン結合**といいましたね（→47ページ）。金属の陽イオンと非金属の陰イオンで，イオン結合です。それに比べて水素結合は，同じプラスとマイナスの引っ張り合いでも，ずっと弱いんですよ。

■ H₂Oの例

水の場合も同様です。酸素原子が電子を引っ張っていますね。だからこのOは，$\delta-$となり，Hは$\delta+$になります 連続図3-18①。

そうすると 連続図3-18② のように，プラスとマイナスの弱い結合ができる。

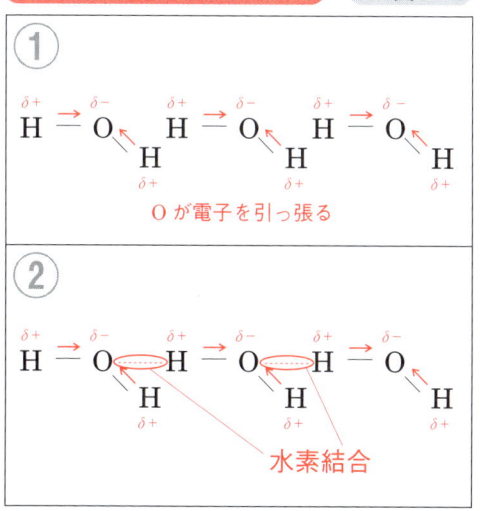

で，この力を水素結合というわけです。イメージがつかめましたか？

連続図3-18　プラスとマイナスの弱い結合

① $H \rightarrow O \quad H \rightarrow O \quad H \rightarrow O$
　　　　　H　　　　　H　　　　　H
Oが電子を引っ張る

② $H \rightarrow O \cdots H \rightarrow O \cdots H \rightarrow O$
　　　　　H　　　　　H　　　　　H
水素結合

■水素結合と沸点の関係

次に，図3-19 のグラフをちょっと見てください。14〜17族の水素化物の沸点を示したグラフです。水素結合をもつ **H_2O, HF, NH_3** の沸点が，極端にグンとはね上がってるでしょう。そこがよく出題されるんですよ。

例えば，グラフの一番上の点線，16族の元素に注目してみます。横軸は第2，第3，第4，第5周期ということですから，分子量が一番大きいのは H_2Te, 次は H_2Se，それから H_2S, H_2O の順ですね。

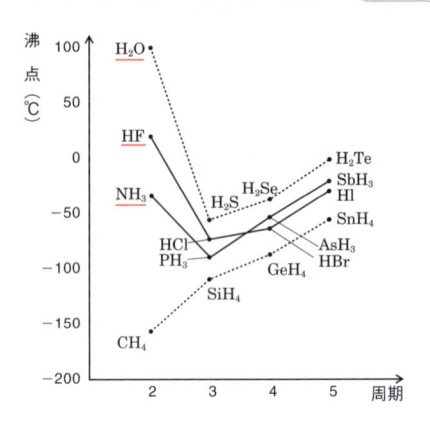

14, 15, 16, 17 族の水素化物の沸点　　図3-19

そうすると，第2周期のものが一番分子量が小さいから，本来なら H_2O が沸点は一番低くならないといけない。ところが，実際は極端に上にのびている。なぜか？　これはいわゆる水素結合をもっているからなんですよ。

H_2O, HF, NH_3 の3つが水素結合をもつため，特異的に沸点が高い。 14族の元素は，$CH_4 \rightarrow SiH_4 \rightarrow GeH_4 \rightarrow SnH_4$ と，分子量に応じて沸点が大きくなります。つまり，**F, O, N, 電気陰性度の大きい3つの元素が水素結合をもつということを，グラフは教えてくれているわけです。**

単元3 要点のまとめ①

●水素結合

電気陰性度が非常に大きい F, O, N 原子に直接結合し，正に帯電した水素原子と，他の分子または分子内の負に帯電した **F, O, N** 原子間にはたらく結合力を**水素結合**という。**水素結合は一般の分子間力より強い結合力なので，水素結合がはたらく分子からなる物質の沸点や融点は，はたらかない場合に比べて特異的に高くなる。**

今回は4種類の結晶と，分子の極性についてお話ししました。
では，また次回お会いいたしましょう。さようなら。

第 4 講

化学量・化学反応式

- 単元 1　化学量　基/Ⅰ
- 単元 2　化学反応式と物質量　基/Ⅰ
- 単元 3　化学反応式の表す意味　基/Ⅰ
- 単元 4　結晶格子　化/Ⅱ

第 4 講のポイント

　こんにちは。今日は第 4 講「化学量・化学反応式」というところをやっていきます。今回から，計算問題に入っていくわけですが，その一番最初のもとになる物質量，要するに「mol（モル）」ですね。これがいったい何なのか，というところを理解しましょう。

単元 1 化学量　　　　　基／Ⅰ

まず，最初にいくつかの言葉を学んでいきましょう。最初は「**原子量**」と「**分子量**」についてです。

1-1 原子量と分子量

質量数12の炭素原子です。

$$^{12}_{6}\text{C}$$

左上の12は質量数，その下の6は原子番号でしたね（→8ページ）。

質量数12の炭素原子の1個の質量っていうのは，非常に軽いんですが，**その1個の質量を，12としたんです**。"12g"ではなく，"12"です。**単位はつきません**。

■ 原子量は相対的に表す

そうしたときの，他の原子の1個の質量を相対的に表したものが，「**原子量**」です。

炭素原子の質量を12と決めたら，水素原子はちょうどその$\frac{1}{12}$の質量だから，原子量は1となります。酸素原子は，炭素原子の$\frac{16}{12}$の質量になるので，原子量は16。繰り返しますが，原子量にはgをつけてはいけません！　仮に炭素原子1個が12gもあったら，ダイヤモンドの指輪なんか指がポキンと折れて大変なことになります！

■ 分子量と式量

そして，分子を構成する原子の原子量の総和を「**分子量**」といいます。また，「**式量**」は，組成式やイオン式の中に含まれる原子の原子量の総和です（組成式についてはのちほど93ページで出てきます）。

単元1 化学量　91

単元1 要点のまとめ①

●**原子量と分子量**

原子量…天然の元素の多くは2種類以上の同位体の混合物であるが，各同位体の存在率は一定なので，各元素の原子の平均質量を求めることができる。この平均質量を質量数12の炭素原子（^{12}C）1個の質量を12としたときの相対質量で表したものが**原子量**である。

分子量…分子を構成している原子の原子量の総和をいう。

式　量…組成式やイオン式の中に含まれる原子の原子量の総和をいう。

1-2 物質量

次に「**物質量**」です。これはよく"物の質量"と読んでしまい，「物の質量ならgだぞ」と思ってしまうんですね。そうではなくて，これは"物質量"という1つの言葉があって，「**mol**（モル）」を表します。

化学では，6.02×10^{23}個の集団を1molと決めました。これはだから，その数集まると1molになると決めるわけです。この数のことを**アボガドロ数**（または**アボガドロ定数**）といいます。ちなみにアボガドロ定数というときは6.02×10^{23}/molというように，単位をつける約束になっています。

<u>6.02×10^{23}個の集団を1molと決める</u>
　　　　↑ アボガドロ数

ここまでで，molと個数の関係はわかります。6.02×10^{23}個集まったものを1molと決める。もし，その集合が2つあると，2molといい，半分しかなければ，0.5molというわけです。

1-3 1molが含む各量

それで，1molある物質をいろいろと調べてみます。結論をいうと，molと言われた場合，その中に**4つの単位**を含んでいます。**質量**（**g**），**気体の体積**（**L**），**個数**，そして**物質量**（**mol**）です。

単元1 要点のまとめ②

●化学量の比例関係

1mol中に次の各量を含む。

① 質量…1molは分子量，原子量（単原子分子扱いのもの），式量にgをつけた質量になる。

② 気体の体積…1molの気体はどんな種類の気体でも**標準状態**（0℃，$1.01×10^5$ **Pa**）では**22.4L**を占める。

③ 個数…1molは$6.02×10^{23}$個である。

④ 物質量…1molは1molである。

この4つの間では比例関係が成り立つ。

■ 1mol 中の質量

1molであれば，分子量，原子量（**単原子分子扱いのもの**），式量にgをつけたものが質量になります。例えば，H_2O 1molの分子量と質量を考えてみます。水素原子というのは原子量が1，酸素原子の原子量が16です。よって，

$$H_2O = 1×2 + 16 = 18 \quad ∴ 18g$$

18という数は分子量で，この分子量にあえてgという単位をつけると，これが1molの質量（18g）になるわけです。

ということは，水分子18gを取ってくると1molですから，アボガドロ数，すなわち$6.02×10^{23}$個の水分子をその中に含んでいることになります。

■ 1人あたり100兆円?!

これはすごい数ですよ。仮に$6×10^{23}$円あるとして，世界人口（60億人）で分けたとすると，1人あたり100兆円もらえるという，とてつもなく大きい数です。18gという，およそ目薬1本分の水の中には，それくらい大きい数の水分子を含んでいるのです。

では，次に原子量にgをつける場合。これは上の「単元1　要点のまとめ②」にあるように「**単原子分子扱い**」のものです。具体的には，

C, P, S, 金属類, 希ガスは単原子分子扱い

です。単原子分子というのは、1個の原子からできている分子ということですが、本当の単原子分子は、ヘリウム（He）、ネオン（Ne）などの希ガスだけです。

炭素（C）、リン（P）、イオウ（S）、金属類は、何個含んでいるかと、いちいち区別していくことがわかりづらい。つまり何個ってハッキリと言えないから、**全部元素記号で書き表し、単原子分子扱いをするわけです。**

アドバイス ちなみに H_2 なんていうのは2個の原子からできているので、2原子分子といいます。3つ以上はもう、多原子分子という言い方をします。

式量は、例えばNaClを考えてみましょう。「えっ、これは分子量じゃないの？」と思われるかもしれませんね。しかし、イオン結晶であるNaClは **図4-1** のようにがんじがらめにくっついて存在しています。そうすると、NaとClの対を分子として取ってくることはできないんですね。

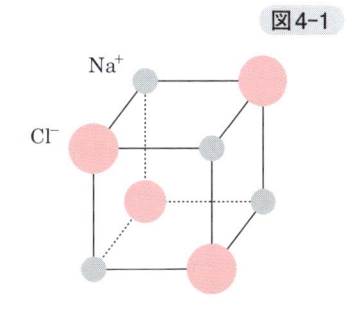

図4-1

■組成式とは？

ここで、Naは何個あるかわからないので、n個あるとしましょう。すると、Clも同じn個ありますね。ということで、一番簡単な整数比に直すと、

$$Na_n Cl_n \Longrightarrow NaCl$$

となります。**この一番簡単な整数比にした式のことを、「組成式」と言っているんです。**要するに、イオン結晶からできているものはすべて組成式です。でも、扱い方は分子量も原子量も式量も同じですよ。

例：分子量…$H_2O = 1 \times 2 + 16 = 18$　　よって H_2O 1molは18gである。
　　原子量…$Cu = 63.5$　　　　　　　　　　よって Cu 1molは63.5gである。
　　式　量…$NaCl = 23 + 35.5 = 58.5$　　　よって NaCl 1molは58.5gである。

■ 1mol中の気体の体積

次に1mol中の気体の体積です。1molの気体はどんな種類の気体でも**標準状態（0℃，1.01×10^{5}Pa）**では，**22.4L**を占めます。これは，実測値で調べた結果です。**標準状態（0℃，1.01×10^{5}Pa）**という言葉と数値を覚えてください。さらにこの「**22.4L**」という値も入試では与えられませんので，覚えておきましょう。

例えば，窒素であればN$_2$で分子量は14×2＝28です。だから28gの窒素を取ってきて0℃，1.01×10^{5}Paの状態でしばらくほうっておくと，体積が22.4Lになります。しかも1molなので，そのときの個数はアボガドロ数6.02×10^{23}個の窒素分子を含んでいるということになります。

■ポイントは比例関係

はい，「単元1　要点のまとめ②」（→92ページ）をもう一度確認してください。**質量（g），気体の体積（L），個数，物質量（mol）の4つの間では，比例関係が成り立ちます。**ここがポイントなんです！

岡野流⑤必須ポイント

質量，気体の体積，個数，物質量は比例関係

比例関係とは，2つの量を考えたとき，一方を2倍するともう一方も2倍，3倍すると3倍になるということです。例えば，1個が300gのリンゴ2個では600g，3個では900gというような関係です。このとき，比例式も成り立つことを頭に入れておきましょう。

単元 2　化学反応式と物質量　基/I

化学反応式をつくるとき，係数のつけ方には「暗算法（分数係数法）」と「未定係数法」の2通りの方法があります。計算問題を解くときに，かならず必要になるテクニックです。まずは，例題を見てください。

> 【例題】次の化学反応式の係数を求めよ。
> (1)　$C_2H_6 + O_2 \longrightarrow CO_2 + H_2O$
> (2)　$Cu + HNO_3 \longrightarrow Cu(NO_3)_2 + H_2O + NO_2$

さあ，どうやって解いていきましょうか。

2-1　暗算法で解く

(1)…**暗算法（分数係数法）**で解きます。

さて，解いてみましょう。

(1)はエタンが燃焼して，二酸化炭素と水になるという式です。

　　　$○C_2H_6 + ○O_2 \longrightarrow ○CO_2 + ○H_2O$

岡野の着目ポイント　まず，**一番複雑そうな化合物（元素の種類，または原子数の多い化合物）**に着目し，その係数を**1**と決めます。ここで一番複雑そうなのはC_2H_6（エタン）ですね。元素の種類はCO_2やH_2Oと同じく2種類ですが，原子の数は最も多く，8つあります。

はい，ここでポイントは，

①両辺で各原子数は等しい。

そうすると，左辺の炭素原子はC_2H_6に2個でしょう。だから右辺にもやっぱり2個なんですよ。したがって，CO_2の係数を2と入れます。

　　　$1C_2H_6 + ○O_2 \longrightarrow 2CO_2 + ○H_2O$

さらに左辺には，Hが6個。そこで右辺のH_2Oの係数を3と入れ，Hの数

をそろえます。

$$1C_2H_6 + \bigcirc O_2 \longrightarrow 2CO_2 + 3H_2O$$

はい，右辺のOの数は7個になりました。左辺も7個にしたい。2個セットが7個になるということは，$\frac{7}{2}$倍ですね。

$$1C_2H_6 + \frac{7}{2}O_2 \longrightarrow 2CO_2 + 3H_2O$$

そして，2つ目のポイントとして，

② 係数は一番簡単な整数比とする。

もっと簡単にするために，**分母の最小公倍数2**をかけます。

$$2C_2H_6 + 7O_2 \longrightarrow 4CO_2 + 6H_2O \cdots\cdots (1)\text{の【答え】}$$

以上が暗算法（分数係数法）です。

2-2 未定係数法で解く

(2)…次を解いてみましょう。まずは暗算法を試してみます。

$$\bigcirc Cu + \bigcirc HNO_3 \longrightarrow \bigcirc Cu(NO_3)_2 + \bigcirc H_2O + \bigcirc NO_2$$

一番複雑そうなものの係数を1とおきます。$Cu(NO_3)_2$が一番複雑そうなので1とすると，Cuが1個だから，左辺でも1個です。ここまではできるんですよ。

$$1Cu + \bigcirc HNO_3 \longrightarrow 1Cu(NO_3)_2 + \bigcirc H_2O + \bigcirc NO_2$$

ところが次の段階で，NもOも左辺，右辺ともに数が確定できていないから，すぐには係数が決められない。するとこの場合は，未定係数法です。**暗算法のほうがずっと速いんですが，できない場合には未定係数法を用います。**

> 暗算法がダメなら未定係数法を使う

さて，解いてみましょう。

岡野のこう解く それぞれの係数を，未知数a，b，c，d，eとおきます。

$$aCu + bHNO_3 \longrightarrow cCu(NO_3)_2 + dH_2O + eNO_2$$

そして方程式で解いていきます。左辺と右辺で各原子数をそろえるのがポイントです。

Cuについて：$a = c$ ……①
Hについて：$b = 2d$ ……②
Nについて：$b = 2c + e$ ……③
Oについて：$3b = 6c + d + 2e$ ……④

岡野の着目ポイント 未知数が5個あるにもかかわらず，4個しか式が立てられない。そこで，あと1本式をつくる，ここが未定係数法のポイントです。つくり方として，一番多く使われている文字を1とおきます。bとcが3回ずつなので，どちらでもいいのですが，bを1としましょうか。

$b = 1$ ……⑤

①～⑤を解いて，分母の最小公倍数をかけます。

$a = \dfrac{1}{4}$　4倍する⇒　1

$b = 1$　4倍する⇒　4

$c = \dfrac{1}{4}$　4倍する⇒　1

$d = \dfrac{1}{2}$　4倍する⇒　2

$e = \dfrac{1}{2}$　4倍する⇒　2

∴　$Cu + 4HNO_3 \longrightarrow Cu(NO_3)_2 + 2H_2O + 2NO_2$ ……(2) の【答え】

では，まとめておきます。

単元2 要点のまとめ①

●化学反応式の係数の決め方

化学反応式では，次の2つのことが成り立つことを利用して，係数を決める。

　①両辺で各原子数は等しい
　②係数は一番簡単な整数比とする

暗算法（分数係数法）と**未定係数法**という2通りの方法で，係数は導ける。通常は暗算法で導くが，複雑なときはめんどうでも未定係数法を用いないと導くことはできない。

単元3 化学反応式の表す意味 基/I

化学反応では，次の関係が成り立ちます。
化学反応式の係数比＝反応または生成する物質の物質量比

これだけ言われてもピンと来ないと思いますので，窒素と水素からアンモニアができる反応を例にとって見てみましょう。

例：次の反応でN_2 1molが反応したとき，反応で消費するN_2，H_2と，生成されるNH_3の量的関係は，次のようになる。

	N_2 +	$3H_2$ →	$2NH_3$
物　質　量	1mol	3mol	2mol
分　子　数	6×10^{23}個	$3 \times 6 \times 10^{23}$個	$2 \times 6 \times 10^{23}$個
気体の体積（標準状態）	22.4L	3×22.4L	2×22.4L
質　　量	28g	3×2g	2×17g

このときN_2，H_2，NH_3の間では比例関係が成り立つ。

上の化学反応式を見て，初心の人であれば，「1個の窒素分子があって，それが3個の水素分子と反応を起こして2個のアンモニア分子ができる」と考えるかもしれませんね。でも，化学の計算をやる場合には，**1個とか2個の分子の数ではあまりにも小さな質量，またはあまりにも小さな気体の体積になってしまうので，「N_2 1 mol，H_2 3 mol，NH_3 2 molというふうに考えていきましょう」**としたのです。

1mol中に含まれる各量は第4講の単元1で学びましたね。そこで，上の表のような関係が全部成り立つわけです。このとき**N_2，H_2，NH_3の間では，比例関係が成り立ちます。**

単元3 要点のまとめ①

● **化学反応式の表す意味**
　化学反応式の係数比＝反応または生成する物質の物質量比

単元3　化学反応式の表す意味　99

演習問題で力をつける⑤
molの計算に慣れよう！

問 ブタン（C_4H_{10}）5.8gを完全燃焼させるとき
(1) 二酸化炭素は標準状態で何L得られるか。
(2) 水は何g得られるか。
(3) 酸素分子は何個使用されるか。

ただし，原子量はH＝1，C＝12，O＝16とし，アボガドロ定数は$6.0×10^{23}$/molとする。

さて，解いてみましょう。

本講の単元1〜単元3で学んだことを踏まえて解いていきます。最初に反応式をつくります。問題文より，

$$C_4H_{10} + O_2 \longrightarrow CO_2 + H_2O$$

一番複雑そうなC_4H_{10}の係数を1とおくと，

$$1C_4H_{10} + \frac{13}{2}O_2 \longrightarrow 4CO_2 + 5H_2O$$

両辺を2倍して，

$$2C_4H_{10} + 13O_2 \longrightarrow 8CO_2 + 10H_2O$$

岡野の着目ポイント (1)…問題文の「**ブタン（C_4H_{10}）5.8g**」と，「**二酸化炭素は……何L**」というところをチェックして，「**g**」と「**L**」の関係で解くということに着目します。

比例法で解く（解法その1）

完成した化学反応式からブタンと二酸化炭素の関係を考えると，

$$\underline{2C_4H_{10}} \quad : \quad \underline{8CO_2}$$
$$2mol \qquad\qquad 8mol$$

ですね。
ここで，molに含まれる各量の比例関係から，「g」と「L」の関係に直すと，

$$2C_4H_{10} \quad : \quad 8CO_2 \qquad (C_4H_{10} = 58)$$
$$2mol \qquad\qquad 8mol$$
$$(2×58g \qquad 8×22.4L)$$

> [岡野のこう解く] すなわち$2×58$gのブタンを完全燃焼させると，$8×22.4$L の二酸化炭素が発生するということです。この割合は変わらないというのがポイント！
>
> そこで今回は5.8gのブタンを燃焼させて，何Lの二酸化炭素が発生したのか，ということですから，発生した二酸化炭素をxLとすると，
>
> $2C_4H_{10}$ ： $8CO_2$
> 2mol　　　　8mol
> $\begin{pmatrix} 2×58\text{g} & 8×22.4\text{L} \\ 5.8\text{g} & x\text{L} \end{pmatrix}$
>
> 比例関係のときは比例式が使えるので，
>
> $2×58\text{g} : 8×22.4\text{L} = 5.8\text{g} : x\text{L}$

あとは，数学で学んだように，内項の積と外項の積が等しくなります。

$2×58×x = 8×22.4×5.8$ ………Ⓐ

∴ $x = 8.96 ≒ 9.0$L ………（1）の【答え】

慣れてくれば，

$\begin{pmatrix} 2×58\text{g} & 8×22.4\text{L} \\ 5.8\text{g} & x\text{L} \end{pmatrix}$

のところで，**対角線どうしをかけてⒶ式をつくっても構いません。**

以上のように，比例関係を用いて解く方法を「比例法」といいます。

「比例法」にはもう一つ，288ページの「最重要化学公式一覧」の[**公式2**]を用いる方法があります。

❗重要★★★

☆	（Ⅰ）	$n = \dfrac{w}{M}$	n：原子または分子の物質量（mol） w：質量（g） M：原子量または分子量
☆	（Ⅱ）	$n = \dfrac{V}{22.4}$	n：気体の物質量（mol） V：標準状態の気体の体積（L）
☆	（Ⅲ）	$n = \dfrac{a}{6.02×10^{23}}$	n：原子または分子の物質量（mol） a：原子数または分子数

———[**公式2**]

単元3 化学反応式の表す意味

比例法で解く（解法その2）

すべてmolの単位に合わせて解く方法です。

$$2C_4H_{10} \quad : \quad 8CO_2$$

$$\boxed{n=\frac{w}{M}} より \quad \begin{array}{c} 2\text{mol} \\ \frac{5.8}{58}\text{mol} \end{array} \quad \begin{array}{c} 8\text{mol} \\ \frac{x}{22.4}\text{mol} \end{array} \quad \boxed{n=\frac{V}{22.4}} より$$

対角線の積は内項の積と外項の積の関係になっているので等しい。

$$\therefore \quad \frac{5.8}{58} \times 8 = \frac{x}{22.4} \times 2$$

$$\therefore \quad x = \frac{5.8 \times 8 \times 22.4}{58 \times 2} = 8.96$$

$$\fallingdotseq 9.0 \text{L} \cdots\cdots (1)の【答え】$$

mol法で解く（解法その3）

[公式2]を組み合わせて解く方法です。

> **岡野の着目ポイント** 燃焼したブタンのmol数は[公式2]の(I)から$\frac{5.8}{58}$molです。そして，化学反応式に着目すると，**発生する二酸化炭素の物質量は，使用されるブタンの常に$\frac{8}{2}$倍です。これがポイントです！**

ここで，求めたいのは，二酸化炭素のL数なので，(I)(II)の式を組み合わせて，二酸化炭素についての式を立てます。

[公式2]の(II)を変形させて $\boxed{n=\frac{V}{22.4} \Rightarrow V = n \times 22.4}$ に代入すると，

$$V_{CO_2} = n_{CO_2} \times 22.4$$

$$= \underbrace{\frac{5.8}{58}}_{\substack{C_4H_{10}の \\ \text{mol数}}} \times \underbrace{\frac{8}{2}}_{\substack{CO_2の \\ \text{mol数}}} \times \underbrace{22.4}_{\substack{CO_2の \\ \text{体積(L)}}} = 8.96 \fallingdotseq 9.0\text{L} \cdots\cdots(1)の【答え】$$

この解法を「mol法」といいます。解法その1～その3のどちらで解いても構いませんよ。

比例法で解く（解法その1）

(2)…同様に解いていきます。**ブタン**と**水**で，「**g**」と「**g**」の関係に着目です。生成した水をxgとすると，

$$2C_4H_{10} \quad : \quad 10H_2O \quad (H_2O = 18)$$

2mol　　　　10mol

2で割ると　　1mol　　　　5mol　⇐（比率がわかればいいので，簡単な整数比に直して構いません）

$$\begin{pmatrix} 58\text{g} & & 5\times 18\text{g} \\ 5.8\text{g} & & x\,\text{g} \end{pmatrix}$$

対角線の積は内項の積と外項の積の関係になっているので等しい。

∴　$58x = 5.8 \times 5 \times 18$

∴　$x = 9.0$g ……… (2) の【答え】

比例法で解く（解法その2）

すべてmolの単位に合わせて解く方法です。

$$1C_4H_{10} \quad : \quad 5H_2O$$

1mol　　　　5mol

$\boxed{n = \dfrac{w}{M}}$ より　$\dfrac{5.8}{58}$ mol　　$\dfrac{x}{18}$ mol　$\boxed{n = \dfrac{w}{M}}$ より

∴　$\dfrac{5.8}{58} \times 5 = \dfrac{x}{18} \times 1$

∴　$x = \dfrac{5.8 \times 5 \times 18}{58 \times 1} = 9.0$g ……… (2) の【答え】

mol法で解く（解法その3）

生成する水の物質量は，使用されるブタンの常に$\dfrac{10}{2}$倍です。求めたいのは，水のg数なので，

$$n_{H_2O} = n_{C_4H_{10}} \times \dfrac{10}{2}$$

ここで，[**公式2**] の(I)式を変形させて　$\boxed{n = \dfrac{w}{M} \;\Rightarrow\; w = nM}$　に代入すると，

単元3　化学反応式の表す意味　103

$$w_{H_2O} = n_{H_2O} \times 18$$
$$= \underbrace{\frac{5.8}{58}}_{C_4H_{10}の\\mol数} \times \underbrace{\frac{10}{2}}_{H_2Oの\\mol数} \times \underbrace{18}_{H_2Oの\\質量(g)} = 9.0g \cdots\cdots (2)の【答え】$$

比例法で解く（解法その1）

(3)…同様に解きます。**メタン**と**酸素**で「g」と「個」の関係に着目です。

$$2C_4H_{10} \quad : \quad 13O_2$$
$$2\text{mol} \qquad\qquad 13\text{mol}$$
$$\begin{pmatrix} 2\times 58\text{g} & 13\times 6.0\times 10^{23}\text{個} \\ 5.8\text{g} & x\text{個} \end{pmatrix}$$

対角線の積は等しいので

$$\therefore \quad 2\times 58 \times x = 5.8 \times 13 \times 6.0 \times 10^{23}$$
$$\therefore \quad x = 3.9 \times 10^{23} \text{個} \cdots\cdots (3)の【答え】$$

比例法で解く（解法その2）

すべてmolの単位に合わせます。

$$2C_4H_{10} \quad : \quad 13O_2$$

$$\boxed{n = \frac{w}{M}} より \begin{pmatrix} 2\text{mol} & 13\text{mol} \\ \frac{5.8}{58}\text{mol} & \frac{x}{6.0\times 10^{23}}\text{mol} \end{pmatrix} \boxed{[公式2]\; n = \frac{a}{6.0\times 10^{23}}} より$$

対角線の積は等しいので

$$\therefore \quad \frac{x}{6.0\times 10^{23}} \times 2 = \frac{5.8}{58} \times 13$$
$$\therefore \quad x = 3.9 \times 10^{23} \text{個} \cdots\cdots (3)の【答え】$$

mol法で解く（解法その3）

使用される酸素の物質量は使用されるブタンの常に$\frac{13}{2}$倍です。 求めたいのは酸素の個数なので，

$$n_{O_2} = n_{C_4H_{10}} \times \frac{13}{2}$$

ここで［**公式2**］の（Ⅲ）式を変形させて

$$n = \frac{a}{6.0 \times 10^{23}} \Rightarrow a = n \times 6.0 \times 10^{23}$$

に代入すると

$$a_{O_2} = n_{O_2} \times 6.0 \times 10^{23}$$
$$= \underbrace{\frac{5.8}{58}}_{C_4H_{10} \text{の mol数}} \times \underbrace{\frac{13}{2}}_{O_2 \text{の mol数}} \times \underbrace{6.0 \times 10^{23}}_{O_2 \text{の個数}} = 3.9 \times 10^{23} \text{個} \cdots\cdots (3) \text{の【答え】}$$

理解できましたでしょうか？ ここはじっくり時間をかけて，ぜひ自分の得意技をつくってくださいね。

以下に，2つの解法のポイントをまとめておきますので，参照しておいてください。

単元3 要点のまとめ②

●比例法と mol 法

比例法…mol に関して，**質量，気体の体積，個数，物質量**の4つの間での比例関係を利用して解く。

mol 法…［**公式2**］を組み合わせて解く。

アドバイス ［**公式2**］（Ⅰ）〜（Ⅲ）の導き方をそれぞれ説明しましょう。
mol 数と g 数は比例する（ある物質の原子量または分子量を M，質量を w g，そのときの物質量を n mol とする）。

$$\underbrace{1 \text{ mol} : M \text{ g}}_{1\text{mol のある物質の mol 数と g 数}} = n \text{ mol} : w \text{ g}$$

∴ $nM = w$ ∴ $n = \dfrac{w}{M}$ ……［**公式2**］（Ⅰ）の【証明】

mol数とL数は比例する（標準状態のある気体をV L，そのときの物質量をn molとする）。

$$\underline{\underline{1 \text{ mol} : 22.4 \text{ L}}} = n \text{ mol} : V \text{ L}$$
1molのある気体のmol数とL数

∴ $n \times 22.4 = V$ ∴ $n = \dfrac{V}{22.4}$ ……［公式2］（Ⅱ）の【証明】

注：1molの気体はどんな種類の気体でも標準状態では22.4Lを占める。

mol数と個数は比例する（ある物質の個数をa個，そのときの物質量をn molとする）。

$$\underline{\underline{1 \text{ mol} : 6.02 \times 10^{23} \text{ 個}}} = n \text{ mol} : a \text{ 個}$$
1molのある物質のmol数と個数

$n \times 6.02 \times 10^{23} = a$ ∴ $n = \dfrac{a}{6.02 \times 10^{23}}$ ……［公式2］（Ⅲ）の【証明】

注：アボガドロ数が6.0×10^{23}で与えられたときは
$n = \dfrac{a}{6.0 \times 10^{23}}$ を用いる。

単元 4　結晶格子　　化/Ⅱ

　最後に「結晶格子」について学びましょう。
　結晶中で構成粒子のつくる配列を「**結晶格子**」といい，その最小の繰り返し単位を「**単位格子**」といいます。
　ではこれから，金属結晶とイオン結晶，それぞれの結晶格子について見ていきます。

4-1　金属の結晶格子

　まずは金属結晶の結晶格子です。
　さて，金属の結晶というと，まず金属単体をイメージしてくださいね。化合物でない1種類の元素からできている金属であれば，もう金属結晶になっています（→71ページ）。

■結晶格子の種類

　では金属の結晶格子には，どんな種類があるのでしょう？　まずは次ページの「単元4　要点のまとめ①」に目を通してください。
　金属の三次元的な配列は1種類ではなく，金属の種類によっていろいろな配列の仕方をします。

単元4 要点のまとめ①

● **金属結晶の結晶格子**

金属の結晶は，金属の陽イオンが規則正しく整列してできている。結晶中で構成粒子のつくる三次元の配列を**結晶格子**といい，結晶格子の最小の繰り返し単位を**単位格子**という。

金属の結晶格子は，主に以下の3種類のいずれかである。

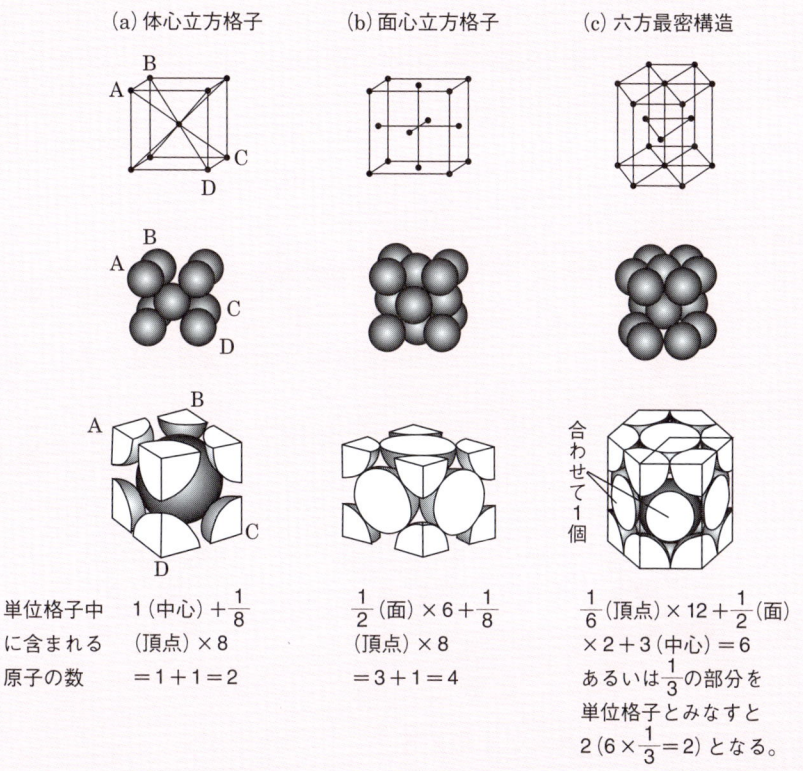

(a) 体心立方格子　　(b) 面心立方格子　　(c) 六方最密構造

単位格子中に含まれる原子の数

(a) $1(中心) + \dfrac{1}{8}(頂点) \times 8 = 1 + 1 = 2$

(b) $\dfrac{1}{2}(面) \times 6 + \dfrac{1}{8}(頂点) \times 8 = 3 + 1 = 4$

(c) $\dfrac{1}{6}(頂点) \times 12 + \dfrac{1}{2}(面) \times 2 + 3(中心) = 6$

あるいは $\dfrac{1}{3}$ の部分を単位格子とみなすと $2\left(6 \times \dfrac{1}{3} = 2\right)$ となる。

例：体心立方格子の金属…Li，Na，K，Ba，Crなど
　　面心立方格子の金属…Cu，Ag，Au，Ptなど
　　六方最密構造の金属…Be，Mg，Zn，Coなど

名前を覚えてくださいね。(a)「**体心立方格子**」，(b)「**面心立方格子**」，(c)「**六方最密構造**」となっています。(c) は「六方最密格子」と言っている場合もあります。

図4-2　体心立方格子　　図4-3　面心立方格子　　図4-4　六方最密構造

（体心立方格子：立方体の中心に原子）
（面心立方格子：面の中心に原子）
（六方最密構造：正六角柱）

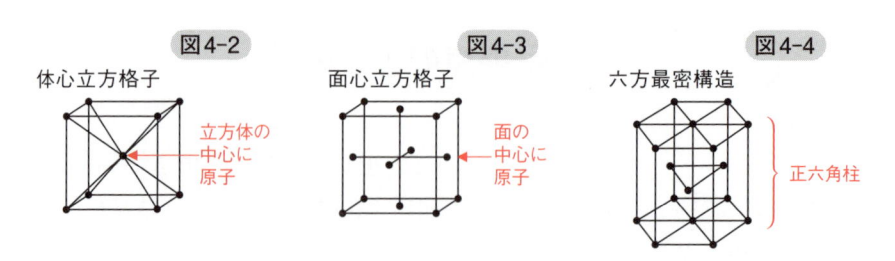

　図4-2 を見てください。体心というのは，立方**体**の中**心**に原子が入っているという言葉の意味から，そうよばれます。ですから，体心立方格子。

　面心というのは，**面**の中**心** 図4-3 という意味。図の立方体は6面ありますが，それぞれの面の中心のところに原子を含んでいます。だから面心立方格子です。

　六方最密構造というのは正六角柱で，あきらかに前の2つとは違っていますね 図4-4 。

　さて， 図4-2 〜 図4-4 では，原子と原子が離れていますが，これは簡略した見取り図だからです。本当は，それぞれ 図4-5 のような形でくっついています。でも一般的には， 図4-2 〜 図4-4 の形で書かれますので，基本的には同じものだと思って理解してください。

図4-5
体心立方格子　　面心立方格子　　六方最密構造

■ 球の並び方から結晶格子を考える

　体心立方格子について，さきほどは，立方体の中心に球（＝原子）があることから，「体心」といいました。

　ここでは，もう1つ別の見方をしてみましょう。体心立方格子では同じ大きさの球が，**4，1，4，1，4**……とずーっとつながっているんですね 連続 図4-6 ① 。

球の並び方に着目！　連続 図4-6

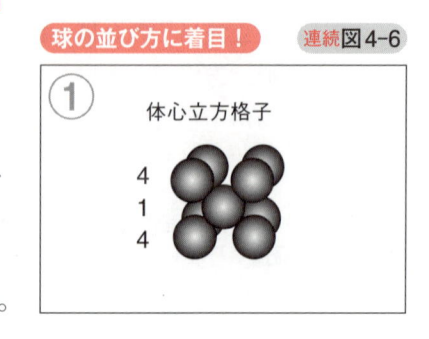

① 体心立方格子
4
1
4

「4, 1, 4」の積み重ねです。

同じような見方をしますと，面心立方格子は5, 4, 5, 4, 5……という，「5, 4, 5」の積み重ねです 連続図4-6②。

六方最密構造は，下の正六角形の真ん中に1個原子を入れますので，7個ですね 連続図4-6③ 。そして3個入って，また7個。7, 3, 7, 3, 7……と，「7, 3, 7」の積み重ねです。

応用が効くので，このような見方ができるということを，ぜひおさえておいてください。

連続図4-6 の続き

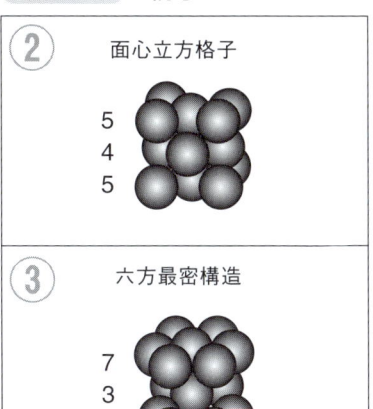

② 面心立方格子
5
4
5

③ 六方最密構造
7
3
7

4-2 単位格子に含まれる原子数

■体心立方格子の単位格子

今見た 連続図4-6①〜③ のようではなく，連続図4-7① のように，角を立方体に直角に切りそろえた形，これが「単位格子」です。原子は実際は切れません。だから，これはあくまでも数学的な考え方だとご理解ください。そして，図の頂点（赤い部分）に何個分がくっついているかが重要です。これは$\frac{1}{8}$個分ですね。

単位格子中の原子数は？

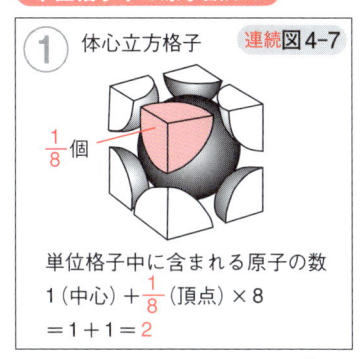

① 体心立方格子　連続図4-7

$\frac{1}{8}$個

単位格子中に含まれる原子の数
$1(中心) + \frac{1}{8}(頂点) \times 8$
$= 1 + 1 = 2$

ですから，体心立方格子の中に原子が何個入っているかというと，$\frac{1}{8}$個が上下に4個ずつあって，**中心に1個**あるから，

$1(中心) + \frac{1}{8}(頂点) \times 8 = 1 + 1 = 2$

つまり体心立方格子の単位格子には，**合計2個分の原子が含まれます。**

■面心立方格子の単位格子

同様に面心立方格子ですが，**頂点のところは$\frac{1}{8}$個**，それから**面の真ん中の**

ところに$\frac{1}{2}$個入っています 連続図4-7②。
よって，
$$\frac{1}{2}(面) \times 6 + \frac{1}{8}(頂点) \times 8 = 3 + 1$$
$$= 4$$
合計4個の原子を含みます。

■六方最密構造の単位格子

あと，六方最密構造です 連続図4-7③。これは頂点が$\frac{1}{6}$個になります。それが上下合わせて12個あり，上下の**面**に$\frac{1}{2}$個が2つ。それから**中心の3個**は，そのままあると思ってください。すなわち，
$$\frac{1}{6}(頂点) \times 12 + \frac{1}{2}(面) \times 2 + 3(中心)$$
$$= 6$$
合計6個の原子を含みます。

連続図4-7 の続き

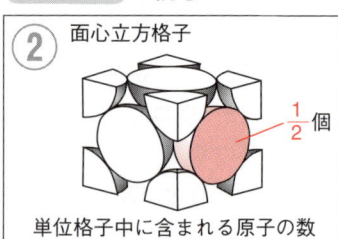

② 面心立方格子 — $\frac{1}{2}$個
単位格子中に含まれる原子の数
$\frac{1}{2}(面) \times 6 + \frac{1}{8}(頂点) \times 8$
$= 3 + 1 = 4$

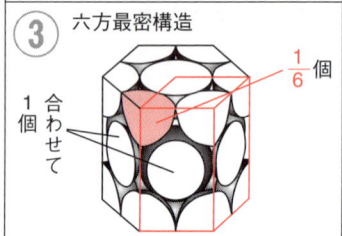

③ 六方最密構造 — $\frac{1}{6}$個，合わせて1個
単位格子中に含まれる原子の数
$\frac{1}{6}(頂点) \times 12 + \frac{1}{2}(面) \times 2 + 3(中心) = 6$
あるいは$\frac{1}{3}$の部分を単位格子とみなすと
$2 (6 \times \frac{1}{3} = 2)$となる。

ところが，図の赤い線で示された，ひし形の部分が単位格子だという見方もあるんです。そうしますと，これは全体のちょうど$\frac{1}{3}$になります。
$$6 \times \frac{1}{3} = 2$$
ひし形を単位格子だと見なすと，2個の原子を含むわけです。

単位格子に含まれる原子数は，「**2，4，6**（体心立方格子，面心立方格子，六方最密構造）」と覚えておくと，まず間違えないですよ。

■覚えておくべき具体例（金属結晶）

「単元4 要点のまとめ①」（→107ページ）に例を挙げていますが，体心立方格子の金属で最初の3つ「Li，Na，K」までは「アルカリ金属」です。センター試験の正誤問題で「アルカリ金属は，すべて体心立方格子の構造をとる」などと出されますが，これは○です。

「すべて」なんて言われると，例外もあるんじゃないかと思うかもしれませんが，**アルカリ金属は，すべて体心立方格子の構造をとるんです**。もちろ

ん金属の単体である場合に限ります。

次の**面心立方格子の金属は，Cu，Ag，Au，Pt**で，全部値段の高い金属です。オリンピックのメダル，金，銀，銅，それと白金ね。

六方最密構造の例は，特に覚える必要はないでしょう。

4-3 イオン結晶の結晶格子

今度はイオン結晶の結晶格子です。イオン結晶は，金属結晶とはちょっと違う。金属結晶は金属単体だったのに対し，イオン結晶というのは金属と非金属の結晶なんです。だから，以下のようになります。

単元4 要点のまとめ②

●イオン結晶の結晶格子

イオン結晶の構造は，正負のイオン間のクーロン力が最も有効にはたらくように決まる。代表的なイオン結晶の構造の例を次に示した。

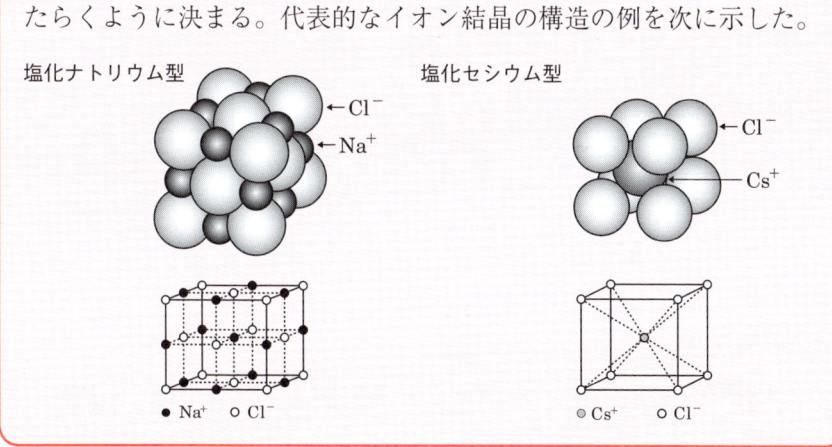

塩化ナトリウム型　　　塩化セシウム型

● Na^+　○ Cl^-　　　　◎ Cs^+　○ Cl^-

■塩化ナトリウム型

連続図4-8①を見てください。これは「塩化ナトリウム型」といいます。●(黒丸)が Na^+ で，○(白丸)が Cl^- ですが，入れ替えても構いません。たまたま今は●がナトリウムイオンで，○が塩化物イオンになっています。

面心立方格子の組合せ　連続図4-8

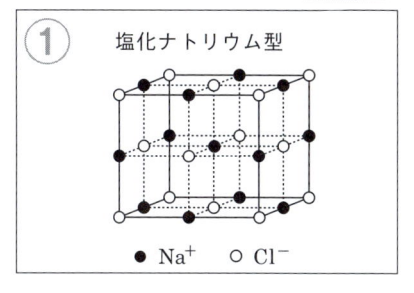

① 塩化ナトリウム型

● Na^+　○ Cl^-

ここで○について，一番下の段に5個，真ん中の段に4個，それからまた，上の段に5個。すなわち，「**5，4，5**」という積み重ねです。どこかでこういうの，ありましたよね。そう，**これは面心立方格子ですね**。

それに対して●は，4，5，4，5……，やっぱりこれも面心立方格子なんです。

ですから，塩化ナトリウムというのは簡単に表現すると 連続図4-8② のようになり，**ナトリウムイオンと塩化物イオンで，ちょうど面心立方格子のものが組み合わさった構造**なんだとご理解ください。

連続図4-8 の続き

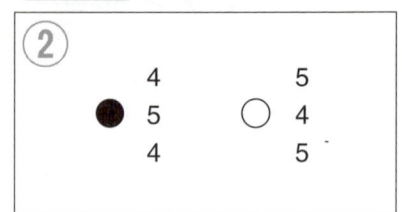

②

● 4 ○ 5
  5   4
  4   5

■塩化セシウム型

そして，図4-9 の「塩化セシウム型」です。Cs^+ が真ん中に1個入り，Cl^- が上下に4個ずつという形。これは多少，特殊例ですので，軽くおさえておきましょう。

塩化セシウム型　　　図4-9

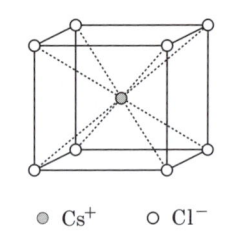

● Cs^+　　○ Cl^-

単元4 結晶格子

演習問題で力をつける⑥
結晶格子の仕組みを理解しよう！

問 図Aと図Bはそれぞれ金属ナトリウムと金属銅の結晶の単位格子を示したものである。下の問いに答えよ。

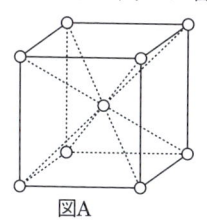

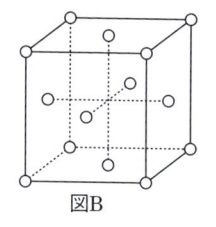

図4-10

図A　　図B

(1) 図Aと図Bの結晶格子の名称は何か。
(2) 図Aと図Bの単位格子を構成している原子の数はそれぞれ何個か。
(3) 図Aと図Bの単位格子で構成される結晶中では，それぞれ1個の原子は他の何個の原子と接しているか。
(4) 銅の密度は$9.0g/cm^3$であり，単位格子の一辺の長さは0.36nmである。銅の原子量を求めよ。ただし，アボガドロ定数は$6.0×10^{23}/mol$とし，数値は有効数字2桁で答えよ。

さて，解いてみましょう。

(1) …さきほど学んだ通りです。
　　　図A：体心立方格子　　図B：面心立方格子……(1)の【答え】
(2) …これも「2，4，6（体心立方格子，面心立方格子，六方最密構造）」と覚えておけば問題ありませんね（六方最密構造の六と2，4，6の6が一致するので覚えられますね）。
　　　図A：2個　　図B：4個……(2)の【答え】

岡野の着目ポイント (3)…図Aの体心立方格子については，さきほど説明したように，たまたま「4，1，4」の部分のみを取り出しただけで，実際には上下左右前後とあらゆる方向に4，1，4，1，4……と連なっています。ですから，どこの原子で考えても，かならず同じ位置関係になります。
図4-11 に置きかえて考えてみましょう。

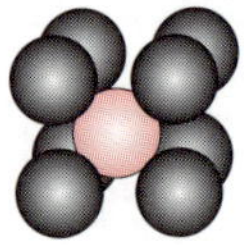

そこでわかりやすいように，図の真ん中にある，赤い原子で考えます。接しているのは上で4つ，下で4つ，合わせて8個なんですね。

　　図A：8個……(3)の【答え】
　図Bの面心立方格子も，図4-12 に置きかえて考えてみましょう。

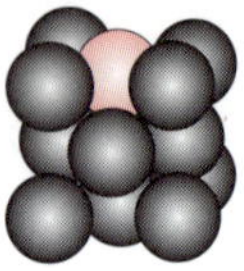

> 岡野のこう解く これは難しいのですが，どこを考えるかというと，**図の赤い原子です**。すると，**下で4つ**，そして**赤い原子を除く周りの4つ**，さらに面心立方格子の場合，5, 4, 5, 4, 5……の積み重ねなので，**上の段で4つと接**しているはずです。つまり4+4+4で12個です。

　　図B：12個……(3)の【答え】
　設問にはありませんが，よく問われるので，六方最密構造も考えてみましょうか 図4-13。これも**図の赤い原子に着目**です。すると，**下で3つ，周りに6つ**，そして，7, 3, 7, 3, 7…の積み重ねなので，**上に3つ**。1個の原子は，合計12個（=3+6+3）の原子と接しています。

図4-11
体心立方格子
4
1
4

図4-12
面心立方格子
5
4
5

図4-13
六方最密構造
7
3
7

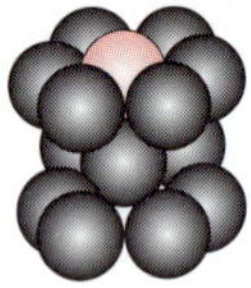

> 岡野のこう解く (4)…密度の考え方がポイントになります。要するに，
>
> 　　密度を9.0 g/cm³ とすると 1cm³ が 9.0g である。
>
> ということです。単位を分解するわけです。

単元4 結晶格子

> **岡野の着目ポイント** $1cm^3$ あたりで $9.0g$ なのに対し，単位格子あたりの体積では何 g になるのか，という比例式をつくりましょう．

単位をそろえます．$1nm = 10^{-7}cm$ なので，$0.36nm = 0.36 \times 10^{-7}cm$ です．少し直して，$3.6 \times 10^{-8}cm$ です．

よって，単位格子の体積は，$(3.6 \times 10^{-8})^3 cm^3$ ですね．

そして，求める Cu の原子量を x とおき，単位格子あたりの g 数（質量）を考えます．原子量に g をつけたら $1mol$ の質量でしたね．そして，その中には 6.0×10^{23} 個の原子が含まれます．Cu の単位格子は面心立方格子なので，単位格子中に4個の原子を含みます．よって，単位格子中の4個の原子では □ g あると考えると，

$$x\,g : 6.0 \times 10^{23}\text{個} = \square\,g : 4\text{個}$$

$$\therefore \square = \frac{x \times 4}{6.0 \times 10^{23}}\,g$$

これが，Cu 原子4個分の重さになります．よって，

$$1cm^3 : 9.0g = (3.6 \times 10^{-8})^3 cm^3 : \frac{x \times 4}{6.0 \times 10^{23}} g$$

Cuの単位格子の体積　　Cu原子4個分の重さ

あとは，この比例式を解いて，

$$\frac{x \times 4}{6.0 \times 10^{23}} = 9.0 \times (3.6 \times 10^{-8})^3$$

$$x ≒ \frac{6.0 \times 10^{23} \times 9.0 \times 46.6 \times 10^{-24}}{4}$$

$$= \frac{6.0 \times 9.0 \times 46.6 \times 10^{-1}}{4} ≒ 62.9$$

$$≒ 63 \cdots\cdots (4) \text{の【答え】}$$

本問では，原子量が問われましたが，他に密度，あるいはアボガドロ数を未知数にするタイプがあります．しかし，「岡野流」で密度の単位を分解して考えると，同様に公式なしで解けてしまいます！　自分だけで解けるようにもう一度復習しておくとよいでしょう．

岡野流 必須ポイント ⑥ **密度の単位を分解せよ**
単位格子の原子量 or 密度 or アボガドロ数を求めさせる問題では，**密度の単位を分解して考えよ。**

それでは第4講はここまでです。

第 5 講

溶液(1)・固体の溶解度

単元 1 溶液の濃度 基／Ⅰ

単元 2 固体の溶解度 基／Ⅱ

第 5 講のポイント

　こんにちは。今日は第 5 講「溶液(1)・固体の溶解度」についてやります。まずは濃度の単位をしっかり理解しましょう。固体の溶解度は，4 つの間で比例関係が成り立つことに注意しましょう。

単元 1　溶液の濃度　　　　基/Ⅰ

濃度に関する内容というのは，入試にもよく出てまいりますので，ていねいにいきましょう。

1-1　溶液は溶媒と溶質からなる

本講「単元2　固体の溶解度」のところでも出てくる言葉ですが，液体に他の物質が均一に溶けてできたものを「**溶液**」といい，その溶けている物質を「**溶質**」，溶かしている液体を「**溶媒**」といいます。要するに「溶液」というのは「溶媒＋溶質」なのです。

具体例を挙げて，溶質，溶媒，溶液の関係を見てみます。

	食塩水	塩酸	硫酸	硝酸
溶質	食塩	塩化水素	(純)硫酸	(純)硝酸
溶媒	水	水	水	水
溶液	食塩水	塩酸	$\binom{濃}{希}$硫酸	$\binom{濃}{希}$硝酸

「食塩水」の場合はいいですね。溶質は「食塩」，溶媒は「水」，溶液は「食塩水」です。

■「塩酸」は「水」と「塩化水素」の混合溶液

「塩酸」の場合は，溶質は「塩化水素」，溶媒は「水」，溶液は「塩酸」となっています。

「塩化水素」とは，HとClが共有結合で結びついた極性分子を指します。一方，「塩酸」というのは，水と塩化水素の混合物（混合溶液）を指します。すなわち，「塩酸＝水＋塩化水素」であり，HClだけのものではありません。**しかし化学式では，「塩化水素」と「塩酸」は両方とも"HCl"と書くので注意しましょう。**「『塩酸』の溶質は何ですか？」と問われたら，「塩化水素」という気体が答えになります。

■「硫酸」は，溶質も溶液も「硫酸」

今度は「硫酸」です。

「『硫酸』の溶質は何か？」とたずねると，「『塩酸』が『塩化水素』だから，『硫酸』は『硫化水素』だ！」と答えてしまう人は結構多いのです。**しかし，これは誤りです。**

表のように，溶質も溶液も「硫酸」なんです。純粋なものを「純硫酸」，水（溶媒）で溶かしたものを「濃硫酸」や「希硫酸」といった言い方で区別してくれる場合もありますが，どれも単に「硫酸」と書かれる場合があるので，要注意です。

よって，**問題文に「硫酸」と書いてあれば，前後関係から「純粋な硫酸」か，あるいは「水溶液としての硫酸」かを判断しなければなりません。**

■「硝酸」も「硫酸」と同じパターン

「硝酸」に関しては，全部「硫酸」と同じパターンの考え方です。左ページの表でチェックしておきましょう。

> ### 単元1 要点のまとめ①
>
> ●**溶液＝溶媒＋溶質**
>
> 　液体に他の物質が均一に溶けてできたものを**溶液**といい，溶けている物質を**溶質**，溶かしている液体を**溶媒**という。

1-2 質量パーセント濃度

次に，溶液の濃度を表す尺度をいくつか紹介していきましょう。

まずは「**質量パーセント濃度**」です。これは，溶液に対する溶質の質量の割合をパーセントで表したもので，溶液100gあたりに溶けている溶質の質量（g）を表します。例えば20％溶液と書いてある場合には，溶液100g中に溶質が20g溶けているということです。

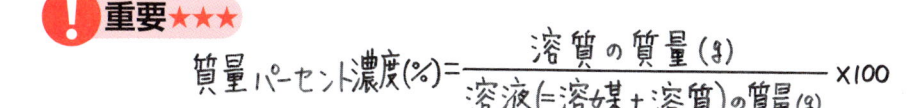

❗重要★★★

$$質量パーセント濃度(\%) = \frac{溶質の質量(g)}{溶液(=溶媒+溶質)の質量(g)} \times 100$$

要するに濃さを決めていくわけです。溶液100gに溶質20gが溶けているものと，同じく溶液100gに溶質40gが溶けているものがあったとします。どっちが濃いでしょう？　当然，40g溶けているほうが濃いですね。このようにして比較していく尺度を，質量パーセント濃度というわけです。

1-3 モル濃度

次は「**モル濃度**」です。これは溶液1Lあたりに溶けている溶質の物質量(mol)を表します。

> ⚠️ **重要 ★★★**
> $$モル濃度(mol/L) = \frac{溶質の物質量(mol)}{溶液の体積(L)}$$

例えば，溶液1L中に溶質1molが溶けているものと，同じく溶液1L中に溶質3molが溶けているものとでは，どちらが濃いかという考え方です。当然，3mol溶けているほうが濃い。このような尺度から測る濃度を，モル濃度といいます。

1-4 質量モル濃度

最後は，「**質量モル濃度**」です。「モル濃度」が，溶液1Lあたりに溶けている溶質の物質量(mol)だったのに対し，「質量モル濃度」は，溶媒1kgあたりに溶けている溶質の物質量(mol)です。分母だけが異なります。

> ⚠️ **重要 ★★★**
> $$質量モル濃度(mol/kg) = \frac{溶質の物質量(mol)}{溶媒の質量(kg)}$$

溶媒が仮に水だったとすると，水1kgに溶質何molが溶けているかという尺度で比較します。

では，第5講 1-2 ～ 1-4 で学んだことをまとめておきましょう。

単元1 要点のまとめ②

● **質量パーセント濃度（%）**

溶液に対する溶質の質量の割合をパーセントで表したもので，溶液100gあたりに溶けている溶質の質量(g)を表す。

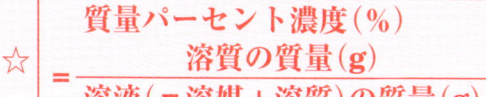

☆ $$\text{質量パーセント濃度(\%)} = \frac{\text{溶質の質量(g)}}{\text{溶液(＝溶媒＋溶質)の質量(g)}} \times 100$$ ──［公式3］

● **モル濃度（mol/L）**

溶液1Lあたりに溶けている溶質の物質量(mol)を表す。

☆ $$\text{モル濃度(mol/L)} = \frac{\text{溶質の物質量(mol)}}{\text{溶液の体積(L)}}$$ ──［公式4］

● **質量モル濃度（mol/kg）**

溶媒1kgあたりに溶けている溶質の物質量(mol)を表す。

☆ $$\text{質量モル濃度(mol/kg)} = \frac{\text{溶質の物質量(mol)}}{\text{溶媒の質量(kg)}}$$ ──［公式4］

1-5 電解質と非電解質

ここで「**電解質**」，「**非電解質**」という言葉をおさえます。水に溶けるとイオンに分かれる現象を「**電離**」といい，電離する物質を「**電解質**」といいます。それに対して「非電解質」は，水に溶けてもイオンに分かれない物質です（尿素，エタノール，ショ糖，ブドウ糖など）。

単元1 要点のまとめ③

● **電解質と非電解質**

電解質…水に溶けるとイオンに分かれる現象を**電離**といい，電離する物質を**電解質**という。電解質の溶液では，電離後の全粒子の質量モル濃度を用いて，沸点上昇度や凝固点降下度を計算する（詳細は第12講単元1・2を参照）。

非電解質…水に溶けてもイオンに分かれない物質（エタノールや尿素）。

演習問題で力をつける⑦
モル濃度と質量モル濃度をハッキリ区別せよ！

問 次の問いに答えよ。

(1) ブドウ糖（$C_6H_{12}O_6$ 分子量180）9.0gを水に溶かして500mLにした水溶液のモル濃度を求めよ。

(2) 尿素（$CO(NH_2)_2$ 分子量60）12.0gを水400gに溶かした水溶液の質量モル濃度を求めよ。

(3) 濃度98％の濃硫酸（H_2SO_2 分子量98）の密度は1.84g/cm³である。この濃硫酸のモル濃度を求めよ。

さて，解いてみましょう。

(1)…モル濃度の公式をしっかりおさえてください。

$$☆ \quad モル濃度(mol/L) = \frac{溶質の物質量(mol)}{溶液のL数} \quad ——[公式4]$$

岡野の着目ポイント 「溶液」と「L」という部分に注意して代入します。
(1)は非常に基本的な問題なので，比例関係の式をつくっても簡単に解けます。しかし，問題が複雑になると，比例関係ではわかりづらくなる。そういうときには，むしろ公式に代入してしまったほうがラクです。

$$\frac{\frac{9.0}{180}\text{mol}}{0.50\text{L}} = 0.10\text{mol/L} \cdots\cdots(1)\text{の【答え】}$$

mol数は，[公式2] $n = \dfrac{w}{M}$ を使えばいいですね。

(2)…これは質量モル濃度を求めます。

$$☆ \quad 質量モル濃度(mol/kg) = \frac{溶質の物質量(mol)}{溶媒のkg数}$$

$$——[公式4]$$

岡野の着目ポイント (1)のモル濃度と似ていますが，分母が違います。質量モル濃度の分母は，溶媒の kg 数です。「溶媒」，「kg」をチェックします。

この場合，溶媒は水ですから，水400gの単位を0.40kgに直します。溶質のmol数は，$\boxed{【公式2】n = \dfrac{w}{M}}$ より，$\dfrac{12.0}{60}$ mol です。

$$\therefore \quad \dfrac{\dfrac{12.0}{60}\text{mol}}{0.40\text{kg}} = 0.50\text{mol/kg} \cdots\cdots (2) の【答え】$$

モル濃度と質量モル濃度，しっかりと区別しておきましょう。

(3)…密度の値を用いてモル濃度を求める問題です。

岡野の着目ポイント モル濃度の公式の分母の「**溶液のL数**」ですが，1Lとすると計算はラクになります。もちろん，ほかの値，例えば100mL（0.1L）を使っても，同じように解答はでますが，めんどうな計算になります。

次に溶液1L中に含む純H_2SO_4（溶質）のmol数を求めます。

$\boxed{1L = 1000mL}$ と $\boxed{1cm^3 = 1mL}$ の関係は知っておきましょう。

密度を使って1Lの溶液の質量（g）が求められます。密度は単位を分解して考えるんでしたね。**1.84g/cm^3 とは1cm^3 が1.84gであるので**

$1cm^3 : 1.84g = 1000cm^3 : x\ g$

$\therefore\ x = 1.84 \times 1000 = 1840g$（溶液）

この中に98%の純H_2SO_4を含むので，

その物質量は $\dfrac{1840 \times 0.98}{98} = 18.4$ mol

よって，

$$モル濃度 = \dfrac{溶質の物質量（mol）}{溶液のL数} = \dfrac{18.4\text{mol}}{1\text{L}}$$
$$= 18.4\text{mol/L} \cdots\cdots (3) の【答え】$$

単元 2　固体の溶解度　　基/Ⅱ

　固体の溶解度です。第11講の「気体の溶解度」とは違ったとらえ方をするので，注意しましょう。

2-1　固体の溶解度

固体の場合，「溶解度」という言葉は次のようにとらえます。

> 一定量の溶媒に溶ける溶質の量には一定の限度があり，この限度を溶解度という。固体の溶解度は一般に，**溶媒100gに溶ける溶質の質量をグラム単位で表す。**

　ここで「溶媒」というのは，「水」です。「**溶媒100g**」というところをしっかりチェックして，覚えておきましょう。これは試験で書かれていない場合があるからです。

■ 飽和溶液

　そして，溶質が溶解度に達するまで溶けていて，これ以上溶質が溶けきれなくなった溶液を「飽和溶液」といいます。簡単に言うと，**上澄み液**のことです。コーヒーに砂糖を5杯とか入れてしまうと，溶け切れずに下にたまっちゃうでしょう。それの上澄み液が飽和溶液です。

　だから，下にたまった砂糖の重さまでを質量に入れてはいけません。上澄み液の重さが飽和溶液の質量なんです。

■ 再結晶

　溶解度の差を利用して，不純物を含む固体から純粋な結晶を得る方法を「再結晶」といいます。言葉と意味を知っておきましょう。

2-2　溶解度の問題の解法

　溶解度の計算問題では，**次の4つの間の比例関係**を利用すれば解けます。

これは公式ではありませんよ。方法を理解することが大切です。

まず「①**飽和溶液の質量**」，すなわち，さきほど言った上澄み液の質量です。

それから「②**飽和溶液中の溶媒の質量**」，これはその上澄み液中の水（溶媒）の質量です。

「③**飽和溶液中の溶質の質量**」，やはり上澄み液中に溶けている溶質の質量です。

「④**温度差による析出量**」，一定量の水（溶媒）に溶ける溶質は，温度を下げることで一部溶け切れなくなり**析出**（固体が出てくること）してきます。このとき析出する質量です。

この辺りは，次の演習問題で試してみましょう。その前に，本講 **2-1**，**2-2** で学んだことをまとめます。

単元 2 要点のまとめ①

● **固体の溶解度**

溶解度…一定量の溶媒に溶ける溶質の量には一定の限度があり，この限度を**溶解度**という。固体の溶解度は一般に，**溶媒 100g** に溶ける溶質の質量をグラム単位で表す。

飽和溶液…溶質が溶解度に達するまで溶けていて，これ以上溶質が溶けなくなった溶液を**飽和溶液**という。

再結晶…溶解度の差を利用して，不純物を含む固体から純粋な結晶を得る方法。

溶解度は4つの比例関係で解く！

岡野流 ⑦ 必須ポイント

溶解度の問題では，**次の4つの間で比例関係が成り立つ**ことを利用して解くことができる。

①飽和溶液の質量 (g)
②飽和溶液中の溶媒の質量 (g)
③飽和溶液中の溶質の質量 (g)
④温度差による析出量 (g)

演習問題で力をつける⑧
温度差による析出量を求めてみよう！

問 右の図は，硝酸カリウムと塩化ナトリウムの水に対する溶解度（水100gに溶ける溶質の質量(g)）の温度による変化を示している。硝酸カリウムの溶解度は，塩化ナトリウムが溶けていても変わらないものとして答えよ。

塩化ナトリウム3gを含む，60℃の硝酸カリウム飽和水溶液423gがある。この溶液を19℃まで冷却したとき，析出する硝酸カリウムの質量(g)はいくらか。

図5-1

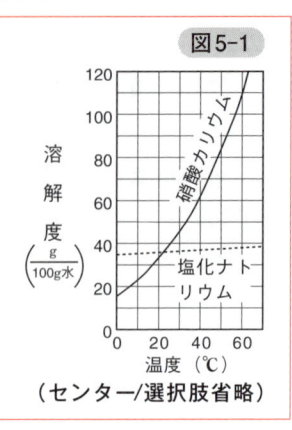

溶解度 ($\frac{g}{100g水}$)

（センター/選択肢省略）

さて，解いてみましょう。

図5-1のように，溶解度の温度変化を表すグラフを，溶解度曲線といいます。そして注意点として，塩化ナトリウムは溶けていても影響しないとあります。硝酸カリウムだけが溶けていたと考えて計算すればいいわけです。

4つの間の比例関係でどれを使うかは，はじめての人はなかなか見当がつかないでしょう。何回も問題を解いて慣れていくしかありません。

岡野の着目ポイント まず 図5-1 を見てください。60℃で水100gに硝酸カリウム（KNO_3）は110gまで溶けます 連続図5-2①。これを19℃に冷却すると，同じ量の水100gに30gまでしか溶けないことが，同じく 図5-1 よりわかります。そうすると，ここで溶けきれなくなった量が析出してくるんです 連続図5-2②。

$110 - 30 = 80g$析出

析出量をチェックしよう！ 連続図5-2

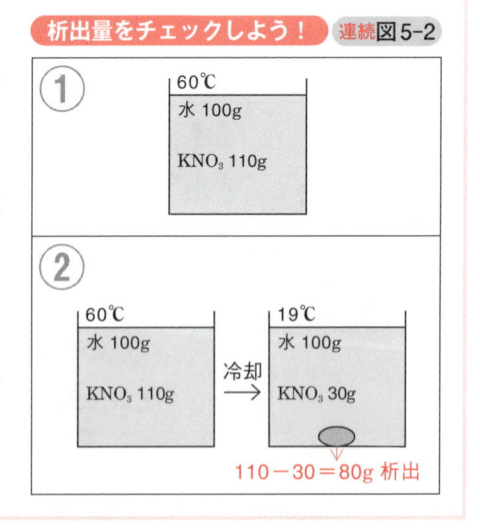

① 60℃ 水100g KNO_3 110g

② 60℃ 水100g KNO_3 110g → 冷却 → 19℃ 水100g KNO_3 30g
$110 - 30 = 80g$ 析出

> **岡野のこう解く** 本問を「岡野流」で解けば「①飽和溶液の質量」:「④温度差による析出量」で比例関係を使います。問題文の「飽和水溶液423g」、「60℃→19℃」などの記述から、見当をつけます。

そこで、連続図5-2②において、まずグラフから読みとったときの「①飽和溶液の質量」:「④温度差による析出量」は、

$(100+110)$g : $(110-30)$g

そして、飽和溶液を423gにしたら、何g析出するのでしょうか？　というのが問題です。ただし423gには、塩化ナトリウムを3g含むので、それを抜いてやったものが硝酸カリウムだけの飽和溶液の質量です。

よって、求める硝酸カリウムの析出量をxgとおくと、

$$60℃ \sim 19℃ \quad ①:④ \text{(溶液:析出量)}$$
$$(100+110)\text{g} : (110-30)\text{g} = (423-3)\text{g} : x\text{g}$$
$$\therefore \overset{1}{210}\text{g} : 80\text{g} = \overset{2}{420}\text{g} : x\text{g}$$
$$x = 160\text{g} \cdots\cdots 【答え】$$

別解（一般的な解法）

あるいは、まず飽和溶液423g中のKNO_3の質量（xgとおく）と水の質量を求めます。

$$①:③\text{(溶液:溶質)}$$
$$60℃ \quad (100+110)\text{g} : 110\text{g} = (423-3)\text{g} : x\text{g}$$
$$\therefore \quad x = 220\text{g} (KNO_3)$$

よって、$420 - 220 = 200$g（水）

次に19℃に温度を下げたときに析出する質量をygとすると、連続図5-2③のようになり、

$$②:③ \quad \text{(溶媒:溶質)}$$
$$19℃ \quad 100\text{g} : 30\text{g} = 200\text{g} : (220-y)\text{g}$$
$$\therefore \quad y = 160\text{g} \cdots\cdots 【答え】$$

比例関係がわかりましたか？　もう一度この2つの解法を復習するといいでしょう。それでは第5講はここまでです。

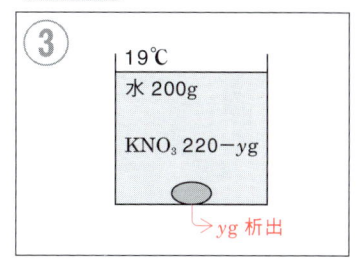

梅酒を作るとき，なぜ"氷砂糖"を使うの？

　梅の香りと味わいが人気の梅酒は，家庭でも手軽に作れます。みなさんのお家でも作ってみたことはありませんか？

　梅酒の作り方はすごく簡単。広口ビンの中によく洗った梅の実と氷砂糖を入れて，焼酎を注ぎ込みます。そして2～3ヶ月くらいおいておくだけでできあがります。確かに簡単ですが，この広口ビン中では浸透圧が関係した複雑な反応が起こっているのです。

　浸透圧の詳細は第12講で勉強しますが，少しお話ししますと，半透膜（ここでは梅の実の皮）を通って，薄い溶液から濃い溶液の方へ溶媒が通り抜けてくるときの圧力を，浸透圧といいます。さて，初めの段階では氷砂糖はすぐには溶けませんので，焼酎はまだ薄い溶液です。この状態では梅の実の中のエキスの方が濃度が濃いので，まず焼酎が半透膜を通って梅の実の中に入ってきます。しかし，時間がたつにつれて氷砂糖がだんだん溶けていき，焼酎が濃い溶液に変わっていきます。このとき逆の流れが起こり，梅のエキスをたっぷり含んだ焼酎が梅の実の外に出てくるのです。もし，普通の砂糖を使ったらどうなるでしょう。砂糖はすぐに焼酎に溶けるので初めの段階から梅の実の中のエキスが外に溶け出してしまいます。この場合だと，実の中に焼酎が入り込んでないので梅の中のエキスはわずかしか出てきません。つまり，梅の香りや味が少ない，あまりおいしくない梅酒ができてしまうのです。

　梅酒を作るには氷砂糖が欠かせないものだとおわかりいただけましたか。

はじめに焼酎が梅のみの中に入り込む。　　　梅のエキスを含んだ焼酎が実の外に出る。

※お酒は20歳になってから

第6講

酸と塩基

単元 **1** 　酸・塩基 基/Ⅰ

単元 **2** 　水素イオン濃度とpH 基/Ⅰ

単元 **3** 　中和反応と塩 基/Ⅰ

単元 **4** 　指示薬と中和滴定 基/Ⅰ

第6講のポイント

　今日は第6講「酸と塩基」についてやります。酸・塩基の概念を正しく理解すれば，計算問題もこわくありません。頻出ポイントをていねいにおさえていきましょう！

単元 1 酸・塩基　基/Ⅰ

まず「**酸・塩基**」とは何か？　その定義から入っていきましょう。

1-1 酸・塩基の定義

酸・塩基の定義は2種類あって，「**アレニウス（1859〜1927）**」という人と，「**ブレンステッド（1879〜1947）**」という人がそれぞれ定義づけました。

「**アレニウスの定義**」では，

酸はH^+を出す物質，塩基はOH^-を出す物質
（アレニウスの定義）

とされています。これが一般的によく言われている酸と塩基の定義ですが，狭い意味での定義です。一方，「**ブレンステッドの定義**」では，

酸はH^+を与える物質，塩基はそれ（H^+）を受け取る物質
（ブレンステッドの定義）

こちらはもっと広い意味での定義です。それぞれ例を見てみましょう。

■ アレニウスの定義の例

$$HCl \longrightarrow H^+ + Cl^- \qquad NaOH \longrightarrow Na^+ + OH^-$$
（酸）　　　　　　　　　　　（塩基）

この場合，「酸」というのはHClで，水に溶けて電離し，H^+を生じます。「塩基」は$NaOH$で，水に溶けてOH^-を生じます。

■ ブレンステッドの定義の例

$$CH_3COOH + H_2O \underset{逆反応}{\overset{正反応}{\rightleftarrows}} CH_3COO^- + H_3O^+$$
　　　　（酸）　　（塩基）

※H_3O^+を**オキソニウムイオン**という。

単元1　酸・塩基　131

　今度はブレンステッドの例ですが，CH_3COOH が「酸」，H_2O が「塩基」になります。「水が塩基だ」などといったら，「キミ，気でもくるったか?!」と言われそうですね(笑)。でもこの場合，水が塩基になりえるのです。
　なぜならば，
正反応　CH_3COOH は**H^+を与えて** CH_3COO^- になるので**酸**である。
　　　　H_2O は**H^+を受け取って** H_3O^+ になるので**塩基**である。
　おわかりですね。結局，「**H^+を他に与える物質を酸**」，「**H^+を受け取る物質を塩基**」と定義する限り，このようになるのです。逆反応においては，
逆反応　CH_3COO^- は**H^+を受け取って** CH_3COOH になるので**塩基**である。
　　　　H_3O^+ は**H^+を与えて** H_2O になるので**酸**である。
このようなことが言えるわけです。

単元1 要点のまとめ①

● 酸・塩基の定義

	アレニウスの定義(狭義)	ブレンステッドの定義(広義)
酸	水に溶けて H^+ を出す物質	H^+ を他に与える物質
塩基	水に溶けて OH^- を出す物質	H^+ を受け取る物質

■ 酸・塩基の価数

　あとは言葉として覚えてください。酸・塩基1molが電離したとき生じる H^+ または OH^- の物質量(mol)を，その**酸・塩基の価数**といいます。
　例えば硫酸は，

$$H_2SO_4 \longrightarrow 2H^+ + SO_4^{2-}$$

となり，1molの H_2SO_4 から2molの H^+ が生じるので，2価の酸ということになります。

■ 電離度と酸・塩基の強弱

　電離度とは，要するに電離する割合のことであり，酸と塩基の強弱というのは，この電離度が大きいか小さいかなんです。電離度がほぼ1である酸・塩基を強酸・強塩基といい，電離度が1よりかなり小さい酸・塩基を弱酸・弱塩基といいます。

電離度1というのは，100％電離するということです。例えば，塩化水素の分子が100個ありました。水に溶かしたら，そのうち100個が全部イオンに分かれました。この場合には，電離度1です。それに対して酢酸の場合は，100個の酢酸分子があったら，約1個しかイオンに分かれていきません。電離度は約1％です。こういう場合は，弱酸というのです。

単元1 要点のまとめ②

● 酸・塩基の価数
酸，または塩基1molが電離したときに生じる，H^+またはOH^-の物質量(mol)を価数という。

● 酸・塩基の強弱
電離度…溶かした電解質の全物質量に対する，電離した物質量の割合。濃度が低くなるにつれて大きくなる。

酸・塩基の強弱…電離度がほぼ1である酸・塩基を**強酸・強塩基**といい，電離度が1よりかなり小さい酸・塩基を弱酸・弱塩基という。

価数	酸（Acid）		価数	塩基（Base）	
1価	**HCl**	**塩化水素 又は塩酸**	1価	**NaOH**	**水酸化ナトリウム**
	HNO₃	**硝酸**		**KOH**	**水酸化カリウム**
	CH₃COOH	酢酸		NH₃	アンモニア
				($NH_3 + H_2O \rightleftarrows NH_4^+ + OH^-$)	
2価	**H₂SO₄**	**硫酸**	2価	**Ca(OH)₂**	**水酸化カルシウム**
	H₂CO₃(H₂O + CO₂)	炭酸		**Ba(OH)₂**	**水酸化バリウム**
	($H_2O + CO_2 \rightleftarrows 2H^+ + CO_3^{2-}$)			Cu(OH)₂	水酸化銅(Ⅱ)
	H₂SO₃	亜硫酸	3価	Al(OH)₃	水酸化アルミニウム
	(COOH)₂又はH₂C₂O₄	シュウ酸		Fe(OH)₃	水酸化鉄(Ⅲ)
	H₂S	硫化水素			
3価	H₃PO₄	リン酸			

赤字は強酸，強塩基　　（アルカリ金属，アルカリ土類金属の水酸化物は強塩基，その他は弱塩基である。）

上の表において，左側が酸で，特に赤字が強酸です。

強酸は3つ，塩酸・硝酸・硫酸と覚えておいてください。他にもありますが，特によく出題されるのはこの3つです。それ以外の酸は，すべて弱酸だと思えばいいです。

それから塩基の場合は，強塩基が4つ挙げてあります。水酸化ナトリウム，水酸化カリウム，水酸化カルシウム，水酸化バリウムです。こちらは酸と違って，次のようにきっちりと分けられるのです。

> アルカリ金属，アルカリ土類金属の水酸化物は強塩基，その他は弱塩基である。

ここをしっかりと覚えておきましょう。

単元 2 水素イオン濃度とpH 基/I

純粋な水や水溶液中に含まれている水素イオンの濃度から，ある定義を使うと酸性，塩基性の度合いを知ることができます。さてこの定義とは？

2-1 水の電離とイオン積

純粋な水は，ごくわずかですが，次のように電離しています。

$$H_2O \rightleftarrows H^+ + OH^-$$
$$1.0 \times 10^{-7} \text{mol/L} \quad 1.0 \times 10^{-7} \text{mol/L}$$

水素イオン，水酸化物イオン，それぞれのモル濃度を水素イオン濃度，水酸化物イオン濃度といい，25℃のとき測定すると，両方とも 1.0×10^{-7} mol/L という値を示します。化学ではモル濃度を表す記号として［ ］を使っていて，[H^+]と[OH^-]の積は，水のイオン積（一般に Kw で表される）とよばれます。すなわち，

☆
$$Kw = [H^+][OH^-] = 1.0 \times 10^{-7} \times 1.0 \times 10^{-7} = 1.0 \times 10^{-14} (\text{mol/L})^2$$
────［公式7］

水のイオン積は，温度が一定であれば，純粋な水の場合だけでなく，一般に酸や塩基の水溶液でも一定に保たれます。このことを利用して水のイオン積は濃度のわからない[H^+]や[OH^-]を求めるときに使います。例えば[OH^-]が 1.0×10^{-2} mol/L のとき，[H^+]は 1.0×10^{-12} mol/L と計算できるのです。

2-2 pH

そして，酸性とか塩基性の度合いを客観的に表すのに，**pH**（水素イオン指数）という数値をよく用います。**これはもう定義ですので，公式として覚えておきましょう。**対数logの計算については，数学で習いますね。

☆ $\boxed{pH = -\log[H^+] \Longrightarrow [H^+] = 10^{-pH}}$ ────────［公式6］

つづけて 図6-1 を見てください。

```
         ←強 酸性 弱→   中性   ←弱 塩基性 強→        図6-1
pH    0   1   2   3   4   5   6   7   8   9   10   11   12   13   14
      ├───┼───┼───┼───┼───┼───┼───┼───┼───┼───┼───┼───┼───┼───┤
[H⁺]  10⁻¹   10⁻³    10⁻⁵    10⁻⁷    10⁻⁹    10⁻¹¹   10⁻¹³   (mol/L)
[OH⁻] 10⁻¹³  10⁻¹¹   10⁻⁹    10⁻⁷    10⁻⁵    10⁻³    10⁻¹    (mol/L)
```

pHの値が**7より小さいものを酸性，7より大きいものを塩基性**といいます。7の値に近づくほど，酸性も塩基性も弱くなり，7から遠ざかるほど，酸性も塩基性も強くなります。さらに 図6-1 において，$[H^+]$と$[OH^-]$をかけたものが，常に1.0×10^{-14}になることを確認しておきましょう。

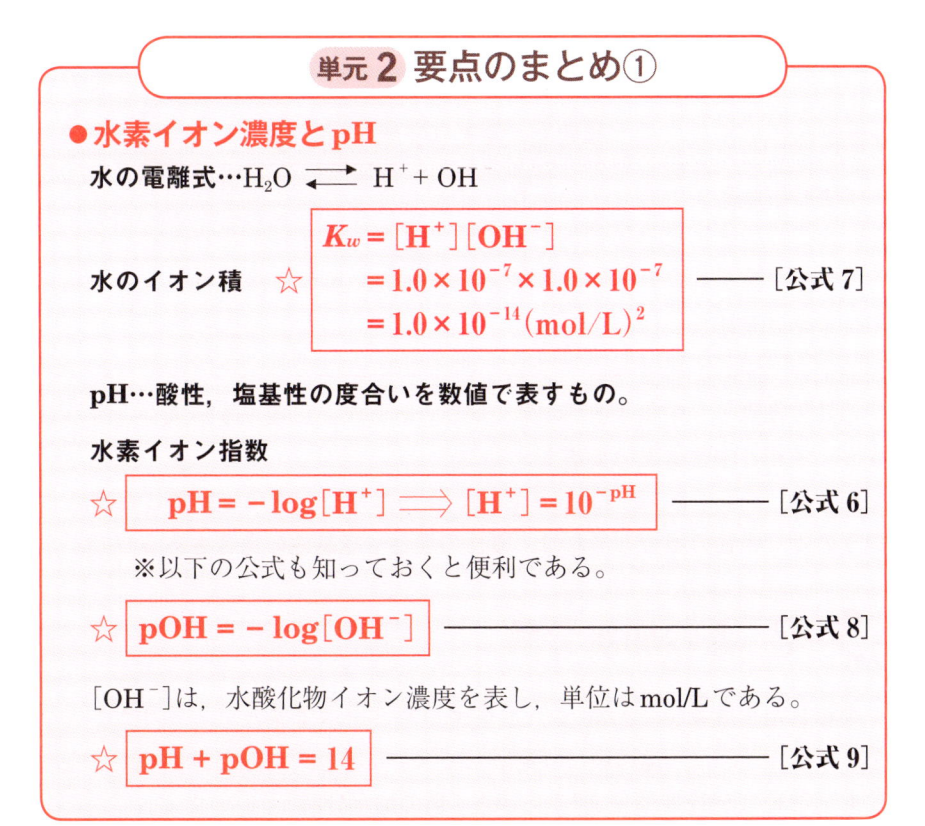

単元 2 要点のまとめ①

●水素イオン濃度とpH

水の電離式…$H_2O \rightleftarrows H^+ + OH^-$

水のイオン積 ☆
$$\boxed{\begin{aligned} K_w &= [H^+][OH^-] \\ &= 1.0 \times 10^{-7} \times 1.0 \times 10^{-7} \\ &= 1.0 \times 10^{-14} (mol/L)^2 \end{aligned}}$$ ────［公式7］

pH…酸性，塩基性の度合いを数値で表すもの。

水素イオン指数

☆ $\boxed{pH = -\log[H^+] \Longrightarrow [H^+] = 10^{-pH}}$ ────［公式6］

※以下の公式も知っておくと便利である。

☆ $\boxed{pOH = -\log[OH^-]}$ ────────────［公式8］

$[OH^-]$は，水酸化物イオン濃度を表し，単位はmol/Lである。

☆ $\boxed{pH + pOH = 14}$ ─────────────［公式9］

注：化学で使う対数は常に常用対数であるので底の10は省略して示しています。

単元 3 中和反応と塩 基/I

酸と塩基は，「**中和反応**」を起こして「**塩**」と水を生じます。塩は，酸の陰イオンと塩基の陽イオンからなる化合物です。もう1つの考え方として，塩は，**酸の水素原子が金属原子やNH_4^+と，一部あるいは全部が置きかわった化合物**という見方もあります。

3-1 中和反応

では，中和反応の例を挙げてみましょうか。

$$HCl + NaOH \longrightarrow \underset{(塩)}{NaCl} + H_2O$$

$$H_2SO_4 + 2NaOH \longrightarrow \underset{(塩)}{Na_2SO_4} + 2H_2O$$

単元3 要点のまとめ①

● **中和反応**

酸と塩基から塩と水を生じる反応，または酸から生じる水素イオンH^+と，塩基から生じる水酸化物イオンOH^-から，水H_2Oが生じる反応を**中和反応**という。

ここで注意！ 中和と中性が似ていると思って，勘違いする人がいるのですが，**中和と中性は違います！**

pHがちょうど7のときに，中性というのですが，**中和が完了した時点というのは，中性の場合もあれば，酸性の場合や塩基性の場合もある**のです。

3-2 塩の加水分解

中和した生成物（水と塩）が，酸性や塩基性を示す場合があるのはなぜでしょう？ それは，塩の中には電離して水と反応し，一部がもとの酸や塩基にもどるものがあるからです。これを「**塩の加水分解**」といいます。

例：①酢酸ナトリウム　$CH_3COONa + H_2O \rightleftarrows CH_3COOH + NaOH$

　　ここでCH_3COONa（塩）と$NaOH$（強塩基）は完全に電離しますがH_2OとCH_3COOH（弱酸）は電離しないと考えます。

　　∴　$CH_3COO^- + Na^+ + H_2O \rightleftarrows CH_3COOH + Na^+ + OH^-$

　　∴　$CH_3COO^- + H_2O \rightleftarrows CH_3COOH + \underline{OH^-}$
　　　　　　　　　　　　　　　　　　　　　　　塩基性

②塩化アンモニウム　$NH_4Cl + H_2O \rightleftarrows NH_4OH + HCl$

　　ここでNH_4Cl（塩）とHCl（強酸）は完全に電離しますがH_2OとNH_4OH（弱塩基）は電離しないと考えます。

　　∴　$NH_4^+ + \cancel{Cl^-} + H_2O \rightleftarrows NH_3 + \underbrace{H_2O + H^+}_{H_3O^+} + \cancel{Cl^-}$

　　∴　$NH_4^+ + H_2O \rightleftarrows NH_3 + \underline{H_3O^+}$
　　　　　　　　　　　　　　　　　　　　　酸性

　強酸と強塩基から生じる塩は，一般に加水分解しないので，水溶液は中性を示します。塩の水溶液が，中性，酸性，塩基性のいずれを示すのか，以下に狙われやすいものを紹介しておきましょう。

単元3 要点のまとめ②

●塩の加水分解
　電離した塩が水と反応し，塩の一部がもとの酸や塩基にもどって塩基性や酸性を示す現象を**塩の加水分解**という。

●水に溶解させたときの塩の液性
①強酸と強塩基からできた塩は中性
　　$NaCl$，Na_2SO_4，KNO_3，$Ca(NO_3)_2$など
　　ただし，例外として$NaHSO_4$は酸性である。
②弱酸と弱塩基からできた塩はほぼ中性
　　$(NH_4)_2CO_3$，CH_3COONH_4など
③強酸と弱塩基からできた塩は酸性
　　NH_4Cl，$CuSO_4$，$FeCl_3$など
④弱酸と強塩基からできた塩は塩基性（アルカリ性）
　　CH_3COONa，Na_2CO_3，$NaHCO_3$など

単元 4 指示薬と中和滴定 基/Ⅰ

ここでは「**中和滴定**」の操作法や「**指示薬**」の選び方，計算の仕方などをわかりやすく説明します。入試に大変出題されるところです。

4-1 中和滴定

中和反応を利用して，濃度のわかっていない酸（または塩基）の水溶液の濃度を求める操作を「**中和滴定**」といいます。

入試問題では，方程式にして，いろいろなところを未知数にして出題されます。

■中和滴定の器具と操作

では，**図6-2**を見てください。この図は大変重要なので，みなさんもイメージできるようにしてください。

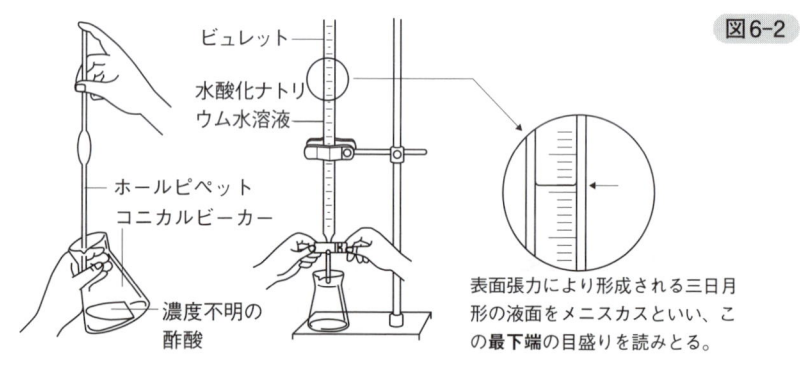

図6-2

ビュレット
水酸化ナトリウム水溶液
ホールピペット
コニカルビーカー
濃度不明の酢酸

表面張力により形成される三日月形の液面をメニスカスといい、この**最下端の目盛りを読みとる**。

中和滴定に用いられる器具とその操作

まず，「**ホールピペット**」です。真ん中のところが膨れているでしょう。そこが特徴です。

それから「**コニカルビーカー**」。コニカルビーカーには，**注ぎ口がついています**。似ているものに「**三角フラスコ**」がありますが，これには口がついていないので注意しましょう。

そして「**ビュレット**」です。コックがついていて，**中和が完了したときま**

単元4 指示薬と中和滴定　139

でに滴下された体積（mL）を正確に測りとる器具です。ビュレットの目盛りは，液面の周りが表面張力でポコッと上がっていますが，**一番下の目盛りを読みとります**。

4-2 指示薬

　酸と塩基を中和滴定するときに，例えば，下のコニカルビーカーに酢酸を入れておき，上からビュレットを用いて水酸化ナトリウムを加えるとします。そうした場合，酢酸も無色だし，水酸化ナトリウムも無色だから，いつ中和点（中和が完了する時点）に達したのかがわかりません。これでは困りますね。

　そこで，中和点を調べるものとして，指示薬が必要なのです。すなわち，「**指示薬**」とは，中和点まで試薬を加えたことを示すもので，中和点で急激に色が変化するものを選びます。

　入試で出題される指示薬は，「**フェノールフタレイン**」と「**メチルオレンジ**」のほぼ2つだけです。フェノールフタレインは無色から赤。そのときのpHはだいたい8〜10くらいと大雑把に覚えておけばいいです。メチルオレンジは，赤から黄色でだいたい3〜4ぐらいです。

　指示薬の**名前**，**色の変化**，（漠然と）その時の**pHの数値**，この**3点**をおさえておきましょう。

■フェノールフタレイン

　フェノールフタレインは，8.3まで無色です。要するに，8.3より手前のほう8.2とか7〜0，非常に強い酸性の部分まで全部無色です。ところが，8.4を超えたころから，色がちょっと変わる。薄い赤または淡赤色，淡紅色という言い方をしています。その薄い赤になったときに，ちょうど8.3〜10.0あたりのpHになるんです。この時点で，中和滴定を終了します。つまり，変色域は塩基性です。

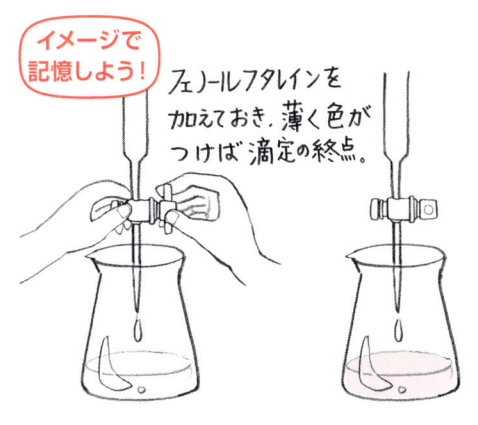

イメージで記憶しよう！

フェノールフタレインを加えておき，薄く色がつけば滴定の終点。

■メチルオレンジ

今度，メチルオレンジの場合は，3.1よりも小さいところ，2とか1，0，非常に酸性の強いところは赤色です。ところが3.2，3.3，3.4…，この辺りは黄色と赤色の中間色の橙色です。それで，4.4になると黄色になって，それより大きいpHの値だと，完全に黄色になります。変色域は酸性です。

2つの指示薬の赤と赤が，対角線の位置関係にあると覚えておけば，混乱しなくてすむでしょう。

```
                   8.3        10.0
フェノールフタレイン  無 ────  赤
メチルオレンジ        赤 ──── 黄
                   3.1        4.4
```

4-3 どの指示薬を使うか？

のちほど詳しく扱いますが，滴定にともなう溶液のpHの変化を表した曲線を「滴定曲線」といいます。そして，強酸を強塩基で滴定した場合は，図6-3のようになります。

図6-3 強酸＋強塩基の滴定曲線（フェノールフタレインの変色域，中和点，メチルオレンジの変色域を示す，縦軸pH 0〜14，横軸 塩基の滴下量）

強酸・強塩基の場合は，中和点がpH3〜11辺りで急変していますので，**フェノールフタレインとメチルオレンジのどちらを使っても構いません**。中和点はpHの変化（グラフの垂直の部分）の真ん中をとりますので，中性になります。

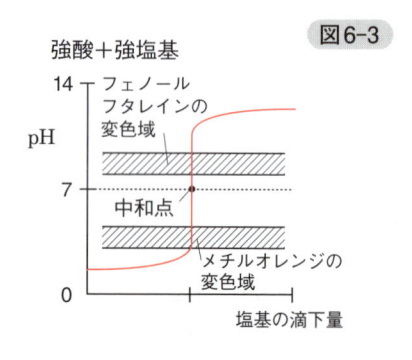

弱酸・強塩基の場合は，中和点が中性にはなりません。強いほうの性質が残り，中和点が弱塩基性になってしまいます。弱塩基性のところで色が変わってくれるものを選ばなくてはいけないので，**フェノールフタレインが使われるのです**。

逆に**強酸・弱塩基の場合は**，中和が完了するときは弱酸性です。よって，だいたいpH3〜4ぐらいの間で変化するようなものということで，**メチルオレンジを使います**。

では，4-1～4-3で学んだことをまとめておきましょう。

単元4 要点のまとめ①

● **中和滴定**

中和反応を利用して，濃度のわかっていない酸（または塩基）の水溶液の濃度を求める操作を**中和滴定**という。

● **指示薬**

指示薬は中和点まで試薬を加えたことを示すものであるから，中和点で急激に色が変化しないといけない。したがって，指示薬は滴定曲線の垂直部分に変色域がくるものを用いなければならない。

強酸と強塩基の中和→ **フェノールフタレイン**または**メチルオレンジ**
弱酸と強塩基の中和→ **フェノールフタレイン**
強酸と弱塩基の中和→ **メチルオレンジ**

フェノールフタレイン　　無 ──── 赤
　　　　　　　　　　　　8.3　　10.0

メチルオレンジ　　　　　赤 ──── 黄
　　　　　　　　　　　　3.1　　4.4

では，演習問題にいきましょう。

演習問題で力をつける⑨
反応式不要の解法もマスターせよ！(1)

問 濃度のわからない硫酸10mLを，0.10mol/Lの水酸化ナトリウム水溶液で中和したら，8.7mLを要した。この硫酸の濃度は何mol/Lか。

本問は，中和滴定で濃度のわからない酸の濃度を調べる操作です。これを2つの解法で解いてみます。

さて，解いてみましょう。

解法1：酸と塩基の物質量の関係を利用（反応式が必要）

1つ目の解法は，酸と塩基の物質量の関係から求める方法です。ポイントは，"**反応式が必要**"だということです。硫酸と水酸化ナトリウムの反応式は，

$$\underset{2H^+,\ SO_4^{2-}}{H_2SO_4} + \underset{2Na^+,\ 2OH^-}{2NaOH} \longrightarrow Na_2SO_4 + 2H_2O$$

式は覚えるのではなく，自分でつくれるようにしておきましょう。イオンに分けて考えればいいですね。そして化学反応式の量的関係から，硫酸と水酸化ナトリウムは1mol：2molの割合で反応することがわかります。

岡野のこう解く ここで，次の公式を使います。

☆ $\boxed{\text{溶質の物質量（mol）} = \dfrac{CV}{1000}\text{mol}}$ ────── [公式11]

（C：モル濃度　V：溶液の**mL数**）

今回はじめて出てきましたが，これは結構使いやすい公式です。Vの単位が**mLであることに注意しましょう**。今，硫酸のモル濃度をx mol/Lとすると，硫酸の物質量は，$\dfrac{x \times 10}{1000}$ mol となります。さらに水酸化ナトリウムの物質量は，$\dfrac{0.10 \times 8.7}{1000}$ mol ですね。

化学反応式の量的関係は，第4講でやりました。g数・気体のL数・個数・mol数の4つの間で比例関係が成り立ちます。この中和滴定の問題では，まずmolとmolで比較することを考えれば，間違いないです。

単元4 指示薬と中和滴定 143

整理すると，

$$H_2SO_4 : 2NaOH$$

$$\begin{pmatrix} 1\,mol & 2\,mol \\ \dfrac{x \times 10}{1000}\,mol & \dfrac{0.10 \times 8.7}{1000}\,mol \end{pmatrix}$$

対角線の積がちょうど等しくなるという，あの考え方です。久しぶりなので，途中式をつくると，

$1\text{mol} : 2\text{mol} = \dfrac{x \times 10}{1000}$ mol $: \dfrac{0.10 \times 8.7}{1000}$ mol ですね。

∴ $\dfrac{x \times 10}{1000} \times 2 = \dfrac{0.10 \times 8.7}{1000} \times 1$ ——Ⓐ

∴ $x = 0.0435 ≒ 0.044$ mol/L ……【答え】

これがオーソドックスなやり方です。

解法2：H^+の物質量＝OH^-の物質量（反応式は不要）

もう1つのやり方は，**酸から生じるH^+と塩基から生じるOH^-の物質量が等しくなるようにして求める方法です**。こちらのほうが絶対スピーディーです。ただ，はじめてだととまどうかもしれませんので，じっくりいきますよ。ポイントは**"反応式は不要"**という点です。

岡野の着目ポイント 解法を示すために，まず「酸が出すH^+の物質量（mol）」について考えていきます。硫酸は次のようにイオンに分かれています。

$$H_2SO_4 \rightarrow 2H^+ + SO_4^{2-}$$

このとき，**水素イオンの係数2を価数といいます**。例えば，硫酸が1molあったら水素イオンは2mol生じます。では，4molの硫酸があったら，水素イオンは何mol生じるでしょう？ 4×2（価数）で，8mol生じますね。

$$H_2SO_4 \longrightarrow 2H^+ + SO_4^{2-}$$
$\quad$ 1mol $\qquad\quad$ 2mol
$\quad$ 4mol $\qquad\quad$ 8mol

すなわち，

酸が出すH^+のモル数 ⇒ 酸のモル数×価数

ということが言えます。要するに，酸のmol数に価数をかけたものが水素

イオンのmol数であるという公式です。

塩基のほうも同様です。

塩基が出すOH^-のモル数 ⇒ 塩基のモル数×価数

ここまでよろしいですね？

そうすると，H^+とOH^-から水が生成するから，これらがぴったり同じmol数になると，中和反応は過不足なく起こります。

H_2SO_4はH^+が2個だから2価の酸，NaOHはOH^-が1個だから1価の塩基です。よって，

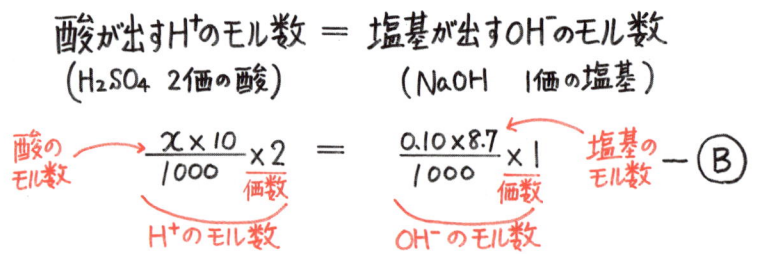

酸が出すH^+のモル数 ＝ 塩基が出すOH^-のモル数
(H_2SO_4 2価の酸)　　　　（NaOH　1価の塩基）

$$\underbrace{\underbrace{\frac{x \times 10}{1000}}_{\text{酸のモル数}} \times 2}_{H^+\text{のモル数}}_{\text{価数}} = \underbrace{\underbrace{\frac{0.10 \times 8.7}{1000}}_{\text{塩基のモル数}} \times 1}_{OH^-\text{のモル数}}_{\text{価数}} \quad\text{―Ⓑ}$$

∴　$x = 0.0435 ≒ 0.044$ mol/L ……【答え】

今，反応式を全く使わなかったでしょう。でも，どちらの解法でも立てる式は結果的に同じになるんですね（Ⓐ式とⒷ式は全く同じです）。解法2は，はじめてではちょっと難しいかもしれませんが，慣れてくると一瞬にして解答が出せるので，大変便利です。2つの解法をまとめておきます。

単元4 要点のまとめ②

● **中和反応の量的関係**

解法1：反応式を書いて，係数比＝物質量比により計算する。
解法2：酸と塩基がちょうど中和したときには，

　　酸が出すH^+の物質量(mol) ＝ 塩基が出すOH^-の物質量(mol)
　　　　　↓　　　　　　　　　　　　　　　↓
　　酸の物質量(mol)×価数　　　塩基の物質量(mol)×価数

　　酸または塩基の価数…酸または塩基1molが電離したとき生じる
　　　　　　　　　　　H^+またはOH^-の物質量(mol)をいう。

単元4 指示薬と中和滴定　145

演習問題で力をつける⑩
反応式不要の解法もマスターせよ！（2）

問 うすい酢酸水溶液Aの濃度を知るために、その10.0mLをとって0.100mol/L水酸化ナトリウム水溶液Bで中和滴定したい。この実験について、次のa～fに答えよ。

a　Aを10.0mL入れるためのコニカルビーカーまたは三角フラスコは、純水でよく洗った後、どのようにして使用すればよいか。次の①～⑤のうちから、最も適当なものを一つ選べ。
　① 清潔な布またはろ紙で、内部をよくふいてから使用する。
　② 火の上にかざすか、熱風を当てて、よく乾かしてから使用する。
　③ 少量ずつのAで数回すすいでから、ぬれたまま使用する。
　④ 少量ずつのAで数回すすいでから、火の上にかざすか、熱風を当ててよく乾かしてから使用する。
　⑤ 純水でぬれたまま使用する。

b　コニカルビーカーまたは三角フラスコに、Aを正確に10.0mLとるのに最も適した器具とその名称を、それぞれの解答群①～⑦のうちから一つずつ選べ。ただし、器具の容量は、適当な大きさのものを選ぶことができるものとする。

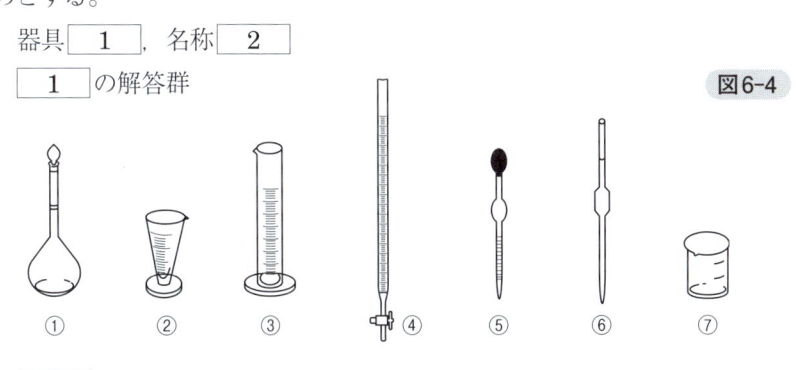

　　器具　| 1 |　, 名称　| 2 |

　　| 1 |の解答群　　　　　　　　　　　　　　　　　図6-4

　　①　②　③　④　⑤　⑥　⑦

　　| 2 |の解答群
　　① こまごめピペット　　② ピペット（ホールピペット）
　　③ ビュレット　　　　　④ ビーカー　　　⑤ メスシリンダー
　　⑥ メスフラスコ　　　　⑦ メートグラス

c bで選んだ器具は，純水でよく洗った後，どのようにして使用すればよいか。次の①～④のうちから，最も適当なものを一つ選べ。
　① 火の上にかざすか，熱風を当ててよく乾かしてから使用する。
　② 少量ずつのAで数回すすいでから，ぬれたまま使用する。
　③ 少量ずつのAで数回すすいでから，火の上にかざすか，熱風を当ててよく乾かしてから使用する。
　④ 純水でぬれたまま使用する。

d Bを入れるビュレットは，純水でよく洗った後，どのようにして使用すればよいか。次の①～④のうちから，最も適当なものを一つ選べ。
　① 火の上にかざすか，熱風を当ててよく乾かしてから使用する。
　② 少量ずつのBで数回すすいでから，ぬれたまま使用する。
　③ 少量ずつのBで数回すすいでから，火の上にかざすか，熱風を当ててよく乾かしてから使用する。
　④ 純水でぬれたまま使用する。

e 指示薬として何を使ったらよいか。次の①～⑤のうちから，最も適当なものを一つ選べ。ただし，かっこ内のpH値は各指示薬の変色域である。
　① メチルオレンジ（pH3.1～4.4）
　② ブロモクレゾールグリーン（BCG）（pH3.8～5.4）
　③ メチルレッド（pH4.4～6.2）
　④ リトマス（pH5.0～8.0）
　⑤ フェノールフタレイン（pH8.3～10.0）

f 滴定を5回繰り返して行った。消費したBの体積の平均値は8.20mLであった。この結果から計算すると，Aの濃度mol/Lはいくらか。次の①～⑥のうちから正しいものを一つ選べ。
　① 0.041　② 0.082　③ 0.122　④ 0.410　⑤ 0.820
　⑥ 1.22

（センター）

単元4 指示薬と中和滴定　147

さて，解いてみましょう。

a…器具の洗い方は大変よく入試に出ます。コニカルビーカーと三角フラスコの違いは 図6-5 を見てください。コニカルビーカーは，注ぎ口がついている。三角フラスコは注ぎ口がついてなくて，ちょっと口のところが細い。**形は違うけれども，用途は同じです。**

図6-5
コニカルビーカー　三角フラスコ

岡野の着目ポイント　実は，中和滴定で使う器具はこの5つしかありません。ここでまとめておきます。

単元4 要点のまとめ③

● 器具の洗い方

コニカルビーカー，三角フラスコ，メスフラスコ
　純水で洗った後，ぬれたまま使用。
ホールピペット，ビュレット
　使用する溶液で数回すすいだ後，ぬれたまま使用。

コニカルビーカー，三角フラスコ，メスフラスコは「**純水で洗った後，ぬれたまま使用**」。これはポイントです。乾かす必要はありません。自然乾燥させるとすごく時間がかかるし，乾燥器を用いると，特にガラス器具は変形しやすいからです。

次に**ホールピペットとビュレット**は，「**使用する溶液ですすいだ後，ぬれたまま使用**」します。

要するに，「純水で洗った後，ぬれたまま使用」か，あるいは「使用する溶液で数回すすいだ後，ぬれたまま使用」か，どちらかのタイプしかありません。純水で洗ってもいいのは，測る溶質の物質量が変化しないからです。溶液ですすぐのは，濃度を変化させないようにするためです。したがって，⑤が答えです。

　　⑤……aの【答え】

b…次は「コニカルビーカーまたは三角フラスコに，Aを正確に10.0mLとるのに最も適した器具とその名称」を選びます。

岡野の着目ポイント aで出てきたもの以外の3つの形は 図6-6 を見てください。

そして，測りとるのに使用する器具は，ホールピペットとメスフラスコとビュレットです。

では，違いをまとめておきます。ここまでおさえておけば，中和滴定の器具の問題は完璧です！

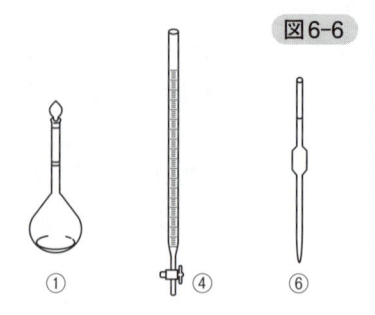

図6-6

① メスフラスコ　④ ビュレット　⑥ ホールピペット

単元 4 要点のまとめ④

● 器具の使い方

ホールピペット…**少量**を正確に測りとる器具
　　　　　　　　　→（10〜25mL）

メスフラスコ…**多量**を正確に測りとる器具
　　　　　　　　→（100〜1000mL）

ビュレット…**滴下量**を正確に測りとる器具

それぞれの測定量をチェックしておきましょう。

今回は，「正確に10.0mLとる」のですから，ホールピペットですね。

　　⑥ …… b □1□ の【答え】
　　② …… b □2□ の【答え】

c…「bで選んだ器具」，すなわちホールピペットの使い方です。ホールピペットは，使用する溶液で数回すすいだ後，ぬれたまま使えばいい。よく実験室では共洗いと言っています。特にこのホールピペットは，すごく精度の高い目盛りがついていますから，絶対熱を加えてはいけません。もし，どうしても乾かす場合には，自然乾燥ですが，7〜8時間かかります。そんな時間は待てませんね。

　　② …… cの【答え】

単元4 指示薬と中和滴定 149

d…次はビュレットの使い方です。ビュレットはホールピペットと同じグループなので，②です。

　　②……dの【答え】

e…「指示薬として何を使ったらよいか」ですが，例のメチルオレンジかフェノールフタレインのどちらかです。

　そうしますと，酢酸は弱酸，水酸化ナトリウムは強塩基ですから，中和点の液性は，塩基性のほうが強いので弱塩基性を示します。

　よって，塩基性で色が変わるものといったら，フェノールフタレインです。

　　⑤……eの【答え】

f…142ページのような中和滴定の計算問題です。「滴定を5回繰り返して行った。消費したBの体積の平均値は8.20mLであった」とあります。5回というのは気にする必要はありません。ばらつきがあったけど，平均すると8.20mLだったということです。

岡野のこう解く では，求める酢酸水溶液の濃度を $x\,\mathrm{mol/L}$ とおき，計算してみましょう。

解法1：要反応式

では，まず反応式を書きますよ。

$$\underset{CH_3COO^-,\ H^+}{CH_3COOH} + \underset{Na^+,\ OH^-}{NaOH} \longrightarrow CH_3COONa + H_2O$$

化学反応式の量的関係から，酢酸と水酸化ナトリウムは1mol：1molの割合で反応します。

　そして，それぞれのここでのmol数は，[公式11] $\dfrac{CV}{1000}$ mol より，$\dfrac{x \times 10.0}{1000}$ mol（酢酸），$\dfrac{0.100 \times 8.20}{1000}$ mol（水酸化ナトリウム）となります。

整理すると，

$$\text{CH}_3\text{COOH} : \text{NaOH}$$

$$\left(\begin{array}{cc} 1\,\text{mol} & 1\,\text{mol} \\ \dfrac{x \times 10.0}{1000}\,\text{mol} & \dfrac{0.100 \times 8.20}{1000}\,\text{mol} \end{array} \right)$$

∴ $\dfrac{x \times 10.0}{1000} \times 1 = \dfrac{0.100 \times 8.20}{1000} \times 1$

∴ $x = 0.082\,\text{mol/L}$

∴ ②……f の【答え】

解法2：反応式不要！

岡野のこう解く「H^+ の mol 数 ＝ OH^- の mol 数」という方程式をつくります。H^+ の mol 数 は，酸の mol 数×価数，OH^- の mol 数 は，塩基の mol 数×価数 です。

$$\underbrace{\text{H}^+\text{のモル数}}_{\substack{\downarrow \\ \text{酸のモル数×価数} \\ (\text{CH}_3\text{COOH 1価})}} = \underbrace{\text{OH}^-\text{のモル数}}_{\substack{\downarrow \\ \text{塩基のモル数×価数} \\ (\text{NaOH 1価})}}$$

酢酸も水酸化ナトリウムも1価ですね。CH_3COOH 1mol から，H^+ 1mol が飛び出すので，1価です（NaOH も同様）。

∴ $\underbrace{\dfrac{x \times 10.0}{1000} \times \underset{\text{価数}}{1}}_{\text{H}^+\text{のモル数}} = \underbrace{\dfrac{0.100 \times 8.20}{1000} \times \underset{\text{価数}}{1}}_{\text{OH}^-\text{のモル数}}$

∴ $x = 0.082\,\text{mol/L}$

∴ ②……f の【答え】

慣れてくると解法2のほうが断然速い。よく練習しておきましょう。

演習問題で力をつける⑪
反応式不要の解法もマスターせよ！（3）

問 濃度が0.10 mol/Lの酸a・bを10 mLずつ取り，それぞれを0.10 mol/L水酸化ナトリウム水溶液で滴定し，滴下量と溶液のpHとの関係を調べた。下図に示した滴定曲線を与える酸の組合せとして最も適当なものを，下の①～⑥のうちから一つ選べ。　　　　　　　　　　　（センター）

図6-7

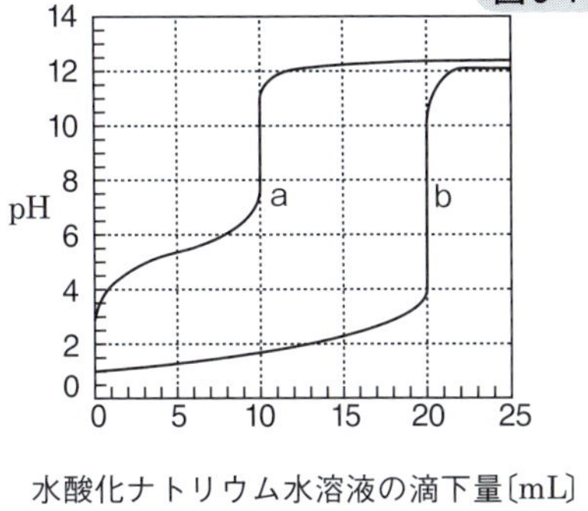

	a	b
①	塩　酸	酢　酸
②	酢　酸	塩　酸
③	硫　酸	塩　酸
④	塩　酸	硫　酸
⑤	硫　酸	酢　酸
⑥	酢　酸	硫　酸

本講単元4で触れた「滴定曲線」（→140ページ）をもう少し掘り下げて見てみましょう。

まず，**連続図6-8①** が「強酸＋強塩基」のパターンになります。

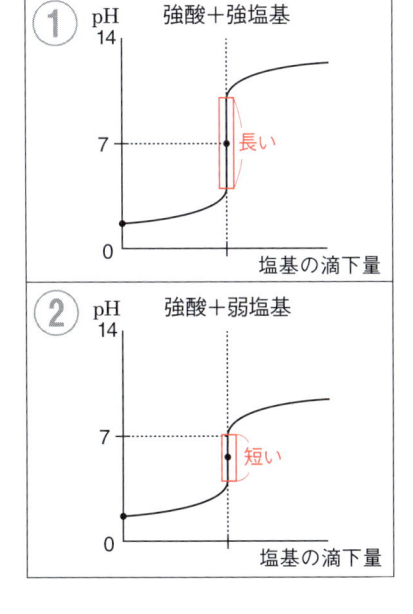

「強酸＋強塩基」の滴定曲線

もとは強酸ですから，pHは7よりかなり下のほう，0に近いところから始まります。そして強塩基を加えるので，pHは14に近いところまで上がります。

そうすると，pHが急激に変化する**垂直な部分が**，「強酸＋強塩基」の場合は，**特徴として長い**。しかもその長い垂直の部分の中点，すなわち**中和点が**，**ほぼ7**のところに来るのです。

滴定曲線を読み取ろう 連続図6-8

① 強酸＋強塩基　長い

② 強酸＋弱塩基　短い

「強酸＋弱塩基」の滴定曲線

「強酸＋弱塩基」の場合も，まずはpHは0に近いところから始まります連続図6-8②。そして，弱塩基ですから，曲線はあまり上がらない。図のように**垂直な部分が短く**，**中和点は7より低い**ところにきます。中和点は酸性だということが，図よりわかります。

「弱酸＋強塩基」の滴定曲線

逆に今度は「弱酸＋強塩基」です連続図6-8③。弱酸なので7に近いところからはじまり，強塩基ですから，14に近いところまで上がっていきます。そうすると，やはり**垂直な部分は短い**。**中和点は7より上**，すなわち塩基性のところに入ります。

連続図6-8 の続き

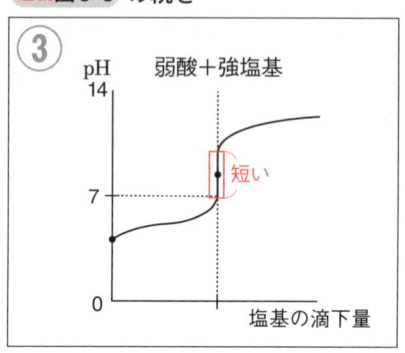

③ 弱酸＋強塩基

単元4 要点のまとめ⑤

●滴定曲線

滴定にともなう溶液のpHの変化を表した曲線を**滴定曲線**という。

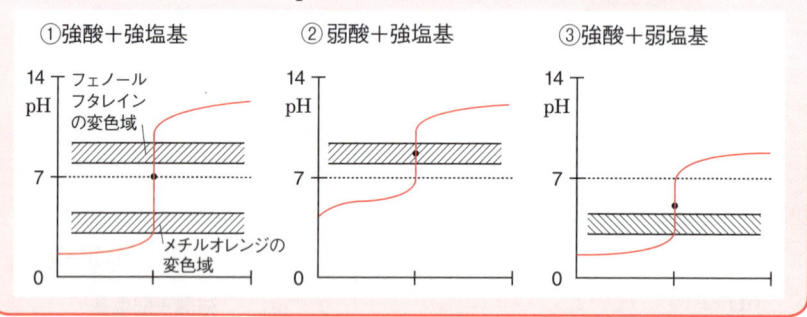

①強酸＋強塩基　②弱酸＋強塩基　③強酸＋弱塩基

フェノールフタレインの変色域
メチルオレンジの変色域

さて，解いてみましょう。

では，問題を解いていきます。今回の 図6-7 はいかがですか？　図のaは垂直部分が短く，pHが7に近いところからはじまるので，間違いなく「弱酸＋強塩基」です。

一方，図のbは垂直部分が長いから，これは「強酸＋強塩基」です。こ

単元4　指示薬と中和滴定　153

こまでよろしいですね？

では，aはいったい何なんだろうかと，組合せリストを見る。「塩酸・酢酸・硫酸」の中で弱酸といったら，「酢酸」しかない。だから，aはもう「酢酸」だと決まってしまいます。

だけど，次のbは見ただけではわかりません。「強酸＋強塩基」タイプですが，「塩酸」も「硫酸」も強酸だからです。

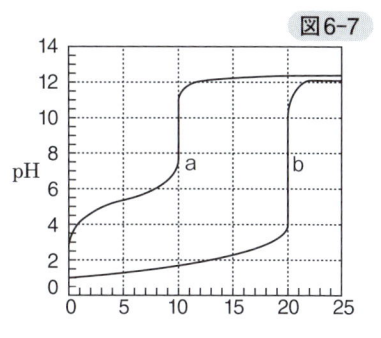

図6-7

水酸化ナトリウム水溶液の滴下量〔mL〕

だけど，図6-7 において，水酸化ナトリウムを20mLまで滴下しなくてはいけなかったということが，今回ポイントになるんです。

岡野の着目ポイント　ここで，酸bと塩基（水酸化ナトリウム水溶液）は同じ濃度0.10mol/L なのに，滴定に要した体積は，酸b＝10mL，塩基＝20mLと，1：2の割合になっています。このことから，

中和点が水酸化ナトリウム20mLを加えた時点なので，bは2価の酸であることがわかる。よってbは硫酸。

「何だかよくわからない」という人は，反応式を書いて裏付けをとりましょう。

$$H_2SO_4 + 2NaOH \longrightarrow Na_2SO_4 + 2H_2O$$

$$\left(\begin{array}{cc} 1\,mol & 2\,mol \\ \dfrac{0.10 \times 10}{1000}\,mol & \dfrac{0.10 \times 20}{1000}\,mol \end{array} \right)$$

20mL 滴下した！

要するに，硫酸と水酸化ナトリウムというのは，1molと2molの関係で反応が起こります。濃度が同じ0.10mol/Lなら，硫酸の2倍の体積を滴下しないと，1：2の割合にならないのです。

もし「塩酸」だったらどうなるかというと，塩酸と水酸化ナトリウムは1molと1molの関係で反応します（$HCl + NaOH \longrightarrow NaCl + H_2O$）

から，水酸化ナトリウムが10mL加わったときに，中和が完了することになるのです。

∴　⑥……【答え】

なかなか難しいところもありましたが，よく復習すれば大丈夫です。では，また次回お会いいたしましょう。

第 7 講

酸化還元

- 単元 **1** 酸化還元 基/Ⅰ
- 単元 **2** 酸化剤, 還元剤の半反応式 基/Ⅰ
- 単元 **3** イオン反応式と化学反応式 基/Ⅰ

第 7 講のポイント

　酸化還元の化学反応式は暗記モノではありません。手順をしっかりおさえれば，かならず自分で書けるようになります。

　本講で「酸化還元」について学び，次講「電池・電気分解」への土台をつくっておきましょう。

$$2Mg + O_2 \rightarrow 2MgO$$

単元 1　酸化還元

基／Ⅰ

1-1　酸化還元は酸化数に注目！

　一般的にみなさんが知っている「**酸化還元**」は，酸素を中心に考えたものでしょう。物質が酸素と化合することを「酸化」，酸素を失うことを「還元」とよびますね。

　しかしそれだけでなく，水素や電子の授受を考えた定義づけもあるのです。まずはまとめておきます。

単元 1　要点のまとめ①

● 酸化還元の定義

	酸化	還元
酸素を中心に考えて	酸素と化合する	酸素を失う
水素を中心に考えて	水素を失う	水素と化合する
電子を中心に考えて	電子を失う（与える）	電子を得る（受け取る）
◎ 酸化数を中心に考えて	増加する	減少する

　水素や電子を中心に考えた定義は，軽めにおさえておけばいいでしょう。
　それで一番大事なのは，「**酸化数を中心に**」考えた定義です。ここのところは，ぜひ，しっかりとおさえておきましょう。これがわかれば，酸化還元の関係はほぼ大丈夫です。
　酸素，水素，電子がどうであれ，**酸化数が増加すると酸化，減少すると還元**になるんですね。ですから，酸化還元は，とにかく酸化数がわかればいい。
　ということで，次に酸化数の求め方について学びます。

1-2 酸化数の求め方

　酸化数を求めるには，基準となる数値を覚えておかなくてはいけません。特に**太文字**が全部大事です。たいした量ではないので，確実におさえておきましょう。

> **単元1 要点のまとめ②**
>
> ● **酸化数の求め方**
> 酸化数…電荷のかたより（→ 78 ページを参照してみてください）を
> 　　　　数値で表したもの。
> ① **単体**のままの状態における**酸化数は0**である。
> ② **化合物中**に含まれる**酸素原子の酸化数は−2**である（ただし，H_2O_2 などの過酸化物のときは例外で，このときは**−1**となる）。
> ③ **化合物中**に含まれる**水素原子の酸化数は＋1**である。
> ④ **化合物中**に含まれる**各原子の酸化数を総和した値は0**である。
> ⑤ **イオン**に含まれる**各原子の酸化数を総和した値は，イオンの価数に等しい。**
> ⑥ **化合物中**に含まれる**アルカリ金属，アルカリ土類金属の酸化数は**，それぞれ**＋1，＋2**である。
> ⑦ 酸化数を示す（　）は**原子1個分**の酸化数であることに注意する。
> **酸化・還元を扱うとき，酸化数を用いると大変便利である。**

　ただ読んだだけでは，しっくり来ないでしょう。でも，大丈夫，この酸化数の求め方については，次の例題でしっかり実践していきます。と，その前に，「**酸化剤・還元剤**」という言葉を紹介しておきます。

> **単元1 要点のまとめ③**
>
> ● **酸化剤・還元剤**
> ① 酸化剤は反応相手を酸化して，酸化剤自身は還元される。
> ② 還元剤は反応相手を還元して，還元剤自身は酸化される。

「酸化剤」というのは，**反応相手を酸化する「薬」**です。解熱剤といったら，熱を下げる薬のことですね。それと同じことです。

そして，相手を酸化するということは，自分はどうなるか？　自分は逆の変化が起こります。すなわち**酸化剤自身は還元されるわけです。**

「還元剤」も同様ですね。還元剤は，**反応相手を還元する薬ですから，還元剤自身は逆の変化が起きて酸化されます。**

では例題にいきましょう。

【例題1】次の物質の下線をつけた原子の酸化数を求めよ。
① $H_2\underline{S}$　　② $\underline{S}O_2$　　③ $Cu\underline{S}O_4$　　④ $[\underline{Cu}(NH_3)_4]^{2+}$
⑤ $\underline{N}O_3^-$　　⑥ $K\underline{Cl}O_3$　　⑦ $\underline{O}_2$　　⑧ $\underline{Al}^{3+}$　　⑨ $\underline{Mn}Cl_2$

🙂 **さて，解いてみましょう。**

①…化合物中の水素原子の酸化数は+1ですから，

$H=+1$，$S=x$とおくと，
$\underset{(+1)\,(x)}{H_2S}$

　$(+1)\times 2 + x = 0$　　（∵　**化合物中の酸化数の総和は0です**）

　∴　$x=-2$ ……①の【答え】

②…化合物中の酸素原子の酸化数は-2ですから，

$S=x$，$O=-2$とおくと，
$\underset{(x)\,(-2)}{SO_2}$

　$x+(-2)\times 2=0$　　∴　$x=+4$ ……②の【答え】

③…SO_4^{2-}のように，**イオンに含まれる各原子の酸化数を総和した値は，イオンの価数に等しくなります。**

$Cu=x$，$SO_4^{2-}=-2$とおくと，
$\underset{(x)\,(-2)}{CuSO_4}$

　$x+(-2)=0$　　∴　$x=+2$

次に$Cu=+2$，$S=y$，$O=-2$とおくと，
$\underset{(+2)\,(y)\,(-2)}{CuSO_4}$

　$+2+y+(-2)\times 4=0$　　∴　$y=+6$ ……③の【答え】

④…NH_3のように，**化合物中に含まれる各原子の酸化数を総和した値は0**です。

Cu=x, NH$_3$=0とおくと,

[Cu(NH$_3$)$_4$]$^{2+}$
 (x) (0)

$x+0\times 4=+2$　∴　$x=+2$ ……④の【答え】

⑤…N=x, O=-2とおくと,

NO$_3^-$
 (x)(-2)

$x+(-2)\times 3=-1$　∴　$x=+5$ ……⑤の【答え】

⑥…Kはアルカリ金属で, **化合物中のアルカリ金属の酸化数は+1なので,**

K=+1, Cl=x, O=-2とおくと,

KClO$_3$
(+1)(x)(-2)

　$(+1)+x+(-2)\times 3=0$　∴　$x=+5$ ……⑥の【答え】

⑦…単体のままの状態における酸化数は0です。

　∴　0 ……⑦の【答え】

⑧…Al=xとおく　∴　$x=+3$ ……⑧の【答え】

⑨…**Clが右端にあるときは, Clの酸化数を-1とします。**右端にあるときのClは, かならずCl$^-$として結合しているからです。

Mn=x, Cl=-1とおくと,

MnCl$_2$
 (x) (-1)

　$x+(-1)\times 2=0$　∴　$x=+2$ ……⑨の【答え】

酸化数の求め方, これがスラスラできないと酸化還元はかなりキツイですよ。**酸化数に関する問題は, この9個が完全にできれば, どんな問題でも解けます。**自分一人でできるようになりましょう。

演習問題で力をつける⑫
酸化数を正しく求められるかがカギ！

問 次の反応式について，下の文の □ にあてはまる化学記号または化学式を答えよ。

$$MnO_2 + 4HCl \longrightarrow MnCl_2 + Cl_2 + 2H_2O$$

上の式で，酸化数の増加した原子は ア で，減少した原子は イ である。また，酸化された物質は ウ で，還元された物質は エ である。つまり，酸化剤は オ で，還元剤は カ となる。

さて，解いてみましょう。

まず，今から言うところに注目します。問題文の ア の手前「増加した原子」の「**原子**」， イ の手前の「**原子**」。だから ア イ の解答には**原子**を入れなきゃダメです。それから， ウ エ の手前の「**物質**」というところもチェックしておきましょう。これらには**物質**を入れます。

岡野のこう解く で，こういう問題をやるときには，酸化数を全部求めるんです。さきほどの例題で練習しておくとすぐにわかりますね 連続図7-1①。

酸化数をきっちり求められるようになろう！　連続図7-1

① 　　(+4)(−2)　(+1)(−1)　　　(+2)(−1)　(0)　(+1)(−2)
　　　$MnO_2 + 4HCl \longrightarrow MnCl_2 + Cl_2 + 2H_2O$

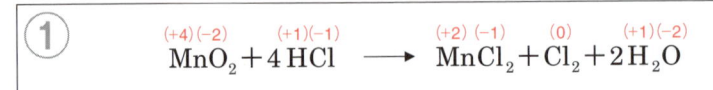

化合物中の酸素原子は−2，水素原子は+1，右端の塩素原子は−1など，基準となる数値を覚えておきましょう。

それでまず，酸化数が増加した**原子**を探します。それはClですね。−1→0になっています。逆に減少した**原子**はMnで，+4→+2ですね 連続図7-1②。

連続図7-1 の続き

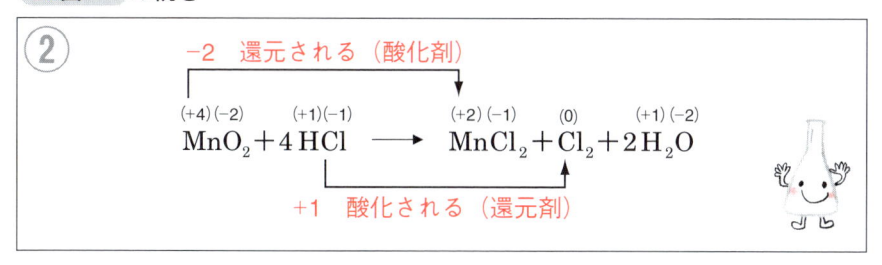

②
$$MnO_2 + 4HCl \longrightarrow MnCl_2 + Cl_2 + 2H_2O$$

(+4)(-2) (+1)(-1) (+2)(-1) (0) (+1)(-2)

−2 還元される（酸化剤）
+1 酸化される（還元剤）

∴ Cl ……　ア　の【答え】
　Mn ……　イ　の【答え】

あとは，いっきに答えが出ます。酸化数が増加したということは酸化，減少したということは還元されたということです。ですから，　ウ　　エ　に入る**物質**は，

∴ HCl ……　ウ　の【答え】
　MnO_2 ……　エ　の【答え】

それから最後に，酸化剤，還元剤はどれかと聞かれています。

岡野の着目ポイント 酸化還元は表裏一体で進む反応です。ですから，自分が還元されるということは，相手に対して酸化するので，酸化剤のはたらきをします。逆に，自分が酸化されるということは，相手に対して還元するので，還元剤のはたらきをします。

∴ MnO_2 ……　オ　の【答え】
　HCl ……　カ　の【答え】

単元 2 酸化剤, 還元剤の半反応式 基/I

ここでは酸化剤, 還元剤についてもっと応用を効かせましょう。電子の授受の範囲まで理解を広げて, 半反応式が自在に書けるように練習します。

2-1 酸化剤

半反応式をつくる際, 酸化剤・還元剤の化学式の変化というものを, 前もって覚えておく必要があります。まず, 酸化剤のまとめの表を紹介します。**理系の方は, 最終段階では, 以下の☆印のものを全部知っておかなくてはいけないと思います。なかでも, 最も頻出なものは, ◎をつけた4つです。**

単元2 要点のまとめ①

●**酸化剤（反応前後の化学式の変化）**

酸化剤は, 自分自身は還元されて（酸化数が減少する）, 相手を酸化する（☆は暗記すること）。

◎☆ $MnO_4^- \rightarrow Mn^{2+}$
$MnO_4^- + 8H^+ + 5e^- \rightarrow Mn^{2+} + 4H_2O$

☆ 希$HNO_3 \rightarrow NO$
$HNO_3 + 3H^+ + 3e^- \rightarrow NO + 2H_2O$

☆ 濃$HNO_3 \rightarrow NO_2$
$HNO_3 + H^+ + e^- \rightarrow NO_2 + H_2O$

☆ 熱濃$H_2SO_4 \rightarrow SO_2$
$H_2SO_4 + 2H^+ + 2e^- \rightarrow SO_2 + 2H_2O$

◎☆ $Cr_2O_7^{2-} \rightarrow 2Cr^{3+}$
$Cr_2O_7^{2-} + 14H^+ + 6e^- \rightarrow 2Cr^{3+} + 7H_2O$

☆ $SO_2 \rightarrow S$
$SO_2 + 4H^+ + 4e^- \rightarrow S + 2H_2O$

◎☆ $H_2O_2 \rightarrow 2H_2O$
$H_2O_2 + 2H^+ + 2e^- \rightarrow 2H_2O$

◎☆ $Cl_2 \rightarrow 2Cl^-$
$Cl_2 + 2e^- \rightarrow 2Cl^-$
（ハロゲンは F_2, Br_2, I_2 も同じ）

☆ $Fe^{3+} \rightarrow Fe^{2+}$
$Fe^{3+} + e^- \rightarrow Fe^{2+}$

☆印のすぐ下の式が半反応式です（なぜ半反応式と呼ぶかは次の例題で説明します）が，☆印の変化さえ覚えておけば，半反応式は同じ手順でつくれます。そのつくり方については，次の例題でやります。

2-2 還元剤

還元剤についても同様に，☆で示すものは覚えておかなければなりません。とりわけ頻出なのは◎の4つです。

単元 2 要点のまとめ②

● 還元剤（反応前後の化学式の変化）

　還元剤は，自分自身は酸化されて（酸化数が増加する），相手を還元する（☆は暗記すること）。

☆ $H_2S \rightarrow S$
　$H_2S \rightarrow S + 2H^+ + 2e^-$

◎☆ $Fe^{2+} \rightarrow Fe^{3+}$
　$Fe^{2+} \rightarrow Fe^{3+} + e^-$

◎☆ $H_2O_2 \rightarrow O_2$
　$H_2O_2 \rightarrow O_2 + 2H^+ + 2e^-$

☆ $SO_2 \rightarrow SO_4^{2-}$
　$SO_2 + 2H_2O \rightarrow SO_4^{2-} + 4H^+ + 2e^-$

◎☆ $H_2C_2O_4 \rightarrow 2CO_2$
　$H_2C_2O_4 \rightarrow 2CO_2 + 2H^+ + 2e^-$

☆ $2S_2O_3^{2-} \rightarrow S_4O_6^{2-}$
　$2S_2O_3^{2-} \rightarrow S_4O_6^{2-} + 2e^-$

◎☆ $2Cl^- \rightarrow Cl_2$
　（ハロゲン化物イオンは F^-，Br^-，I^-も同じ）
　$2Cl^- \rightarrow Cl_2 + 2e^-$

☆ $H_2 \rightarrow 2H^+ + 2e^-$

☆ $Na \rightarrow Na^+ + e^-$
　（他の金属も同じ）

では，次の例題を解きながら，実際に半反応式をつくってみましょう。

【例題2】次の(1)，(2)の半反応式を書け。
(1) 過マンガン酸イオン（MnO_4^-）が酸化剤としてはたらくときの反応を半反応式（イオン反応式ともいう）で示せ。
(2) 過酸化水素（H_2O_2）が還元剤としてはたらくときの反応を半反応式で示せ。

🙂 さて，解いてみましょう。

(1) …繰り返しますが，今示した☆印の変化だけは，**覚えておかなければなりません。**

❗重要 ★★ $MnO_4^- \rightarrow Mn^{2+}$ （覚えておこう！）

> **岡野のこう解く** あとは手順どおりにいきますよ。
>
> **手順1：O原子の少ないほうの辺に少ない分だけH_2Oを加えて両辺を合わせる**
>
> はい，「H_2O」っていうところ，ポイントです。そうするとここで，左辺にはOが4つあって，右辺にはない。ということは，Oが少ないほうにH_2Oを加えて合わせます。
>
> $$MnO_4^- \rightarrow Mn^{2+} + 4H_2O$$
>
> **手順2：H原子の少ないほうの辺に少ない分だけH^+を加えて両辺を合わせる**
>
> 「H^+」っていうところ，チェックします。水素イオンを加えます。右辺にはHが8つあって，左辺にはない。だから左辺に$8H^+$を加えます。
>
> $$MnO_4^- + 8H^+ \rightarrow Mn^{2+} + 4H_2O$$
>
> **手順3：電荷の総和の大きいほうの辺に大きい分だけe^-を加えて両辺を合わせる**
>
> 最後の手順です。「e^-」をチェックします。**e^-とは電子のことです。**
>
> さて，この時点で両辺の電荷の総和を調べてみます。左辺はMnO_4^-で-1，H^+が8つで$+8$，だから合わせて$+7$です。右辺はMn^{2+}で$+2$，H_2Oは0ですから，合わせて$+2$。だから左辺のほうがプラスの電荷が5個多いですね。
>
> $$\underset{\boxed{+7}}{MnO_4^- + 8H^+} \rightarrow \underset{\boxed{+2}}{Mn^{2+} + 4H_2O}$$
>
> そこで両辺の電荷が等しくなるように，左辺にe^-を5個加えてやります。
>
> $$MnO_4^- + 8H^+ + 5e^- \rightarrow Mn^{2+} + 4H_2O \quad \cdots\cdots(1)の【答え】$$
>
> はい，これで半反応式ができました。☆印さえ知っておけば，この手順でスラスラつくれます！

(2)…過酸化水素（H_2O_2）には酸化剤と還元剤の両方のはたらきがあるので注意しましょう。

岡野の着目ポイント

酸化剤？　それとも還元剤？

図7-2を見てください。O_2になる場合と，H_2Oになる場合，どちらが酸化剤でどちらが還元剤か迷ってしまったとき，自分で確認することができます。

酸素原子の酸化数の変化で判断します。**過酸化水素の酸素原子の酸化数は，－1でしたね。これはもう覚えておく。**O_2は単体だから0，H_2Oは－2です。

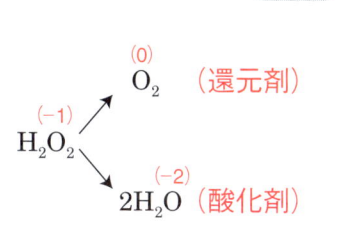

図7-2

$$H_2O_2 \begin{array}{c} \nearrow O_2 \text{ (0)（還元剤）} \\ \searrow 2H_2O \text{ (−2)（酸化剤）} \end{array}$$
（−1）

ということは，－1→0と酸化数が増えているほうが還元剤です。酸化数が増えるということは，自分が酸化されたということ，すなわち相手に対しては還元しているんですよ。

一方H_2Oの場合は，－1→－2と酸化数が減っているので，自分は還元された，ということは相手を酸化しているので酸化剤です。

アドバイス　第7講「単元2　要点のまとめ①②」において，式の係数までは覚える必要はありません。その理由を説明します。

例えば$H_2O_2 \to 2H_2O$の場合，酸素原子に着目すると，左辺で2つ，右辺で2つと数が合っています。これは，酸化数が変化する原子については，両辺でかならず同じ数になるという規則があるからです。だから，$H_2O_2 \to (\ )H_2O$と覚えておいて，酸化数が変化する原子の数を整えれば，簡単に係数は2だとわかりますね。酸化剤，還元剤のまとめの表はすべてそういう規則になっています。

では，つづけていきましょう。まず，次の変化は覚えておきます。

！重要 ★★　$H_2O_2 \to O_2$

岡野のこう解く　あとは手順どおりです。

手順どおりに実行せよ！

「手順1」は，O原子を見比べてH_2Oを加えますが，両辺とも2個なので加える必要がありません。**省略して構いません。**

「手順2」で，H原子を見比べると，左辺に2個，右辺に0個なので，右

辺にH^+を加えて調整します。

$$H_2O_2 \rightarrow O_2 + 2H^+$$
　　　　　　　⓪　　　　　　+2

ここで「手順3」、電荷の総和は左辺0，右辺+2なので，e^-で調整すると，

$$H_2O_2 \rightarrow O_2 + 2H^+ + 2e^-$$ ……(2)の【答え】

手順どおりやれば問題ありませんね。

　そしてこれを，過酸化水素の還元剤としての半反応式と言っているわけです。普通は，酸化反応と還元反応は同時に起こっています。けれども，今この式を見ていただくと，酸化反応しか起こっていないですよね。

$$\underset{(-1)}{H_2O_2} \longrightarrow \underset{(0)}{O_2} + 2H^+ + 2e^-$$

　普通の化学反応式であれば，酸化数が増えたものがあれば，必ず，逆に減ったものがいっしょに入っていなければいけません。ところがこれは半分の酸化反応しかない。ゆえに，半反応式と言っているわけです。よろしいですね。
　では，半反応式のつくり方をまとめておきましょう。

単元2 要点のまとめ③

●**半反応式のつくり方**

　第7講「単元2　要点のまとめ①②」の☆印さえ覚えておけば，半反応式は次の手順で書くことができる。
手順1：O原子の少ないほうの辺に，少ない分だけH_2Oを加えて両辺を合わせる。
手順2：H原子の少ないほうの辺に，少ない分だけH^+を加えて両辺を合わせる。
手順3：電荷の総和の大きいほうの辺に，大きい分だけe^-を加えて両辺を合わせる。

単元3 イオン反応式と化学反応式 基/I

酸化剤, 還元剤の半反応式を組み合わせて1つの**イオン反応式**にまとめ, さらに**化学反応式**(ここではイオン式を含まない反応式のこと)に直す方法を紹介しましょう。

> 【例題3】(1) 硫酸酸性で過マンガン酸カリウム溶液に過酸化水素水を加えたときに起こる変化をイオン反応式で示せ。
> (2) (1)の変化を化学反応式で示せ。

さて, 解いてみましょう。

(1)…過マンガン酸カリウムに過酸化水素を加えて反応させるわけです。そこで酸化剤の過マンガン酸イオンをまず頭に思い浮かべてください。

岡野の着目ポイント

重要★★★ ☆ $\mathrm{MnO_4^-} \longrightarrow \mathrm{Mn^{2+}}$

これ強力な酸化剤なんですね。で, **もう一方の過酸化水素は, 普通は酸化剤としてはたらく場合が多いんですが, 相手が強力な酸化剤の場合は, 還元剤としてはたらきます。**つまり相手を見ながら自分が変わるわけです。

重要★★★ ☆ $\mathrm{H_2O_2} \longrightarrow \mathrm{O_2}$

すなわち, 過酸化水素は過マンガン酸カリウムと反応するときは還元剤としてはたらきます。これは知っておいていい内容です。覚えておきましょうね。

そして, これらの半反応式はちょうど【例題2】(→163ページ)でやりました。
まず, 過マンガン酸イオンの半反応式は,

$$\mathrm{MnO_4^-} + 8\mathrm{H^+} + 5e^- \longrightarrow \mathrm{Mn^{2+}} + 4\mathrm{H_2O} \quad \cdots\cdots\cdots ㋑$$

次に過酸化水素の還元剤としての半反応式は,

$$\mathrm{H_2O_2} \longrightarrow \mathrm{O_2} + 2\mathrm{H^+} + 2e^- \quad \cdots\cdots\cdots ㋺$$

半反応式からイオン式へ

岡野のこう解く はい，(1)の問題というのは，「イオン反応式で示せ」という問いです。**イオン反応式というのは，e^- を消去して半反応式を1つにまとめたものです。**「e^- を消去」が大事ですよ。じゃあ，**どのようにして消去するかというと，e^- の係数をそろえればいいんです。**

㋑の式では5個の e^-，㋺の式は2個の e^-。5と2の最小公倍数は10ですから，㋑を2倍，㋺を5倍してそろえます。

㋑×2 + ㋺×5 より，

$$2MnO_4^- + \overset{6}{\cancel{16}}H^+ + \cancel{10e^-} \rightarrow 2Mn^{2+} + 8H_2O \quad\text{——㋑×2}$$
$$+)\ \underline{\qquad\qquad 5H_2O_2 \rightarrow 5O_2 + \cancel{10}H^+ + \cancel{10e^-}\ \text{——㋺×5}}$$
$$2MnO_4^- + 5H_2O_2 + 6H^+ \rightarrow 2Mn^{2+} + 5O_2 + 8H_2O$$

方程式と同じですから，左辺と右辺で同じ物があった場合には，消去できます。だから10倍の e^- どうしがまず消えます。それから，㋑×2には H^+ が16個あって，㋺×5には H^+ が10個ありますね。だから10個分ずつは消えて，6個の H^+ が残ります。

もう一度結果を書くと，

$$2MnO_4^- + 5H_2O_2 + 6H^+ \longrightarrow 2Mn^{2+} + 5O_2 + 8H_2O \quad\cdots\cdots\text{(1)の【答え】}$$

これがイオン反応式です。

(2)…さて，次は「(1)の変化を**化学反応式**で示せ」という問題です。**この化学反応式とは，化合物を使った式のことです。**ですから，**イオン反応式に陽イオンや陰イオンを加えて化合物をつくっていきます。**

どのようにイオンを加えるか？

岡野の着目ポイント それでは，どういうイオンを加えるか？ これは，実は(1)の問題文にヒントが出ています。

「(1) 硫酸酸性で過マンガン酸カリウム溶液に過酸化水素水を加えたときに起こる変化をイオン反応式で示せ。」って書いてありますね。まず「**硫酸**」に着目します。それから，「**過マンガン酸カリウム**」，あと「**過酸化水素**」に着目します。つまり，**その3つの物質をつくり上げていくために，どん**

単元3 イオン反応式と化学反応式

な陽イオンや陰イオンを加えていけばいいのかな，と考えるんです。

まずは左辺を見てみると…

今，$2MnO_4^- + 5H_2O_2 + 6H^+ \longrightarrow 2Mn^{2+} + 5O_2 + 8H_2O$ となってますね。まず左辺ですが，過酸化水素はすでに物質になっていますから，何もいじる必要はない。あとは，硫酸と過マンガン酸カリウムに直します。

過マンガン酸カリウムは，過マンガン酸イオンに，カリウムイオンを加えればいいですね。$2MnO_4^-$ だからーが2個。よって，＋を2個増やしてやればいいから，$2K^+$ を加えます。

$$\underset{\underset{2K^+}{\uparrow}}{2MnO_4^-} + 5H_2O_2 + 6H^+ \longrightarrow 2Mn^{2+} + 5O_2 + 8H_2O$$

文章から読みとって，自分でつけ加えればいい。で，もうひとつ，水素イオンは硫酸に直します。勝手に Cl^- を加えて，塩酸とかにしてはダメですよ！

さて，硫酸は酸化剤一覧の中にもありましたが，ここでの硫酸は，問題文に「硫酸酸性」とあるように，酸性を示すためのものなんです。

実は MnO_4^- が，酸化剤として反応を起こしやすいようにするには酸性がいいんです。アルカリ性にすると，MnO_4^- は，MnO_2 にしかならないんですね。

では，H_2SO_4 をつくります。そうすると H^+ に SO_4^{2-} を加えればいい。$6H^+$（＋6個）に合わせるには $3SO_4^{2-}$（－2個×3）が必要です。

$$\underset{\underset{2K^+}{\uparrow}}{2MnO_4^-} + 5H_2O_2 + \underset{\underset{3SO_4^{2-}}{\uparrow}}{6H^+} \longrightarrow 2Mn^{2+} + 5O_2 + 8H_2O$$

これで左辺はOKです。

次に右辺を見てみると…

つづいて右辺には Mn^{2+} がありますが，これについては問題文にヒントはありません。だから，何を加えるのか自分で考えます。このとき，左辺と右辺は等しくなるので，今，左辺で加えたイオンの中からどれかを加えればいい。**そうすると Mn^{2+} はプラスのイオンなので，マイナスのイオンの SO_4^{2-} を加えればいい**。プラスとマイナスのクーロン力で引っ張り合

います。プラスとプラスは反発し合うからダメです。で，$2Mn^{2+}$（＋2個×2）に合わせるために，$2SO_4^{2-}$（－2個×2）が必要です。

$$2MnO_4^- + 5H_2O_2 + 6H^+ \longrightarrow 2Mn^{2+} + 5O_2 + 8H_2O$$
$$\uparrow \qquad\qquad\qquad \uparrow \qquad\qquad \uparrow$$
$$2K^+ \qquad\qquad 3SO_4^{2-} \qquad 2SO_4^{2-}$$

$$2KMnO_4 + 5H_2O_2 + 3H_2SO_4 \longrightarrow 2MnSO_4 + 5O_2 + 8H_2O \quad (?)$$

> **岡野の着目ポイント** よく間違えるんですが，これで完成ではありません！
> 　加える陽イオンや陰イオンは，左辺と右辺で同じ数にしなければいけません。
> 　今，右辺では$2SO_4^{2-}$しか使っていませんので，まだあとK^+が2個と，SO_4^{2-}が1個残っています。これからK_2SO_4ができますね。忘れずに右辺に加えておきます。

$$\therefore\ 2KMnO_4 + 5H_2O_2 + 3H_2SO_4$$
$$\longrightarrow 2MnSO_4 + 5O_2 + 8H_2O + \underline{K_2SO_4}$$

まだ$2K^+$とSO_4^{2-}が残っているので加える。……(2)の【答え】

では，酸化還元反応の化学反応式のつくり方をまとめておきましょう。

単元3 要点のまとめ①

●酸化還元の化学反応式のつくり方

手順1：酸化剤，還元剤の半反応式を1つの式にまとめる。このとき，e^-を消去すると1つのイオン反応式にまとめることができる。

手順2：次に化学反応式に直す。イオン反応式に陽イオンや陰イオンを加えて化合物をつくる。

　これで化学反応式の書き方はおわかりいただけたかと思います。確かに難しいところなので，よく復習をしていろいろな問題にチャレンジしてみてください。自分で式を書けるようになると，飛躍的に力が伸びていきますよ。では，第7講はここまでです。

第8講

電池・電気分解

単元 1 電池 化/Ⅰ

単元 2 電気分解 化/Ⅰ

第8講のポイント

今日は「電池・電気分解」をやりますが,「電池」の理論と「電気分解」の理論は全く違うものです。整理して,全く別モノとして考えましょう。頭のチャンネルをしっかり切りかえてくださいね。計算はファラデーの単位を使いこなすようになりましょう。

単元 1 電池

化/I

まずは電池のほうから説明いたします。化学でいう電池とは、酸化還元反応を利用して、電気エネルギーを取り出すための装置のことです。

1-1 ボルタ電池

では、これから4つの電池を紹介していきますが、最初は「**ボルタ電池**」からやってまいります。イタリアの物理学者「ボルタ（1745～1827）」が発明したことから、その名がついたんですね。

連続図8-1①を見てください。ボルタ電池といったら、豆電球があって、**亜鉛板（Zn）** と **銅板（Cu）** がある。そして電解液には **希硫酸（H_2SO_4）** が使われます。赤線が引いてあるこの3つの物質は、覚えておきましょう。あとは、図8-2の「正極」と「負極」の関係をおさえておきます。電子を送り出すほうの電極を負極といい、受け取るほうの電極を正極といいます。**負極から正極に電子が流れ、電流はその逆（正極から負極）です**。これは人が決めたことなんで、あまり深く悩まないでくださいね。

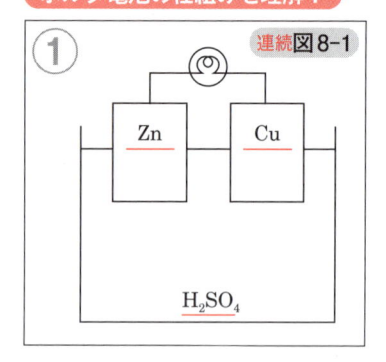

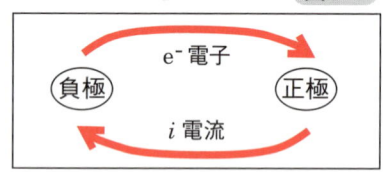

で、ボルタ電池で覚えておくことはこれだけ（連続図8-1①と図8-2）なんです！　電池はいろいろと丸暗記しなくちゃいけないと思っている人も多いようですが、そうじゃないんですね。あとは電池の仕組みを考えてやっていけば、暗記は不要です。

電池というのは、要するに酸化還元反応なんですよ。つまり、酸化剤には電子を受け取る（還元される）性質があって、還元剤には電子を放出する（酸化される）性質がある。電子を放出する反応と、それを受け取る反応が、1

つのボックスの中でうまく回転して成り立っていく場合には，理論的にはどんな物質でも電池ができるわけです。

■イオン化傾向

今回の場合はZnとCuですが，ここで「**金属のイオン化傾向**」というものを考慮します。金属が水に溶けて陽イオンになる性質を金属のイオン化傾向といい，それの大きい順に並べたものを，金属のイオン化列といいます。

単元1 要点のまとめ①

● **金属のイオン化傾向とイオン化列**

金属が水に溶けて電子を放出し，陽イオンになる性質を，金属の**イオン化傾向**という。

・**金属のイオン化列**

(大) K Ca Na Mg Al Zn Fe Ni Sn Pb (H₂) Cu Hg Ag Pt　　Au (小)
　　カ ソ ウ カ ナ マ ア ア テ ニ スン ナ　 ヒ　 ド ス ギル ハク(借)　キン

「貸そうかな，まああてにすんな，ひどすぎる借金」というゴロがあります。カリウム(K)が一番陽イオンになりやすくて，金(Au)が一番陽イオンになりにくい。ここで**ZnとCuで比べると，Znのほうが陽イオンになりやすい**。だからZn板とCu板があったら，**最初にZnのほうがZn²⁺という形でイオンになって溶けていくわけですね** 連続図8-1②。このとき，半反応式をつくると，

連続 図8-1 の続き

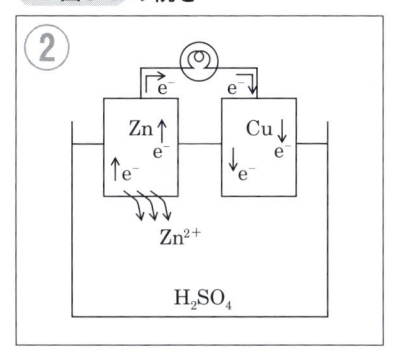

$$Zn \longrightarrow Zn^{2+} + 2e^-$$

暗記ではなく，前講で学んだ半反応式のつくり方の手順どおりです。

さて，ここでe⁻(電子)はどこに行ったのか？ 最初，e⁻はZn板の上にたまってきます。そうすると，いつかZn板の上に収容しきれなくなり，その分だけ導線を通ってCu板のほうに入り込んでいくんです。

一方，電解液のH₂SO₄は電離して，H⁺とSO₄²⁻というイオンになっています。そこでH⁺が流れてきた電子を受け取って，

$$2H^+ + 2e^- \longrightarrow H_2\uparrow$$

という形で，水素の気泡がCu板に付着してきます 連続図8-1③ 。「あれ？ でもZn^{2+}がe^-を受け取ってもいいんじゃないの？」とおっしゃるかもしれません。けれども，これはイオン化列より，ZnよりもHのほうが陽イオンになりにくい。言い換えれば，Zn^{2+}はH^+よりも陽イオンになっていようとするから，H^+のほうが電子をもらいやすいんです。もし，Zn^{2+}が電子をもらってZnになっても，すぐにまた陽イオンになって溶けてしまいます。

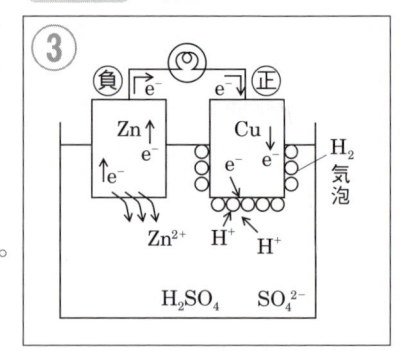

　はい，ですから，（ 図8-2 より）**電子を送り込むZn板が負極になり，電子を受け取るCu板が正極になります**。この電子の流れの激しさによって，豆電球が明るくともったり，ともらなかったりするわけです。

■分極で電圧が急降下

　電子がどんどん使われ，電球を通り抜けている間は明るくともります。ところが，途中で電子があまり使われなくなってしまう状態があるんですね。それが「**分極**」という現象です。

> ### 単元1 要点のまとめ②
>
> ●**分極**
> 　**分極**とは，極板面に付着したH_2気泡が，極板へのH^+の近接を妨げたり，あるいは気泡になる前に$H_2 \longrightarrow 2H^+ + 2e^-$というような逆の起電力を生じて**電圧が急に下がる現象**をいう。減極剤には酸化剤（H_2O_2など）が用いられている。

　つまり，Cu板に発生したH_2気泡が付着してバリケードをつくり，H^+がCu板に近づけなくなるのです。すると，H^+は電子をもらえないので，電子自身も交通渋滞のようになって，流れにくくなる 連続図8-1④ 。または，

$$H_2 \longrightarrow 2H^+ + 2e^-$$

の逆の現象が原因になったりもします。Cu板からe^-を送り出すような形に

なってしまい，Zn板から流入してくる電子とゴツンゴツン！とぶつかり合ってしまうのです。

その「**減極剤**（分極を抑える薬，減らす薬）」には，**酸化剤の過酸化水素（H_2O_2）**などが用いられます。

$H_2O_2 + H_2 \longrightarrow 2H_2O$ という反応で，H_2 気泡を溶かすんですね。

でも結局，ボルタ電池というのは急に電圧が下がることから，実用化されることはありませんでした。ちょっぴり残念な話ですね。

連続図8-1 の続き

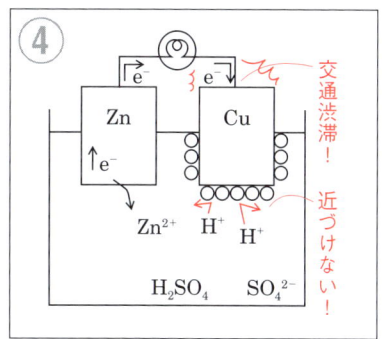

④ 交通渋滞！近づけない！

単元1 要点のまとめ③

● **ボルタ電池**

負極での変化

$$\underset{(0)}{Zn} \longrightarrow \underset{(+2)}{Zn^{2+}} + 2e^- \quad （酸化）$$

正極での変化

$$\underset{(+1)}{2H^+} + 2e^- \longrightarrow \underset{(0)}{H_2} \uparrow \quad （還元）$$

図8-3

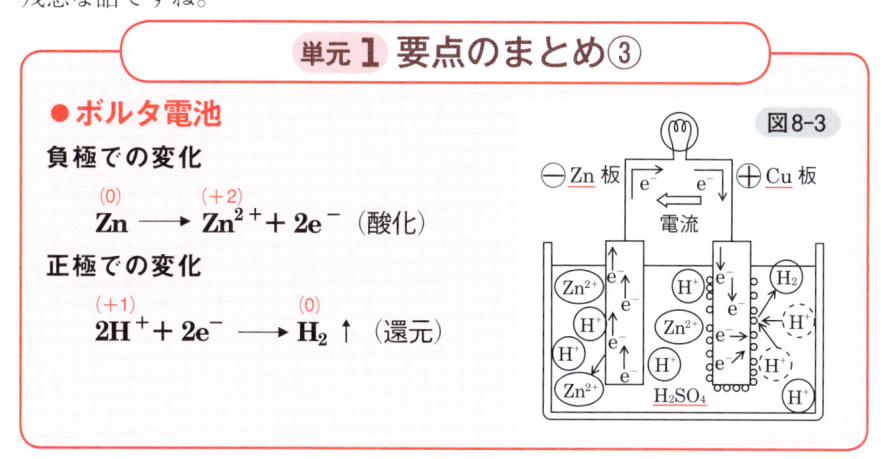

1-2 ダニエル電池

1836年，イギリスの化学者・物理学者「ダニエル（1790〜1845）」が，ボルタ電池よりちょっと改良された形の電池を発明します。それが「**ダニエル電池**」です。ダニエル電池は，分極が起きないことから，実用化電池の第1号となりました。

■ **ダニエル電池も理屈でおさえよう**

連続図8-4① を見てください。今回は素焼きの板で仕切りを入れています。でも基本的にボルタ電池と同じなんです。ダニエル電池では，**図の赤線が引**

いてある4つの物質さえ覚えておけば，あとは正極，負極の仕組みにのっとって考えていけます。

そうすると，ZnとCuのイオン化傾向を考慮すると，Znがイオンになって溶け出す。これにともない電子は放出され，Cu板のほうへ流れていく 連続図8-4②。

負極での変化：$Zn \longrightarrow Zn^{2+} + 2e^-$

正極での変化がボルタ電池と異なります。正極の電解液中ではCuSO₄が電離し，Cu^{2+}とSO_4^{2-}のイオンに分かれています。ですから，Cu^{2+}が電子を受け取るんです。これによって銅が析出してきます。最初の銅板の上に銅がペタペタ張られるという，そんな感じになっていくわけです。

正極での変化：$Cu^{2+} + 2e^- \longrightarrow Cu$

この半反応式も自分で書けるようにしておきましょう。

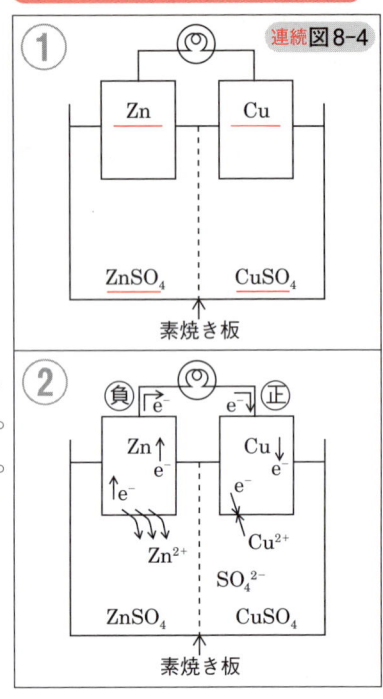

ダニエル電池はボルタ電池改良型 連続図8-4

それであと大事なことは，**ダニエル電池は分極は起こらないということ**。ダニエル電池は，銅が銅板にペタペタ張られるだけだから，さきほどの水素の気泡みたいに邪魔されるものがない。ですから，順調に電子が流れるわけです。

■ 素焼きの板を入れる理由

ただ気をつけなくてはいけないのは，ここに素焼きの板を入れる理由です。ZnSO₄とCuSO₄を仕切っていますが，素焼きというのは，いわゆるれんが色をした，植木鉢に使われるそのものをいうんですよ。その素焼きの板を入れると，小さな穴（細孔）があいているから，ちょうどイオンが移動できるんですね。**Zn^{2+}が正極側の電解液に移動して，逆にSO_4^{2-}が，負極側の電解液に移動してくるんです** 連続図8-4③。SO_4^{2-}は電子が移動していることと変わりないから，これで電子の回路が完成するのです。

仮に，素焼き板のかわりにガラス板とかで仕切ってしまうと，イオンの

移動はありません。負極の電解液には陽イオンがどんどんできるので、負極全体がプラスに帯電していきます。逆に正極側は電子がどんどん入ってくるので、マイナスに帯電していきます。そうすると、電気的にプラスばかりとかマイナスばかりになり、化学変化が起こりづらくなるんですね。

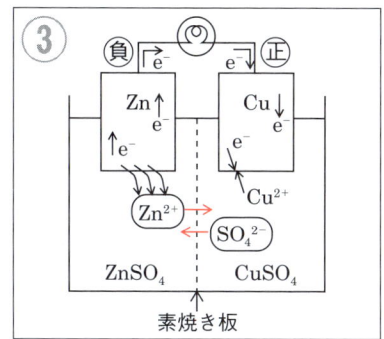

つまり、負極側の電解液にZn^{2+}がたくさんできて、どんどん濃くなってくると、ZnはZn^{2+}をつくることをやめてしまうんですよ。これでは電子が流れませんね。そこで、Zn^{2+}を正極側に移すことによって、その濃さを薄くするという意味があります。それから電気的な量として、プラスとマイナスを常に中性な状態にしておくということ。それが化学変化を起こしやすくするということなんです。

単元1 要点のまとめ④

● **ダニエル電池**

負極での変化

$$\underset{(0)}{Zn} \longrightarrow \underset{(+2)}{Zn^{2+}} + 2e^- \quad (酸化)$$

正極での変化

$$\underset{(+2)}{Cu^{2+}} + 2e^- \longrightarrow \underset{(0)}{Cu} \quad (還元)$$

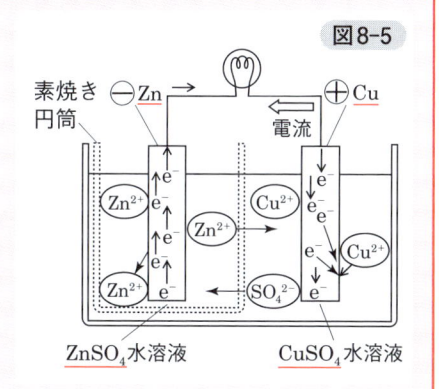

分極は起こらない。 素焼きの細孔からZn^{2+}およびSO_4^{2-}が矢印の向きに移動する。SO_4^{2-}は電子が移動していることと変わりないから、ここに電子の回路が完成することになる。

図8-5

1-3 鉛蓄電池

「**鉛蓄電池**」は自動車のバッテリーなどに使われています。入試でも頻出

の電池です。これについては，例題を解きながら説明していきましょう。

> **【例題1】**（1）鉛蓄電池の正極と負極の反応をそれぞれイオン反応式で記せ。また両極の反応をまとめた全体の化学反応式を記せ。
> （2）鉛蓄電池が放電するとき，電池の電解質水溶液の密度は放電前と比べて増えるか，減るか，それとも変化しないか。

さて，解いてみましょう。

(1)(2)… 図8-6 を見てください。今度はイオン化傾向を見て，どちらの金属が陽イオンになりやすいかというものではありません。**Pb**と**PbO₂**(酸化鉛（Ⅳ）)が極板で，電解液は**H₂SO₄**です。ここまでは覚えておくしかありません。

図8-6

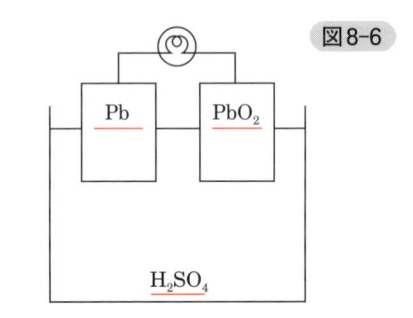

(1)で問われている3つの式は丸暗記するように習う人も多いかと思います。「暗記は苦手なんだけど…」という人，大丈夫ですよ。「**岡野流**」のやり方を紹介しましょう！

> **岡野のこう解く** これは式の丸暗記ではなく，前講で練習した半反応式のつくり方の応用で書けるんですよ。はい，簡単に手順を復習すると，
>
> 手順1：O原子の少ない辺にH₂Oを加えて調整
> 手順2：H原子の少ない辺にH⁺を加えて調整
> 手順3：電荷の総和をe⁻を加えて調整
>
> ということでしたね。これを使っていきます。
>
> **Pb ⟶ Pb²⁺からスタート！**
>
> まず，☆ $\boxed{Pb \longrightarrow Pb^{2+}}$ という変化は覚えておきます。そして「手順1」ですが，O原子は両辺ともないので省略です。「手順2」H原子も両辺とも含んでいないので，省略です。「手順3」電荷の総和を比べると，

$$Pb \longrightarrow Pb^{2+}$$
　　0　　　　+2

なので，e^- を加えて調整すると，

$$Pb \longrightarrow Pb^{2+} + 2e^- \quad \cdots\cdots [式1]$$

これを[式1]としておきます。

$PbO_2 \longrightarrow Pb^{2+}$ からスタート！

　もう1つ，PbO_2 側もやっていきます。手順1：☆ $\boxed{PbO_2 \longrightarrow Pb^{2+}}$（この変化は覚えておきます）で，O原子の数を比べると，右辺が2個少ないから，H_2O を加えて調整すると，

$$PbO_2 \longrightarrow Pb^{2+} + 2H_2O$$

手順2：H原子を H^+ で調整します。電荷の総和もついでにチェックしておきましょうか。

$$PbO_2 + 4H^+ \longrightarrow Pb^{2+} + 2H_2O$$
　　　　+4　　　　　　　+2

手順3：左辺のほうが，+2個分多いので，左辺に $2e^-$ を加えます。

$$PbO_2 + 4H^+ + 2e^- \longrightarrow Pb^{2+} + 2H_2O \quad \cdots\cdots [式2]$$

これを[式2]とします。ここまでよろしいですね？

硫酸との反応

岡野の着目ポイント さてそれで，普通であれば[式1]と[式2]まででしんでしまうんですよ。ところが，これが答えではありません！　もう一度，図8-6を見てください。電解液に H_2SO_4 を含んでいますよね。ということは，**電離して硫酸イオン SO_4^{2-} が存在しているから，ここでさらに化学変化が起こるんです**。ですから，[式1][式2]とも，

両辺に $\boxed{SO_4^{2-}}$ を加える。

これがポイントなんです。みなさんよく忘れるので，忘れないように注意してください。

[式1]に SO_4^{2-} を加えると,

$$Pb + SO_4^{2-} \longrightarrow PbSO_4 + 2e^- \quad \cdots\cdots(1)の【答え】$$

はい,これではじめて負極での変化の完成です。どうして負極とわかるのか? それは半反応式が示してくれています。**電子($2e^-$)が矢印の先にあるということは,電子を放出する反応ということです。つまり,電子を送り込む側の極だから,負極です**(**図8-2**を参照)。Pb^{2+}とSO_4^{2-}で,$PbSO_4$(硫酸鉛(Ⅱ))という沈殿ができてPb電極の上に析出するんですよ。沈殿については,詳しくは無機化学の分野でやるので,ここでは軽めでいいでしょう。

もう1つ,[式2]に SO_4^{2-} を加えると,

$$PbO_2 + 4H^+ + SO_4^{2-} + 2e^- \longrightarrow PbSO_4 + 2H_2O \quad \cdots\cdots(1)の【答え】$$

こちらも$PbSO_4$の沈殿と,H_2Oができます。**電子($2e^-$)が矢印の手前にあるので,電子を受け取る反応です。つまり,電子が入り込んでくる側,正極ですね。式を見れば正極か負極かはすぐにわかるので,暗記は不要です。**

鉛蓄電池の半反応式作成法

岡野流 ⑧ 必須ポイント

「$Pb \longrightarrow Pb^{2+}$」と「$PbO_2 \longrightarrow Pb^{2+}$」

それぞれに,酸化還元で学んだ「半反応式のつくり方**手順1~手順3**」を適用する。

その後,忘れずに SO_4^{2-} を両辺に加えて式を完成させる。

正極か負極かは,完成した式から判断する。

はい,どうぞ正極と負極の変化の式は,「**岡野流**」で書けるようにしておいてくださいね。自分で繰り返し練習することが大事ですよ。

それであと,負極と正極を足してe^-を消去してやれば,3つ目の式の完成です。

$$Pb + PbO_2 + 2H_2SO_4 \underset{充電}{\overset{放電}{\rightleftarrows}} 2PbSO_4 + 2H_2O \quad \cdots\cdots(1)の【答え】$$

左辺のH^+とSO_4^{2-}からは,電解液のH_2SO_4をつくればいいですね。

■ 放電と充電

$\longrightarrow$ 向きの反応で電流が流れることを「**放電**」といいます。放電してい

くと，両極板がPbSO₄で白く覆われ，起電力が低下します。このとき，別の電源を使って，←──向きの反応を起こすことにより，起電力を回復させることができるんです。これを「**充電**」といいます。

　放電状態では，どんどん硫酸が使われていきますから，その量はどんどん減っていきます。ですから，水溶液の密度は小さくなります。よって(2)の答えは，次のとおりです。

　　　減る（放電するとH_2SO_4は減少するため）……(2)の【答え】

　鉛蓄電池では，とにかく今やった3つの式を，確実に書けるようにしておきましょう。

単元1 要点のまとめ⑤

● **鉛蓄電池**

負極での変化

$$\underset{(0)}{Pb} + SO_4^{2-} \longrightarrow \underset{(+2)}{PbSO_4} + 2e^- \quad (酸化)$$

正極での変化

$$\underset{(+4)}{PbO_2} + 4H^+ + SO_4^{2-} + 2e^- \longrightarrow \underset{(+2)}{PbSO_4} + 2H_2O \quad (還元)$$

減極剤はPbO_2である（PbO_2は酸化剤としてはたらいている）。

上の2つの式を1つにまとめると，

$$Pb + PbO_2 + 2H_2SO_4 \underset{充電}{\overset{放電}{\rightleftarrows}} 2PbSO_4 + 2H_2O$$

図8-7

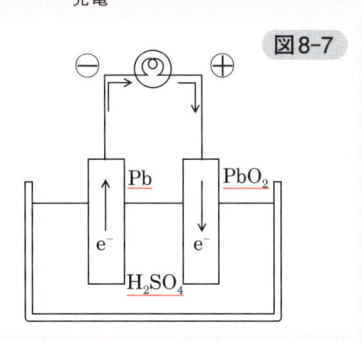

アドバイス　正極での変化で，$4H^+$とSO_4^{2-}を結びつけて，$H_2SO_4 + 2H^+$と書いてはいけません。これはイオン反応式ですから，イオンに分かれているものはイオンのまま書きます。それに対して，1本に直した式は，化学反応式ですので，イオンではなく，化合物で書き表します。

1-4 乾電池

最後は「**乾電池**」です。これはみなさんおなじみですね。最も身近な化学電池といえるでしょう。

図8-8 を見ると，負極に亜鉛**Zn**，正極に炭素**C**が使われています。今まではだいたいが金属板でイオン化傾向の大きいものと小さいものが並んでいましたが，今回は炭素が金属ではありません。非金属だから陽イオンにならないのです。

それとあと酸化マンガン（Ⅳ）MnO_2と塩化アンモニウムNH_4Clが使われています。この4つの物質（**Zn，C，MnO_2，NH_4Cl**）が，乾電池に使われているということを，ちょっと知っておいてください。

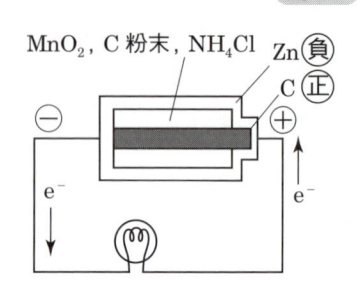

図8-8

■ 乾電池で問われること

乾電池については，反応式を書かされる問題はまず出ません。では何が問われるのか？　反応のおおまかな流れをおさえておけばいい。

まず，亜鉛と炭素で，炭素はイオンにはなりません。亜鉛しかイオンになりませんね。よって，

負極での変化
$$\underset{(0)}{Zn} \longrightarrow \underset{(+2)}{Zn^{2+}} + 2e^- \quad \text{（酸化）}$$

ここまではボルタ電池やダニエル電池と同じですね。それで乾電池の中で，Zn^{2+}がどんどんできてきます。あるところまでいくと，Zn^{2+}がもうたくさんになって，反応しなくなってしまう。それを防ぐため，Zn^{2+}が，NH_4ClのうちのNH_4^+と反応を起こすんです。

$$Zn^{2+} + 4NH_4^+ \longrightarrow \underset{\text{（テトラアンミン亜鉛（Ⅱ）イオン）}}{[Zn(NH_3)_4]^{2+}} + 4H^+$$

それで，テトラアンミン亜鉛（Ⅱ）イオンというものができてきます。これは「錯イオン」といい，詳しくは無機化学分野でやります。はい，ここまでが負極全体で起こる変化です。

■水素爆発？

　その次に正極では，負極で発生したH⁺が反応を起こします。ボルタ電池ではe⁻を受け取り，水素H_2が発生しました。ところが，乾電池の中では水素が発生すると大変危険です！　乾電池の中に水素がどんどん出てくるから，火花が入ると水素爆発を起こします。

　よく電車の中などで，ウォークマンを自分の世界で気持ちよく聞いている人がいるでしょう。昔のウォークマンは乾電池で動いてたんです。もしこれが水素が発生するなら，そんな気持ちよく聞いていられないですよ。乾電池を使っていますから，ウォークマンをもうできるだけ自分のところから遠ざけながら，おっかなびっくり聞いているという，そんな状態になります(笑)。

　そこで，水素を発生させないために酸化剤としてMnO_2を加え，水を生成させます。ですから，MnO_2は減極剤としてのはたらきをしています。

正極での変化

$$2H^+ + 2\underline{MnO_2} + 2e^- \longrightarrow \underline{Mn_2O_3} + \underline{H_2O} \quad (還元)$$
　　　　（酸化マンガン(Ⅳ)）　　　（酸化マンガン(Ⅲ)）

　これらの反応式は覚えておく必要はありません。**反応の流れと，そのポイントとなる物質3つをおさえておくことが大切です。**

乾電池の流れと3つのポイント

岡野流 ⑨ 必須ポイント

　負極で発生するZn^{2+}を消費するためにNH_4^+と反応を起こさせ，その結果，①「テトラアンミン亜鉛(Ⅱ)イオン$[Zn(NH_3)_4]^{2+}$」ができる。

　さらに正極では水素の発生を防ぐために，酸化剤として，②「酸化マンガン(Ⅳ)MnO_2」を加え，かわりに③「水H_2O」を生成させる。

　実は，乾電池の反応式は，本書で説明したもの以外にもいくつか種類があって，複雑なんですね。ですから，そこまでは出題されません。

反応の流れと，3つの物質がおさえられていれば大丈夫なんですね。

単元1 要点のまとめ⑥

●**乾電池**

負極での変化

$$\underset{(0)}{Zn} \longrightarrow \underset{(+2)}{Zn^{2+}} + 2e^- \quad (酸化)$$

$$Zn^{2+} + 4NH_4^+ \longrightarrow \underset{(テトラアンミン亜鉛(II)イオン)}{[Zn(NH_3)_4]^{2+}} + 4H^+$$

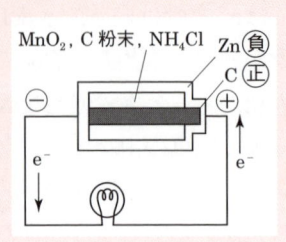

正極での変化

$$2H^+ + \underset{\underset{(酸化マンガン(IV))}{(+4)}}{2MnO_2} + 2e^- \longrightarrow \underset{\underset{(酸化マンガン(III))}{(+3)}}{Mn_2O_3} + H_2O \quad (還元)$$

減極剤は MnO_2 である。

1-5 ファラデー定数

電池の最後に，「**電気量**」について学びましょう。電気量の単位には「**クーロン**」と「**ファラデー**」の2つがあります。

単元1 要点のまとめ⑦

●**ファラデー定数**

　電子（e^-）1molあたりの電気量の絶対値をファラデー定数 **F** といい，96500 C/molに相当する。1C（クーロン）は1A（アンペア）の電流を1秒間流したときの電気量である。電気量の単位には**クーロン**と**ファラデー**の2つがある。

☆ 電気量 = $i \times t$ クーロン（C）

☆ 1ファラデー（F） = 96500 C　　——［公式12］

☆ 電気量 = $\dfrac{i \times t}{96500}$ （F）　　（i：アンペア　t：秒）

☆ 1mol（6.02×10^{23}個）の電子（e^-）がもつ電気量は1ファラデー（F）である。

単元1 電池　185

　はい，電気量って「それ」です。わかりますか？ 「it($i×t$)」って書いてあるでしょう。「あっ，電気量って『それ』なんだ」と覚えておいてください（笑）。ここで，iが「アンペア」，tが特に「**秒**」だということを，強く印象づけておきましょう。「単元1　要点のまとめ⑦」の「ファラデー定数」の1つ目の☆の囲みの内容はi(アンペア)×t(秒)が電気量（クーロン）であることを表しています。この関係は定義（人が決めた約束）です。それから☆ 1F＝96500C （2つ目の☆の囲み）です。これは「ファラデー（1791〜1867）」という人の名前にちなんでつくられた単位です。この関係も定義です。よって，$i×t$[C]を[F]の単位に直すときには，96500で割ればいいですね。すなわち，

　　1F：96500C＝xF：itC

　∴　$x = \dfrac{it}{96500}$F です。これは3つ目の☆の囲みの内容です。よろしいですね。

■ **"1molの電子＝1F"**

　それで，「要点のまとめ⑦　ファラデー定数」の一番下，4つ目の☆の囲みの内容が大切です。「**1molの電子（e^-）がもつ電気量は1F**である」ということ，すなわち"1molの電子＝1F"なんです。ここが大きなポイントになります。

　例えば，ボルタ電池の負極での変化を考えてみます。

　　Zn ⟶ Zn^{2+} ＋ $2e^-$
　　1mol　　　　　　2mol

ここで，亜鉛1molが全部使われるとき，電子2molが流れます。"1molの電子＝1F"ですから，このときの電気量は，2Fということですね。電子と電気量は同じ数値なんです。

　　Zn ⟶ Zn^{2+} ＋ $2e^-$
　　1mol　　　　　　2mol → 2F

　よろしいですね。第4講で"mol"は，「質量[g]，気体の体積[L]，個数，物質量[mol]」の4つの単位を含むと学びました。さらに電池，電気分解で，もう1つ電気量[F]という単位が加わった，そういうイメージができればいいでしょう。

アドバイス　ここで1molの電子が1Fの電気量をもっていることを証明してみましょう。「ミリカン」という人が電子e^-1個がもつ電気量（$1.6×10^{-19}$C）を実験，「ミリカンの油滴の実験」から導き出したんです。このことを使うと1molの電子が1Fの電気量をもつことがわかります。

　　電子1個がもつ電気量……$1.6×10^{-19}$C

　　電子1mol（$6.02×10^{23}$個）がもつ電気量……$1.6×10^{-19}×6.02×10^{23} ≒ 96500$C ＝ 1F
　　ファラデーは96500Cを1Fと決めたので，1molの電子がもつ電気量は1Fとなるんですね。

単元 2　電気分解

化/I

今度は「**電気分解**」です。**電池とは全く頭を切りかえていきましょう。**電気分解とは，電気のエネルギーを利用して化合物を分解することです。

2-1　電気分解で起こる変化

電気分解の装置の仕組みは，図8-9のようになります。電池の負極（−）とつながっているほうを「**陰極**」，正極（＋）とつながっている電極を「**陽極**」といいます。

図8-9

まず陰極，陽極での変化を，パターンとしてまとめておきます。次に例題を解きながら，それを確認していきましょう。

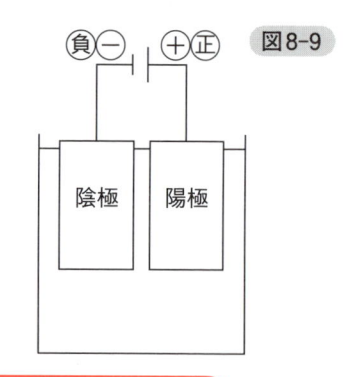

単元 2　要点のまとめ①

● 電気分解したときに起こる変化

◎ 陰極での変化（電極の種類は関係しない）

水溶液中に含まれる陽イオンが K^+，Ca^{2+}，Na^+，Mg^{2+}，Al^{3+} など，イオン化傾向が大きい金属のときは，H_2 が陰極で発生する。上の金属イオン以外の陽イオンを含むときは，その金属イオンは e^- を得て**金属単体となって析出**する。

水素が発生する反応は，いずれも次のようになる。

$$2H^+ + 2e^- \longrightarrow H_2 \uparrow \text{（酸性溶液）}$$

$$\text{（または } 2H_2O + 2e^- \longrightarrow H_2 + 2OH^- \text{）（中性または塩基性溶液）}$$

◎ 陽極での変化

①電極が，Pt または C の場合

ハロゲン化物イオン（Cl^-，Br^-，I^- など）はハロゲン単体（Cl_2，

Br_2, I_2) となり、水酸化物（NaOH, $Ca(OH)_2$ など）は、**O_2 を発生する**。また、硫酸イオン（SO_4^{2-}）や硝酸イオン（NO_3^-）を含むときも O_2 を発生する。

酸素が発生する反応はいずれも次のようになる。

$2H_2O \longrightarrow O_2 + 4H^+ + 4e^-$　（**中性または酸性溶液**）

（または $4OH^- \longrightarrow 2H_2O + O_2 \uparrow + 4e^-$）（**塩基性溶液**）

②電極が Ag, Cu, Zn の場合

電極の金属は、いずれもイオンとなって溶け出す。

このパターンを整理して、図8-10 を自分で書けるようにしましょう。

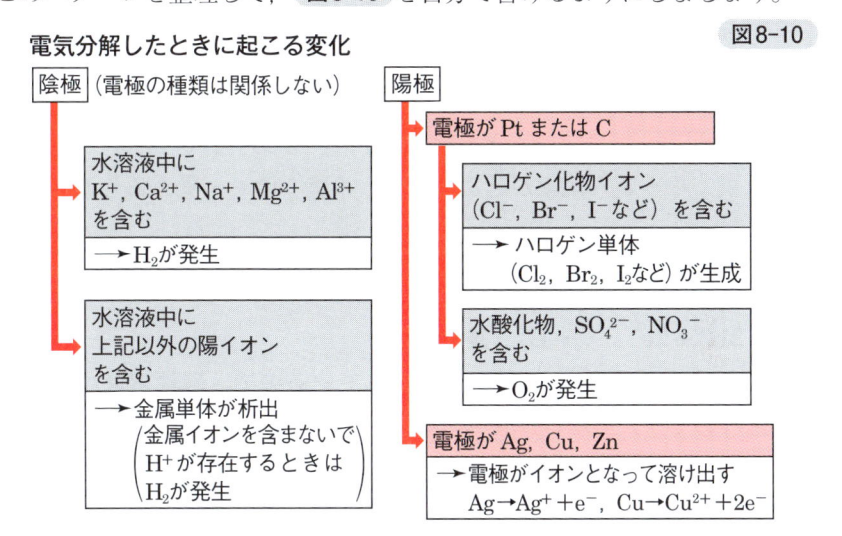

電気分解したときに起こる変化　　　　　　　　　　　　　　　図8-10

[陰極]（電極の種類は関係しない）　　[陽極]

水溶液中に K^+, Ca^{2+}, Na^+, Mg^{2+}, Al^{3+} を含む
　→ H_2 が発生

水溶液中に上記以外の陽イオンを含む
　→ 金属単体が析出
　（金属イオンを含まないで H^+ が存在するときは H_2 が発生）

電極が Pt または C
　ハロゲン化物イオン（Cl^-, Br^-, I^- など）を含む
　→ ハロゲン単体（Cl_2, Br_2, I_2 など）が生成

　水酸化物, SO_4^{2-}, NO_3^- を含む
　→ O_2 が発生

電極が Ag, Cu, Zn
　→ 電極がイオンとなって溶け出す
　$Ag \rightarrow Ag^+ + e^-$, $Cu \rightarrow Cu^{2+} + 2e^-$

【**例題2**】表は (1)〜(3) の電解液が電気分解されるときの変化をまとめたものである。(a)〜(f) に入るそれぞれの変化をイオン反応式で記せ。

	電解液	陰極	陽極	陰極	陽極
(1)	食塩水	Pt	Pt	(a)	(b)
(2)	H_2SO_4 水溶液	Cu	Pt	(c)	(d)
(3)	$AgNO_3$ 水溶液	Pt	Ag	(e)	(f)

さて，解いてみましょう。

(1)…陰極，陽極での変化を整理しておけば大丈夫です。(1)は電極がともに白金Ptです。そして，NaClの電解液なので，Na^+のイオンとCl^-のイオンが存在しています 図8-11 。

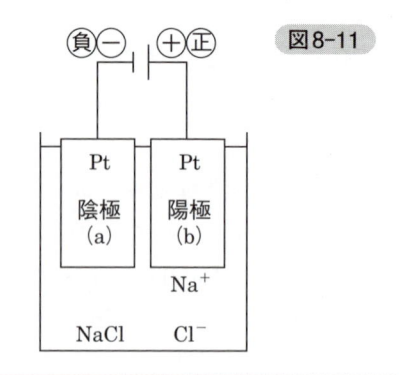

図8-11

負⊖ ⊕正

Pt 陰極 (a)　Pt 陽極 (b)

NaCl　Na^+　Cl^-

岡野のこう解く　まず，陰極での変化がどうなるかというと，はい，「電極の種類は関係しない」でしたね。電極は白金を使おうが，炭素を使おうが，関係ない。電解液が含んでいる陽イオンを見ればいい。

「水溶液中に含まれる陽イオンがK^+，Ca^{2+}，Na^+，Mg^{2+}，Al^{3+}」の場合，H_2が発生します。これ，イオン化傾向の上から5番目までの金属イオン，ゴロでいうと「貸そうかな，まあ」までです。これは実験の結果，そういう現象が起こるという事実なので，覚えるしかないんですね。

そこで，Na^+を含んでいるので，水素が発生です。

$$2H^+ + 2e^- \longrightarrow H_2 \text{（酸性溶液）}$$

このイオン反応式中にはH^+を含んでいるので，酸性溶液中で起こる反応なのです。実際はNaClの水溶液は中性を示す（→136ページ「塩の加水分解」参照）ので，この反応式の両辺に$2OH^-$を加えて，中性や塩基性のときに起こる変化に直す必要があります。つまりH^+を消してしまうのです。このようにすれば，イオン反応式は暗記しないでつくれますね。

$$\begin{array}{r} 2H^+ + 2e^- \longrightarrow H_2 \\ +)\ 2OH^- \qquad\qquad 2OH^- \\ \hline 2H_2O + 2e^- \longrightarrow H_2 + 2OH^- \end{array}$$

（中性または塩基性溶液）…(a)の【答え】

岡野の着目ポイント　酸性溶液中にはH^+が多く存在しているので，このH^+が電子を得てH_2を発生するという考え方です。または，中性や塩基性の溶液中ではH^+は存在しないので$2H_2O + 2e^- \longrightarrow H_2 + 2OH^-$という考え方が成り立つのです。いずれにしても，水素が発生します。

単元 2　電気分解　189

岡野のこう解く　次に陽極での変化にいきます。陽極の場合は，まず電極の種類に着目します。「電極が，PtまたはCの場合」か「Ag，Cu，Znの場合」かです。今回はPtだから，「ハロゲン化物イオン（Cl^-，Br^-，I^-など）はハロゲン単体（Cl_2，Br_2，I_2）となり，水酸化物（NaOH，$Ca(OH)_2$など）は，O_2を発生」します。

　また，「硫酸イオン（SO_4^{2-}）や硝酸イオン（NO_3^-）」を含んでいるときにもO_2を発生します。要するに，水酸化物であろうが，硫酸イオン，硝酸イオンを含んでいようが，全部酸素を発生するということです。

　今回はCl^-を含んでいるので，陽極の変化は，

　　$2Cl^- \longrightarrow Cl_2 + 2e^-$　…(b)の【答え】

図8-12

(2)…陰極Cu，陽極Ptで，H_2SO_4水溶液ですから，$2H^+$とSO_4^{2-}を含みます 図8-12 。

　陰極は，Cuを使っていますが，電極の種類は関係ありません。また陽イオンはもともとH^+しか含んでいないから，陰極では，水素が発生します。硫酸は酸性溶液なので，次の変化が起こります。

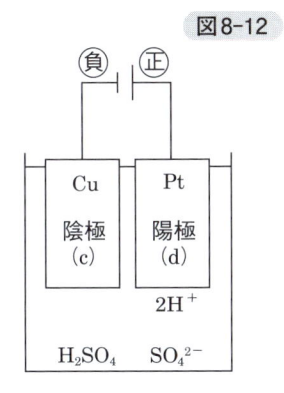

　　$2H^+ + 2e^- \longrightarrow H_2$（**酸性溶液**）…(c)の【答え】

　陽極はどうなるか？　陽極Ptで，SO_4^{2-}を含んでいる場合ですから，O_2を発生します。

　　$2H_2O \longrightarrow O_2 + 4H^+ + 4e^-$（**中性または酸性溶液**）…(d)の【答え】

　H_2SO_4の水溶液は酸性を示すので，イオン反応式中にはH^+を含みます。このイオン反応式は半反応式のつくり方からも書くことができます。

岡野流必須ポイント⑩

酸素の発生は半反応式の作り方から書け

☆　$2H_2O \longrightarrow O_2$　を覚えておきます。半反応式は第7講「単元2　要点のまとめ③」（→166ページ）によりつくることができますね。

アドバイス　両辺で酸化数が変化する原子の数は同じにする。ここではO原子が−2→0と変化します。したがって，H_2Oの係数を2とするのです。これがわかると係数までは覚える必要はなくなります。

手順1：O原子が両辺で同じ数あるので，省略します。

手順2：$2H_2O \longrightarrow \underset{+4}{O_2} + 4H^+$
　　　　　$\underset{0}{}$

手順3：$2H_2O \longrightarrow O_2 + 4H^+ + 4e^-$

このように暗記しないでできましたね。

次にもし，この水溶液が塩基性のNaOHの水溶液であったならば，やはり酸素を発生します。しかし，このときは塩基性を示すので 解答 のイオン反応式の両辺に4OH⁻を加えてH⁺を消します。

$$\begin{array}{rl} 2H_2O & \longrightarrow O_2 + 4H^+ + 4e^- \\ +)\ 4OH^- & 4OH^- \\ \hline 2H_2O + 4OH^- & \longrightarrow O_2 + 4H_2O + 4e^- \end{array}$$

∴　$4OH^- \longrightarrow O_2 + 2H_2O + 4e^-$　（**塩基性溶液**）

塩基性水溶液中で酸素が発生するイオン反応式も，暗記ではなくつくれるようにしておきましょう。

岡野の着目ポイント　少し難しいかもしれませんが，最近の入試では，**水素と酸素が発生するときにかぎって，水溶液の液性まで理解していないとできない**ものが増えてきました。塩基性溶液中にはOH⁻が多く存在しているので，OH⁻が変化してO_2を発生します。または，酸性や中性の溶液中ではOH⁻は存在しないので，$2H_2O \longrightarrow O_2 + 4H^+ + 4e^-$という考え方が成り立つのです。いずれにしても酸素が発生します。

---

(3)…陰極Pt，陽極Agで，電解液中はAgNO₃が電離して，Ag⁺とNO₃⁻になっています。図8-13。陰極は「K⁺，Ca²⁺，Na⁺，Mg²⁺，Al³⁺」以外の金属イオンであるAg⁺を含んでいるから，

　　$Ag^+ + e^- \longrightarrow Ag$ ……(e)の【答え】

Agが析出するわけです。それから陽極はというと，電極がAgの場合ですから，その電極が溶け出します。

　　$Ag \longrightarrow Ag^+ + e^-$ ……(f)の【答え】

陰極，陽極での変化が，きちんと整理されて頭に入っているかがすべてですね。

図8-13

単元2　電気分解　191

演習問題で力をつける⑬
電気分解での変化のパターンを整理せよ！

問　図8-14に示す電気分解装置において，Aには硫酸銅（Ⅱ）水溶液，Bには塩化ナトリウム水溶液を入れた。電流をある時間通じたところ，Aの陰極には0.127gの銅が析出した。このことに関して次の問い(1)(2)に答えよ。

図8-14

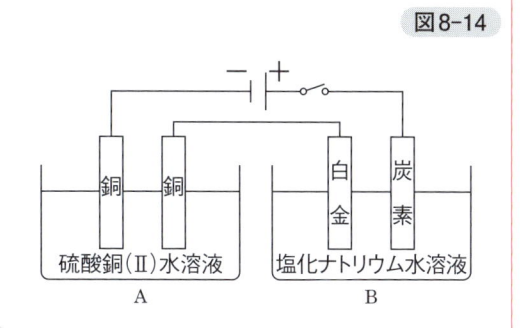

（1）Bの陰極で生じた物質を，次の①〜④のうちから一つ選べ。
　　　① 水素　　② 酸素　　③ ナトリウム　　④ 塩素
（2）このとき，電気分解に要した電気量は何クーロン〔C〕か。なお，Cu＝63.5，ファラデー定数は96500C/molである。

さて，解いてみましょう。

岡野のこう解く　まず負極（−）と結びついてる電極，すなわち一番左側の銅が「**陰極**」です。一方，正極（＋）と結びついている電極，すなわち炭素が「**陽極**」です。ここで，1つの電解槽に陰極と陰極，陽極と陽極がいっしょに入ることは絶対ない。だからあとは機械的に決まります　図8-15　。ではA，Bそれぞれの陰極，陽極での反応式を書いてみます。Aの硫酸銅（Ⅱ）水溶液は酸性（137ページ「要点のまとめ②」を参照），**Bの塩化ナトリウム水溶液は中性であることに注意します**。

図8-15

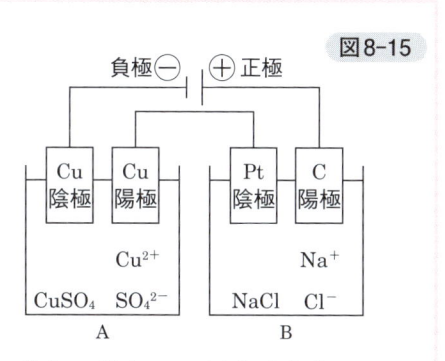

Aの　$\begin{cases} 陰 & Cu^{2+} + 2e^- \rightarrow Cu \\ 陽 & Cu \rightarrow Cu^{2+} + 2e^- \end{cases}$　Bの　$\begin{cases} 陰 & 2H_2O + 2e^- \rightarrow H_2 + 2OH^- \\ 陽 & 2Cl^- \rightarrow Cl_2 + 2e^- \end{cases}$

> **岡野の着目ポイント** Aは，陰極は，「K^+，Ca^{2+}，Na^+，Mg^{2+}，Al^{3+}」以外の金属イオンであるCu^{2+}がCuとなって析出します。陽極は電極がCuなので，これが溶け出します。
> 　Bは，陰極は，イオン化傾向の大きいNa^+を含むので，H_2が発生。陽極は，極板がCで，そして電解液にハロゲン化物イオンCl^-を含んでいるので，Cl_2が発生します。

　よって，Bの陰極で生じた物質は，
　　①(水素)……(1)の【答え】
(2)…「Aの陰極には0.127gの銅が析出した」に注目しておきましょう。Aの陰極は，陰　$Cu^{2+} + 2e^- \longrightarrow Cu$

> **岡野の着目ポイント** ポイントは何かというと，常にe^-のmol数が関係しているということ。この反応式が意味するところは，2molの電子が流れると，銅は1mol析出するということです。で，これe^- 2molって何ファラデーでしょう？　はい，2molは2Fです。そして，問題文に与えられているとおり，Cu 1molは63.5gでしょう。ですから，2Fで，Cu 1molすなわち63.5gが析出します。

　　陰　$Cu^{2+} + 2e^- \longrightarrow Cu$
　　　　　　　　　2mol　　　1mol
　　　　　　　　　2F　　　　63.5g

では，0.127gのCuが析出したときに流れる電気量をxFとすると，

$$Cu^{2+} + 2e^- \longrightarrow Cu$$

※2mol流れる　1mol析出

$$\begin{pmatrix} 2F & 63.5g \\ xF & 0.127g \end{pmatrix}$$

となります。あとはたすきがけで計算すればいいですね。
　∴　$63.5x = 2 \times 0.127$　　$x = 0.004 = 4 \times 10^{-3}$ F
あとは，単位を直すと，1Fが96500Cなので
　1F：96500C $= 4 \times 10^{-3}$ F：yC
　∴　$y = 4 \times 10^{-3} \times 96500 = 386$C……(2)の【答え】
電池と電気分解は，混乱しないように全く分けて考えますが，計算問題は同じようにできます。もう一度復習しておくといいでしょう。

第 9 講

熱化学

単元 **1** 熱化学 化/Ⅰ

単元 **2** ヘスの法則と反応熱の計算 化/Ⅰ

単元 **3** 結合エネルギー 化/Ⅱ

第 9 講のポイント

　今日は第9講「熱化学」についてやります。ここでは特に「燃焼熱」,「生成熱」,「結合エネルギー」について詳しく解説していきます。入試でも大変出題されるところなのできっちり理解しましょう。

　熱化学方程式は便利な代入法をマスターしましょう。係数合わせなどの手間を省けば,スピーディーに解けます。

単元 1　熱化学

化 / I

1-1　熱化学方程式

　化学反応式に，反応熱を書き加え，その矢印（→）を等号（＝）に置きかえた式を熱化学方程式といいます。化学反応式と熱化学方程式の違いは3点あります。

	記号	熱量（kJ）	係数
化学反応式	→	含まない	整数
熱化学方程式	＝	含む	分数になることもある

　→と＝の違い，熱量を式に含むかどうか，そして，**化学反応式は係数を最も簡単な整数比で表しますが，熱化学方程式は分数で表す場合もあります。**なぜ分数になるのかは，またのちほど説明しましょう。

1-2　燃焼熱

　反応熱にはいくつか種類があります。反応熱は一般に [kJ/mol] の単位で，物質1molあたりで示します。ある物質1molあたり何kJの熱かという意味です。そして，反応熱は**＋だと発熱**，**－だと吸熱**を表します。
　では，具体的に「**燃焼熱**」から確認していきましょう。

　　例：メタンの燃焼熱は891kJ/molである
　　　　$CH_4(気) + 2O_2(気) = CO_2(気) + 2H_2O(液) + 891kJ$

　アドバイス　各物質の状態は一般に 25℃，1.0×10^5Pa の状態で考え，特に指示がなければ水は液体とみなします。

　酸素と結びついて，炎を出して燃えることを燃焼といいますが，炭素を完全燃焼させると，二酸化炭素を生じます（一酸化炭素では，まだ不完全燃焼の状態です）。このように**物質1mol**を**完全燃焼**したときに発生する熱量を「**燃焼熱**」といいます。ちなみに，**C，H**または**C，H，O**からなる化合物が**完全燃焼**すると，どんな場合でもかならず**二酸化炭素と水（CO_2+H_2O）**に

単元1 熱化学

なります。

■ **燃焼熱のイメージ**

「**物質1mol**」、「**完全燃焼**」というところが大事です。イメージ的には、

$$\underline{1}CH_4 + 2O_2 = CO_2 + 2H_2O + 891kJ$$

本当は、CH_4の前に1が入っているのです。燃焼熱と言われた場合には、物質1molが完全燃焼なんです。だからCH_4が1molです。今回はたまたま係数が分数になりませんでした。そのときの熱量が891kJということですが、**熱化学方程式中では（/mol）という単位はつけません**。式自体が"**1molあたり**"ということを表しているからです。一方、燃焼熱と出てきたときの単位は、891kJ/molという書き方をします。

1-3 生成熱

次にいきます。**化合物1molが成分元素の単体から生成するとき**、発生または吸収する熱量を「生成熱」といいます。

例：二酸化炭素の生成熱は394kJ/molである

$$C(黒鉛) + O_2(気) = CO_2(気) + 394kJ$$

「発生または吸収」といいましたが、生成熱の場合、発生（発熱反応）で+になるか、吸収（吸熱反応）で−になるかは、その物質によって決まっています。一方、さきほどやった燃焼熱は、かならず正の値（+）です。発熱反応だけなのです。

■ **生成熱のイメージ**

そして今回は、「**化合物1mol**」、「**成分元素の単体**」というところがポイントです。化合物1molを、単体からつくるということです。ですから、イメージ的には、

$$C(黒鉛) + O_2 = \underline{1}CO_2 + 394kJ$$

CO_2の前に1を入れて考えるのです。

■よくある生成熱の誤解例

慣れてくると，よく生成熱を次のようにとらえる人がいます。これはダメな例です。

(×)　$CO + \dfrac{1}{2}O_2 = CO_2 + Q$ kJ

これ，二酸化炭素（化合物）1molはできています。しかし，Q kJ/molは，二酸化炭素の生成熱ではありません！　どこが違うのでしょうね？

それは，さきほどポイントと言った「**単体**」というところです。COが化合物なので，**化合物から物質をつくったとしても，生成熱とは言わないのです**。よく引っかけられるところなので注意しておきましょう。

では，これは何を表している熱化学方程式か？　はい，こうすればわかりますね。

$$\underline{1}CO + \dfrac{1}{2}O_2 = CO_2 + Q \text{ kJ}$$

（CO_2の生成熱ではない。COの燃焼熱を表す）

これは，一酸化炭素1molが完全燃焼して二酸化炭素になった，つまり**一酸化炭素の燃焼熱**を表していたのです。

■複数の意味をもつ熱化学方程式

さらにもう1つ，つけ加えておきます。1つの熱化学方程式というのは，実は複数の意味をもつときがあります。たとえば，今，

　C(黒鉛) + O_2 = **1**CO_2 + 394kJ

これは，**二酸化炭素の生成熱**を表す式だといいました。ではここで，1の位置を置きかえてみます。

　1C(黒鉛) + O_2 = CO_2 + 394kJ

するとこれは，**黒鉛の燃焼熱**も表しているのです。炭素1molが完全燃焼して二酸化炭素になっている。つまり，二酸化炭素の生成熱と黒鉛の燃焼熱，同時に2つの意味をもつ式だということです。

要するに定義をしっかりおさえ，**1**の位置をとりかえながら，他にどんなことが表せるかを考えていくのです。

> **岡野流必須ポイント⑪　熱化学方程式の1の位置**
>
> 熱化学方程式では，反応熱の種類によって何が1molあたりかを意識し，1の位置をとりかえながら把握する。

1-4 溶解熱

燃焼熱，生成熱が頻出ですが，その他も知っておきましょう。

溶質1molを多量の溶媒に溶かすとき，発生または吸収する熱量を「**溶解熱**」といいます。「多量の溶媒」がポイントです。普通の場合，溶媒は水です。多量の水は「aq（アクア）」で表します。

　例：水酸化ナトリウムの水への溶解熱は42.3kJ/molである
　　　NaOH（固）＋aq＝NaOH aq＋42.3kJ

今，固体の水酸化ナトリウムがあって，これに多量の水を加えると溶けます。そうすると，水酸化ナトリウムは水溶液になります。これを表すのに，NaOHにaqを加えて書きます。今回の1molは，

$$\underline{1}NaOH（固）+\underset{多量の水}{aq} = \underset{水溶液}{NaOH\ aq} + 42.3kJ$$

ということですね。

■水をなぜH_2Oとしないのか？

さてここで，「なぜ水なのにH_2Oを式で使わないんだ？」と思われるかもしれません。でもこれは，H_2Oを使ってはおかしいのです。

例えば，H_2Oを式に書いたならば，それは1molの水を表します。だからNaOH＋H_2Oなどと書くと，1molの水酸化ナトリウム（＝40g）に，1molの水（＝18g）が加わり，それが化学反応を起こしたという意味になってしまいます。

それとは意味が全く違うのです。18gの水が加わったのではなくて，たくさん水が入っている中に，1molの水酸化ナトリウムを入れるわけです。そのとき，何molの水なのかと具体的なことは言えないから，多量の水という言い方で，aqという記号で表しているわけです。おわかりですね。

1-5 中和熱

今度は「**中和熱**」です。**中和熱というのは酸と塩基が反応して，水1molを生じるとき発生する熱量**です。「**水1mol**」が大事なポイントです。中和熱の値は約57kJ/molで，どんな酸と塩基の中和でも，ほぼ等しくなります。

　例：希塩酸と水酸化ナトリウム水溶液を混合したときの中和熱は
　　　57.4kJ/molである
　　　HCl aq + NaOH aq = NaCl aq + H$_2$O + 57.4kJ
　　　または，H$^+$ + OH$^-$ = H$_2$O + 57.4kJ

HCl aqは塩化水素の水溶液，要するに塩酸を表します。それと水酸化ナトリウム水溶液が反応して，塩化ナトリウムと水が出てきました。そして，今回は水が1mol生じるということなので，1の位置は，

$$\text{HCl aq} + \text{NaOH aq} = \text{NaCl aq} + \underline{1}\text{H}_2\text{O} + 57.4\text{kJ}$$

になります。もう1つ，下の式はNa$^+$とかCl$^-$を抜いて，H$^+$とOH$^-$の反応に着目したのです。このように書く場合もあります。これも同様に，

$$\text{H}^+ + \text{OH}^- = \underline{1}\text{H}_2\text{O} + 57.4\text{kJ}$$

水が1molです。では，反応熱の種類をまとめておきます。

単元1 要点のまとめ①

● **反応熱の種類**

燃焼熱…**物質1mol**を**完全燃焼**したとき発生する熱量。
生成熱…**化合物1mol**がその**成分元素の単体**から生成するとき，発生または吸収する熱量。
溶解熱…**溶質1mol**を多量の溶媒に溶かすとき，発生または吸収する熱量。多量の水はaq（アクア）で表す。
中和熱…酸と塩基が反応して，**水1mol**を生じるとき発生する熱量をいう。この値は約57kJ/molで，どんな酸と塩基の中和でもほぼ等しい。
（注）その他に，**融解熱**，**蒸発熱**，**昇華熱**などがある。

単元2 ヘスの法則と反応熱の計算 化/I

熱化学方程式では，直接測定できないような反応熱も，計算によって求めることができます。これを可能にしているのが「**ヘスの法則**」です。

2-1 ヘスの法則

例えば，黒鉛の燃焼熱が未知数で，Q kJ/molとします[1]。そして，その他[2][3]の反応熱が，すでにわかっているとします。

$C(黒鉛) + O_2 = CO_2 + Q$ kJ ——— [1]

$C(黒鉛) + \dfrac{1}{2}O_2 = CO + 109$ kJ ——— [2]

$CO + \dfrac{1}{2}O_2 = CO_2 + 285$ kJ ——— [3]

ここでQは，どのようにして求めますか？ 計算によって簡単に導き出せると，感覚的にわかりますね。

すなわち，

[1] = [2] + [3]より，$Q = 109 + 285 = 394$ kJ

なにげなく代数的に計算しましたが，こういったことができるのは，実はヘスの法則のおかげなんです。

単元2 要点のまとめ①

●**ヘスの法則**

化学変化にともなって出入りする熱量の総和は，最初と最後の物質とその状態が決まると，途中の経路によらず一定である。

アドバイス ヘスの法則に関しては，名前を選ばせる問題が多いです。ヘンリーの法則と間違えやすいので，気をつけましょう。

つまり，最初と最後が決まっていれば，どんな道筋で通っていっても，出入りする熱量というのは決まってくるということです。

ヘスの法則により，[1][2][3]の関係は，図9-1のように表すことができます。経路の違いと，熱量の総和を確認してください。

図9-1

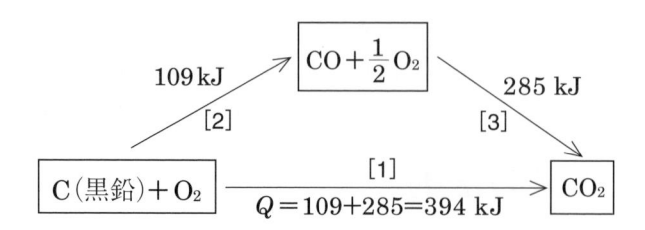

```
                CO + 1/2 O₂
        109 kJ ↗        ↘ 285 kJ
          [2]              [3]
                                    
  C(黒鉛)+O₂ ─────[1]──────→ CO₂
            Q=109+285=394 kJ
```

また，エネルギーの大小に着目すると，図9-2のようになります。エネルギーは上が大で下が小で表します。発熱反応の場合，熱を放出する反応なので，反応物より生成物のほうがエネルギーが低く（小に）なるのです。

図9-2

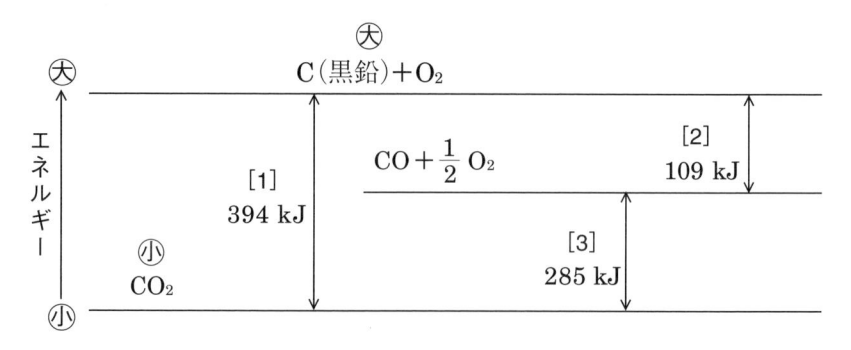

エネルギー
大
　　　　　　C(黒鉛)+O₂　　　　　　　　　　　大
　　　　　　　　　　　　　　　　　　　　　　[2]
　　　　　　　　　　CO + 1/2 O₂　　　　　　109 kJ
　　　　[1]
　　　　394 kJ
　　　　　　　　　　　　　　　　　　　　　　[3]
　小　　　　　　　　　　　　　　　　　　　285 kJ
　CO₂
小

この大小関係を踏まえて熱化学方程式を表すと，次のようになります。

$$C(黒鉛)\overset{大}{} + O_2 = \overset{小}{CO_2} \oplus 394\text{kJ} \quad\text{発熱} \quad\text{―――[1]}$$

$$C\overset{大}{} + \frac{1}{2}O_2 = \overset{小}{CO} \oplus 109\text{kJ} \quad\text{発熱} \quad\text{―――[2]}$$

$$CO\overset{大}{} + \frac{1}{2}O_2 = \overset{小}{CO_2} \oplus 285\text{kJ} \quad\text{発熱} \quad\text{―――[3]}$$

では演習問題にいきましょう。

単元2　ヘスの法則と反応熱の計算　201

演習問題で力をつける⑭
熱化学方程式は代入法でスッキリ解こう！（1）

> **問** 次の①～③の式を用いて，プロパンの燃焼熱を求めよ。
> $3C + 4H_2 = C_3H_8 + 104kJ$ ……①
> $2H_2 + O_2 = 2H_2O + 572kJ$ ……②
> $C + O_2 = CO_2 + 394kJ$ ………③

さて，解いてみましょう。

①②③と式を与えてくれていて，「プロパンの燃焼熱を求めよ」と書いてある。プロパンが燃焼する式を，この3つの式を使ってつくればいいわけです。

岡野のこう解く まず，プロパンというのはC_3H_8です。で，これを完全燃焼させると二酸化炭素と水になる。プロパンは，今はわからなくても，有機化学の分野に入ればすぐにわかります。

完全燃焼するときの熱量をx kJとして熱化学方程式をつくると，

$1C_3H_8 + 5O_2 = 3CO_2 + 4H_2O + x$ kJ ……④

燃焼熱を求めるのでC_3H_8の係数を1として計算するんでしたね。最終的にこの④式のx kJが燃焼熱になります。

それでは，本問を「**加減法**」と「**代入法**」の2つの解法で解いてみます。まずは加減法からいきます。

加減法で解く！

岡野のこう解く ①②③式の中で，④式に含まれないのは，CとH_2ですね。そこで，数学で習った方程式の加減法の要領で，CとH_2を消去すればいいのです。まず，③を3倍して①を引いてやると，Cが消去できます。次はH_2を消去するために，②を2倍して足し算します。

∴ ③×3−①+②×2

$$3C + 3O_2 = 3CO_2 + 394 \times 3 \text{kJ}$$
$$-)\ 3C + 4H_2 = C_3H_8 + 104\text{kJ}$$
$$\overline{\ \ 3O_2 - 4H_2 = 3CO_2 - C_3H_8 + 1078\text{kJ}\ }$$
$$+)\ 4H_2 + 2O_2 = 4H_2O + 572 \times 2\text{kJ}$$
$$\overline{\ \ 5O_2 = 3CO_2 - C_3H_8 + 4H_2O + 2222\text{kJ}\ }$$

これで C と H_2 が消去できましたね。

∴ $C_3H_8 + 5O_2 = 3CO_2 + 4H_2O + 2222\text{kJ}$

∴ 2222kJ/mol ……【答え】

熱化学方程式はズラッと長いので，何倍して何を消去すればいいのかがわかりにくい。そこで私は，**次の代入法をオススメします！**

> **代入法で解く！**

代入法もまず，④式が書けることが前提になってきます。

$$C_3H_8 + 5O_2 = 3CO_2 + 4H_2O + x\text{kJ} \cdots\cdots ④$$

> **岡野の着目ポイント** ここで，④式の化合物（C_3H_8, CO_2, H_2O）に着目し，①②③式を次のように変形していきます。
>
> ①式より，$C_3H_8 = 3C + 4H_2 - 104\text{kJ}$ ……… ①′
>
> 要するに，「$C_3H_8 = \cdots\cdots$」の形に変形するのです。同様に，
>
> ②式÷2 より，$H_2 + \dfrac{1}{2}O_2 = H_2O + 286\text{kJ}$
>
> ∴ $H_2O = H_2 + \dfrac{1}{2}O_2 - 286\text{kJ}$ ……… ②′
>
> ③式より，$CO_2 = C + O_2 - 394\text{kJ}$ ……… ③′

> **岡野のこう解く** 次に，これら①′②′③′の式を，全部④式に代入していくと，もうそれだけで解答が出てしまうのです。**係数を何倍しなくてはいけないかとか，何を引かなくてはいけないかとか，悩む必要がないんですね。**

よって，

$$(3C + 4H_2 - 104) + 5O_2 = 3(C + O_2 - 394) + 4(H_2 + \dfrac{1}{2}O_2 - 286) + x$$

∴ $-104 = -3 \times 394 - 4 \times 286 + x$

∴　$x = 2222$　　　　　∴　2222kJ/mol ……【答え】

　結局，単体の部分が両辺で全部消えました。消えたということは，この式は正しかったのです。何かが残ってしまったら，どこかに間違いがあります。

　あとは，数値計算でxを導き出せばいいのです。

> **岡野の着目ポイント**　これは何を基準に考えたのか，もう一回振り返ってみます。結局，
>
> 　　生成熱を用いて解く（単体を基準として計算する）。
>
> という方法だったのです。単体から化合物1molをつくる場合の熱量が生成熱でした。実は，①はC_3H_8の生成熱，②÷2はH_2Oの生成熱，③はCO_2の生成熱をそれぞれ表していたのです。今回は，化合物を全部単体の状態に戻しながら解いていきました。代入法の大部分がこの生成熱を用いて解く方法にあてはまります。

> **岡野流　必須ポイント⑫　熱化学方程式の未知数は代入法で導け！**
>
> 熱化学方程式で未知数を求める場合，（加減法より）代入法のほうがスピーディーに解ける。

演習問題で力をつける⑮
熱化学方程式は代入法でスッキリ解こう！(2)

問 エタノールの製法の一つとして，グルコース（ブドウ糖）を原料とするアルコール発酵があり，その熱化学方程式が次のように表される。

$C_6H_{12}O_6(固) = 2C_2H_5OH(液) + 2CO_2 + Q$ kJ

この反応の反応熱Qを，次の熱化学方程式①〜③を用いて求めると，何kJになるか。

$C(黒鉛) + O_2 = CO_2 + 394$ kJ ……①

$2C(黒鉛) + 3H_2 + \dfrac{1}{2}O_2 = C_2H_5OH(液) + 277$ kJ ……②

$6C(黒鉛) + 6H_2 + 3O_2 = C_6H_{12}O_6(固) + 1273$ kJ ……③

（センター/選択肢省略）

さて，解いてみましょう。

$C_6H_{12}O_6$はグルコース（ブドウ糖）です。グルコースを分解して，エタノール（C_2H_5OH）と二酸化炭素（CO_2）に分ける。これをアルコール発酵と言うわけです。そのときの反応熱Qには特に「何熱」という名称はありません。では，Qの値を求めましょう。

岡野の着目ポイント ここでも代入法を使っていきます。まず①〜③の式をじっくりと見てください。実はこれらの熱化学方程式は，すべて生成熱を示しています。全部，単体から化合物1molがつくられていますね。**①は二酸化炭素の生成熱，②はエタノールの生成熱，③はグルコースの生成熱**です。

ですから，生成熱を用いて解きます。つまりこれは，単体を基準として計算する（化合物を単体のレベルまで全部バラバラにして計算する）ということです。

では，

$C_6H_{12}O_6 = 2C_2H_5OH + 2CO_2 + Q$ kJ ……④

とおきます。そして，④に代入するために，①〜③式を変形していきます。

単元2　ヘスの法則と反応熱の計算

③より，$C_6H_{12}O_6 = 6C + 6H_2 + 3O_2 - 1273kJ$　……③′

②より，$C_2H_5OH = 2C + 3H_2 + \dfrac{1}{2}O_2 - 277kJ$　……②′

①より，$CO_2 = C + O_2 - 394kJ$　……①′

③′②′①′を④に代入して，

$(6C + 6H_2 + 3O_2 - 1273) = 2(2C + 3H_2 + \dfrac{1}{2}O_2 - 277) + 2(C + O_2 - 394) + Q$

$6C + 6H_2 + 3O_2 - 1273 = 4C + 6H_2 + O_2 - 554 + 2C + 2O_2 - 788 + Q$

単体が全部消えた時点で，間違っていなかった，ということが確認できるのです。 もし単体が残ったら，どこかに係数の間違いがあります。

あとは数値計算です。

$-1273 = -554 - 788 + Q$

∴　$Q = 69kJ$ ……【答え】

> **アドバイス** 加減法だと，②×2－③＋①×2 で求められますが，何を何倍して何を消すか，指針が立てにくくて大変です。代入法のほうが圧倒的にラクです。

> **岡野の着目ポイント** 今回は，生成熱を利用して解く方法で，すべて単体レベルまでバラバラにして計算しました。問題によってはたとえ単体ではなく，化合物までにしかバラせなかったとしても，代入していくと，途中段階でかならずその化合物どうしが消えるようになっています。だから，代入法はいずれの場合でも使えます。

単元3 結合エネルギー 化/Ⅱ

熱化学方程式では,「**結合エネルギー**」に関した問題も頻出です。

3-1 結合エネルギーを把握せよ

まず,最初にまとめておきますので,言葉をおさえてください。

> **単元3 要点のまとめ①**
>
> ● 結合エネルギー
>
> 　気体分子内の2原子間の結合を切断するのに必要なエネルギー(**結合1mol分を切断するエネルギー**)を結合エネルギーという。また,気体分子を構成している原子間の結合エネルギーの総和を**解離エネルギー**という。

「**気体分子内**」というところがポイントです。これは気体分子でないとダメです。それから,「**結合1mol分**」というところも要チェックです。

でも,これだけではイメージがわきませんね。具体的に例を挙げます。

　　例:O−H結合の結合エネルギーを465kJ/molとすると,気体の水
　　　　1molを原子に解離させるときの熱化学方程式は

　　　H_2O(気) $= 2H$(気) $+ O$(気) $- 465 \times 2$ kJ
　　　　H_2O 1molにはO−H結合が2molある。

■ 結合 1mol 分を切断する

さて,これは次のように考えてください。分子状態の水があって,結合部分にエネルギーが加わります　連続図9-3①。どんなエネルギーでも構いません。

そうすると,分子だった水が原子状態にバラバラに分かれるのです　連続図9-3②。そのときに,どれだけのエネルギーが加

結合エネルギーをイメージ!

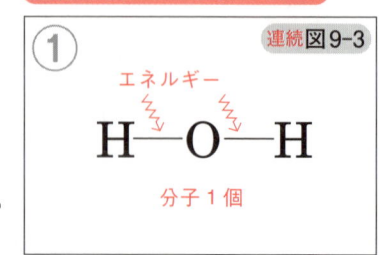

① 連続図9-3

エネルギー
H—O—H
分子1個

単元3 結合エネルギー 207

わったかというと，結合1mol分が465kJということですから，連続図9-3③のような形で水分子にエネルギーが加わっていたのです。

ですから，連続図9-3③は，水分子1個ではなく，水分子1molと考えてください。1molということは，6.02×10²³個の水分子がここにあるわけです 連続図9-3④。それを全部バンバンと切っていくのに，1molあたり465kJの熱が必要でした，もう片方も，やはり465kJ必要でした，という話です。

このように，切断するのに必要なエネルギーを結合エネルギーといいます。

繰り返しますが，これは気体状態の水，水蒸気でなくてはいけません。

連続図9-3 の続き

② H, O, H 原子3個

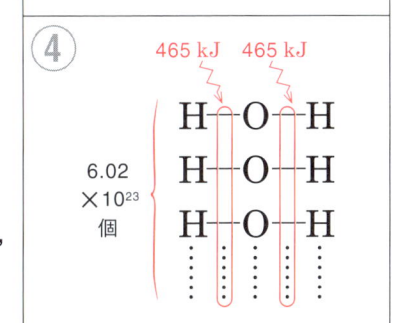

③ 465 kJ 465 kJ
H—O—H

④ 465 kJ 465 kJ
H—O—H
H—O—H
6.02 H—O—H
×10²³
個

■ エネルギーの大小関係

もう1つ，大小関係が非常に大事です。水の分子の状態と原子の状態では，どっちがエネルギーが大きい状態にあるか？ これは実感としてわかってください。

分子の状態にエネルギーを加え，その結果，バラバラの原子の状態になりました。加えたのだから，当然**分子状態のほうがエネルギー小，原子状態のほうがエネルギー大**です 図9-4 。

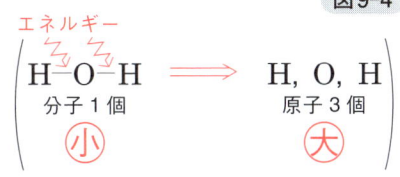

図9-4

エネルギー
H—O—H ⟹ H, O, H
分子1個   原子3個
 小   大

岡野流 必須ポイント ⑬ 原子と分子のエネルギーの大小関係

原子状態のほうが，分子状態よりもっているエネルギーが大きい。

演習問題で力をつける⑯
熱化学方程式は代入法でスッキリ解こう！（3）

問 H_2O（気）1mol中の O－H 結合を，すべて切断するのに必要なエネルギーは何kJか。ただし，H－H および O＝O の結合エネルギーは，それぞれ436kJ/mol，498kJ/molとする。また，H_2O（気）の生成熱〔kJ/mol〕は，次の熱化学方程式で表されるものとする。

$$H_2 + \frac{1}{2}O_2 = H_2O（気） + 242kJ$$

（センター追/選択肢省略）

さて，解いてみましょう。

岡野のこう解く 本問は，結合エネルギーを使って必要なエネルギーを求めていきます。

　　　結合エネルギーを用いて解く（原子を基準として計算する）。

　さきほどの生成熱を用いて解くときには，単体のレベルまで物質を分解して計算していきました。

　今回は，さらに細かい原子のレベルまでバラバラに切ってしまいます。そこで差し引きして計算しようという考え方です。やっていることは簡単なので，あまり難しく考えないでくださいね。

まず最初に，H_2Oの生成熱を表す式が与えられています。

$$H_2 + \frac{1}{2}O_2 = H_2O + 242kJ \quad \cdots\cdots ①$$

あえて書きませんが，これらは全部，気体です。そして今から，①式中の各気体を全部結合エネルギーを用いた式に表していきます。

結合エネルギーを用いて表す

まずはH_2からいきますが，今，分子状態のほうが小さいエネルギーをもっていて，原子状態のほうが大きなエネルギーをもっている 連続図9-5①。

エネルギーの大小に注目！

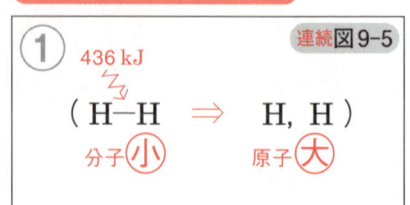

① 436kJ
（ H－H ⇒ H, H ）
分子 小　　　原子 大

連続図9-5

単元3 結合エネルギー 209

なぜなら，分子状態の結合部分にエネルギーを加え，切断することで，原子状態になるからです。

問題文よりH－Hの結合エネルギーは436kJ/molと書いてある。436kJの熱量が加わると，1mol分が全部バラバラになります。

そうすると，H_2と2Hでのエネルギー関係は，H_2 小，2H 大ですから，式に表すと，

　　小　　大
　　$H_2 = 2H - 436kJ$ ……②

岡野の着目ポイント 大きいものから引いてやらないと，小さいものとイコール関係になりませんね。ですからこの場合，符号はかならず**マイナス**になります。「どうも気持ち悪い」という人は，こうやって考えたらいいでしょう。移項して，

　　小　　　　　大
　　$H_2 + 436kJ = 2H$

つまり，分子状態の水素1molにエネルギー436kJを加えると，原子状態になったということです。これならスッキリしますね。ところが，残念ながらこの式の書き方はあまりしないのです。熱化学方程式というのは，〔kJ〕と書いてある熱量は，**かならず右辺に書く約束**になっているのです。ですから，②式の書き方，考え方でいきましょう。

次にO_2にいきます。同じように書いてみます 連続図9-5②。Oの二重結合だからといって，**結合2mol分とは考えないでください。二重結合であろうが，三重結合であろうが，これで1mol分と考えてください。**

そして，O_2と2Oでのエネルギー関係は，O_2 小，2O 大ですから，

　　小　　大
　　$O_2 = 2O - 498kJ$ ……③

最後にH_2Oにいきます。同様に図示すると，連続図9-5③のようになり

連続図9-5 の続き

② 498kJ
(O=O ⇒ O, O)
　分子 小　　原子 大

③ xkJ xkJ
(H-O-H ⇒ H, O, H)
　　分子 小　　　原子 大

ます。O－H結合1molを切る熱量をx kJとします。だからこれは合わせて$2x$です。

よって，
　　　㊧　　　㊨
　　$H_2O = 2H + O - 2x$ kJ ……④

代入していっきに結論へ

あとは，①に②③④をいっきに代入していきます。

$$(2H - 436) + \frac{1}{2}(2O - 498) = (2H + O - 2x) + 242$$

これで全部，原子状態までバラバラにしたわけです。そして，原子どうしは全部消去されて，

　　∴　$-436 - \frac{1}{2} \times 498 = -2x + 242$

　　∴　$x = 463.5$ kJ/mol（O－H結合の結合エネルギー）

求めたxはO－H結合1mol分を切断するエネルギー，すなわちO－H結合の結合エネルギーです。けれども，問題文には，「O－H結合を，すべて切断するのに必要なエネルギー」を求めよとあります。

H_2O（気）1mol中にO－H結合は2mol分あるから，

　　∴　$463.5 \times 2 = 927$ kJ……【答え】

今回は，代入法がとても有効であることが，おわかりいただけたかと思います。どんどん練習して腕を磨いてくださいね。では，第9講はここまでです。

第10講

気体

単元1 気体の法則 化/Ⅱ

単元2 理想気体と実在気体 化/Ⅱ

第10講のポイント

　今日は「気体」についてやっていきます。教科書や他の参考書を見ますと，気体に関しては様々な公式が出ています。しかし，私が示す最小限の公式さえ理解して，覚えていただければ大丈夫なんです！

　気体は最小限の法則で OK です。公式の意味と使い方を理解することが大切ですよ。

単元 1 気体の法則

化/Ⅱ

1-1 ボイル・シャルルの法則

まずは「ボイル・シャルルの法則」です。

重要★★★☆
$$\frac{PV}{T} = \frac{P'V'}{T'}$$
―――――[公式 13]

PとVは両辺で単位をそろえる。

$\begin{pmatrix} P,\ P' : 気体の圧力 (\text{Pa}^{パスカル},\ \text{hPa}^{ヘクトパスカル},\ \text{kPa}^{キロパスカル},\ \text{mmHg}^{ミリメートルエイチジー}) \\ V,\ V' : 気体の体積 (\text{L},\ \text{mL}) \\ T,\ T' : 絶対温度 (273 + t℃)\ \text{K}^{ケルビン} \end{pmatrix}$

20個の最重要公式のうちの[**公式13**]です。

これは「ボイル(1627〜1691)」と「シャルル(1746〜1823)」がそれぞれつくった「ボイルの法則」と「シャルルの法則」を，20世紀に入って，1つの式にまとめたものです。ですからみなさんは，**1本化したこの「ボイル・シャルルの法則」**さえ覚えておけばいいんです！

■ P, V, Tの表す意味

では，文字の意味をおさえておきましょう。PはPressure（プレッシャー），すなわち圧力です。単位はPa，hPa，kPa，mmHgのどれを使っても構いません。

それから，VはVolume（ボリューム）で，体積を表します。これも単位は，LまたはmLのどちらでもいい。

Tは「絶対温度」といいます。

■ 絶対温度とは？

シャルルは−273℃で気体の体積が0になることを発見しました。体積は，気体が分子運動をして壁にぶつかることで，できあがります。しかし，温度が下がっていくと，分子運動が弱まり，体積も小さくなっていきます。やがて，−273℃で分子運動は完全に止まり，体積は0になります。マイナスの体積はないので，これ以上温度は下がらない。そこで，**この最も低い温度**

−273°Cを，新たに0K（ゼロ・ケルビン）と決めたんです。オッケーと読んじゃいけませんよ（笑）。

これが絶対温度です。つまり，**摂氏°Cの数値に273を足してやると，常に絶対温度の値になります。** 273という値は試験では与えてくれないので，覚えておきましょう。

アドバイス ちなみに，普段の生活で使っている「セルシウス度（°C）」は，水が凍る温度を0°Cとしているんですね。

■ボイル・シャルルの法則は両辺で単位をそろえる

「ボイル・シャルルの法則」のポイントは，**PとVは両辺で単位をそろえる**ということです。例えば，左辺のPでPaの単位を使ったのであれば，右辺のP'のほうもPaでそろえなければいけません。右辺にhPaを使ったら，左辺もhPaです。VとV'も，LならばL，mLならばmLでそろえます。

岡野流 必須ポイント ⑭

ボイル・シャルルの法則の注意点

ボイル・シャルルの法則では，PとVはそれぞれ両辺で単位をそろえる。

「ボイル・シャルルの法則」は，文字の意味と使い方をよく理解して覚えましょう。

1-2 ボイルの法則は温度一定

さきほど私は，「ボイルの法則」と「シャルルの法則」に関して，1本化した「ボイル・シャルルの法則」さえ覚えておけばいいと言いました。でも，実際には入試に「ボイルの法則」は出るんです。「えっ，それじゃあ困るじゃないか！」とおっしゃるかもしれません。でも大丈夫なんです。

なぜならば，これだけ覚えておけばいいからです。

ボイルの法則は「温度一定」

「**ボイルの法則**」と言ったらとにかく「**温度一定**」と頭の中に思い浮かべる。

「ボイル・シャルルの法則」において，最初の状態（$\frac{PV}{T}$）と，条件を変えたあとの状態（$\frac{P'V'}{T'}$）で，温度一定，すなわち$T=T'$ということは，

$PV=P'V'=$一定

と言っているわけです。「温度一定」から，この式は自分でつくれますね。

さらに$PV=$一定とはどういうことか？

これは$xy=a$（$a=$定数）の関係と同じこと。変形すると$y=\frac{a}{x}$，つまり**反比例の関係なんです** 図10-1 。

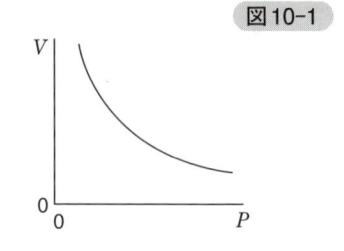

図10-1

PとVは反比例の関係

1-3 シャルルの法則は圧力一定

では次にいきます。「シャルルの法則」も，これだけです。

シャルルの法則は「圧力一定」

簡単でしょう？ 「シャルルの法則」と言ったら常に「圧力一定」。「ボイル・シャルルの法則」において，最初の状態（$\frac{PV}{T}$）と，条件を変えたあとの状態（$\frac{P'V'}{T'}$）で，$P=P'$だから，圧力は消去できるわけです。すると，

$\frac{V}{T}=\frac{V'}{T'}=$一定

これでは，すぐにわからないという人は，$\frac{y}{x}=a$（$a=$定数）と置きかえるんです。そうすると，$y=ax$だから，**比例ですよね** 図10-2 。

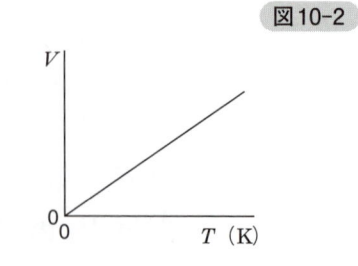

図10-2

VとTは比例の関係

「圧力一定」から，ここまで読みとれるわけです。ちなみにマイナスの絶対温度というのはないので， 図10-2 のように，かならず原点から始まる

右上がりの直線になります。では，**1-1** ～ **1-3** までをまとめておきましょう。

単元1 要点のまとめ①

● **ボイル・シャルルの法則**

☆ $$\dfrac{PV}{T} = \dfrac{P'V'}{T'}$$

$\begin{pmatrix} P,\ P' : 気体の圧力\ (\text{Pa, hPa, kPa, mmHg}) \\ V,\ V' : 気体の体積\ (\text{L, mL}) \\ T,\ T' : 絶対温度\ (273 + t\,°\text{C})\,\text{K} \end{pmatrix}$

──── [公式 13]

PとVは両辺で単位をそろえる。

・ボイルの法則（**温度一定**）

$PV = P'V' = $ 一定

PとVは反比例の関係

・シャルルの法則（**圧力一定**）

$\dfrac{V}{T} = \dfrac{V'}{T'} = $ 一定

VとTは比例の関係

1-4 気体の状態方程式

「**理想気体の状態方程式**」は，本書ではポイントだけを示します。

単元1 要点のまとめ②

● **理想気体の状態方程式**

☆ $\boxed{PV = nRT}$ ──── [公式 15]

↓ ☆ $\boxed{n = \dfrac{w}{M}}$ ──── [公式 2]

☆ $\boxed{PV = \dfrac{w}{M}RT}$ ──── [公式 15]

$\begin{pmatrix} P : 気体の圧力\ (\text{Pa})\ （単位は指定） \\ V : 気体の体積\ (\text{L})\ （単位は指定） \\ n : 気体の物質量\ (\text{mol}) \\ R : 気体定数\ 8.31 \times 10^3\,\text{Pa·L/(K·mol)} \\ T : 絶対温度\ (273 + t\,°\text{C})\,\text{K} \\ M : 気体の分子量 \\ w : 気体の質量\ (\text{g}) \end{pmatrix}$

PとVは単位が指定されている。

[公式15] です。この中に [公式2] を入れて $PV=\dfrac{w}{M}RT$ という式もつくれるようにしておきましょう。

■ 状態方程式の P と V は単位指定

次に，文字の意味にいきます。さきほど同様，**P は圧力**なんですが，今度は**単位が Pa と指定されている**。**V（体積）も L の単位指定**です。「単位は指定」がポイントになります！

岡野流 必須ポイント 15　理想気体の状態方程式の注意点

理想気体の状態方程式では，**P と V は単位が指定されている。**

$P(\text{Pa})\quad V(\text{L})$

あとは，気体定数 R の **8.31×10^3** という値も，試験では与えられないことがあります。第4講で学んだように，1mol の気体は，0℃，1.013×10^5（正確にはこの値です）Pa で 22.4L の体積を占めるので，

$$\text{気体定数}\ R=\dfrac{PV}{nT}=\dfrac{1.013\times10^5\times22.4}{1\times273}\fallingdotseq 8.31\times10^3$$

となるのですが，これはいちいち計算して求めていては大変です。ここで覚えておきましょう。

「**ボイル・シャルルの法則**」は「**P と V は両辺で単位をそろえる**」のに対し，「**気体の状態方程式**」は「**P と V は単位が指定されている**」。結局，その違いをしっかり区別して，数値を代入していくことができれば，もうそれで大丈夫なんです。

問題を解くときの注意点として，問題文に物質量 (mol)，g 数，分子量が書かれているときには $PV=nRT$ または $PV=\dfrac{w}{M}RT$ に代入し，そうでないときには $\dfrac{PV}{T}=\dfrac{P'V'}{T'}$ に代入する。

では，演習問題にいきましょう。

単元1 気体の法則

演習問題で力をつける⑰
気体の法則を使いこなせ！（1）

問 次の問いに答えなさい。

(1) 27℃，1000hPaのとき，10Lを占める気体は標準状態（0℃，$1.013×10^5$Pa）では何Lを占めるか。数値は小数第2位まで求めよ。

(2) 水素ガスを容積1Lの容器に入れ，密封して400Kに加熱したところ，圧力は$3.30×10^5$Paとなった。容器内の水素の質量は何gか。最も適当な数値を，次の①～⑥のうちから一つ選べ。

ただし，気体定数を$8.31×10^3$Pa·L/(K·mol)とする。

① 0.1 ② 0.2 ③ 1 ④ 2 ⑤ 10 ⑥ 20 （センター/改）

さて，解いてみましょう。

岡野の着目ポイント (1)…与えられている体積が，標準状態ではいくらを占めるのか，という問題なので「ボイル・シャルルの公式」を使います。ここで，**標準状態は0℃，$1.013×10^5$Paなので，** 図10-3のようになります（1hPa = 100Pa）。

$1000\text{hPa} \Rightarrow 1000×100\text{Pa} = 1.000×10^5\text{Pa}$

このような単位の換算は272ページに詳しく書かれています。参考にしてください。

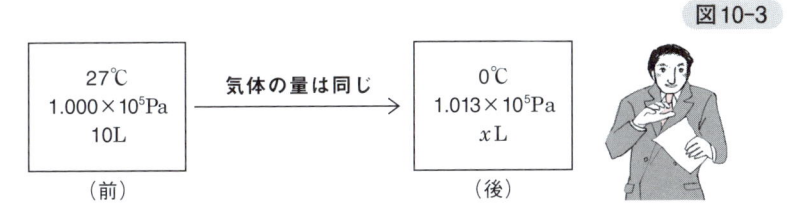

図10-3

27℃ $1.000×10^5$Pa 10L	気体の量は同じ→	0℃ $1.013×10^5$Pa xL
（前）		（後）

単位もそろえたので，あとは$\dfrac{PV}{T}=\dfrac{P'V'}{T'}$に代入するだけです。

$$\frac{1.000×10^5×10}{273+27}=\frac{1.013×10^5×x}{273}$$

∴ $x=8.983≒8.98$L ……(1)の【答え】

「ボイル・シャルルの法則」，「ボイルの法則」，「シャルルの法則」は，

最初の状態と後の状態で「**気体の量は同じ**」**とき成り立つ法則であること****に注意しましょう**。「気体の量は同じ」とは，新たに気体が入り込んだり，抜けていったりしないということです。

　この問題は当然「気体の量は同じ」ですね。

(2)…これは気体の状態方程式に素直に代入しましょう。

> **岡野の着目ポイント**　問題文に「何 g か」と書いてあります。気体の状態方程式の右辺が nRT だと「g」の単位が入らないから，$\frac{w}{M}RT$ を使って w g を求めればいいとわかります。

　求める水素の質量を x g とおくと，H_2 の分子量は2なので，

　　$3.30 \times 10^5 \times 1 = \dfrac{x}{2} \times 8.31 \times 10^3 \times 400$

　∴　$x = 0.198 ≒ 0.20$ g

　∴　②……(2)の【答え】

気体の状態方程式を使う場合，圧力と体積の単位が，**Pa**と**L**であることも確認しておきましょう。

　なお，もう少し詳しい解説が272ページ以降にありますので，参考にしてください。

演習問題で力をつける⑱
気体の法則を使いこなせ！(2)

問 図10-4 に示すように，容積3.0Lの容器Aと容積2.0Lの容器Bをコックで連結した装置がある。すべてのコックが閉じている状態で，容器Aには$4.0×10^5$Paの水素，容器Bには$5.0×10^5$Paの窒素が入っている。温度を一定に保ったまま，中央のコックを開き，十分な時間が経過した後，容器内の全圧は何Paになるか。最も適当な数値を，次の①〜⑥のうちから一つ選べ。

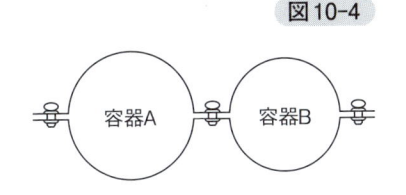

図10-4

① $2.0×10^5$　② $2.4×10^5$　③ $3.6×10^5$　④ $4.4×10^5$
⑤ $4.5×10^5$　⑥ $4.8×10^5$

(センター/改)

ドルトンの分圧の法則

この問題を解くためには，「**ドルトンの分圧の法則**」というものを知らなければなりません。まずは見てみましょう。

単元1 要点のまとめ③

● ドルトンの分圧の法則

☆ $P_{(全)} = P_A + P_B + P_C$ ────── [公式14]

全圧は，各成分気体の分圧の和である。

「**成分気体**」というのは，「**それぞれの気体**」という意味です。そして，混合気体になった場合は，その混合気体の中での各成分気体の圧力のことを「**分圧**」といいます。入っている気体が1種類だけの場合は，分圧とは言わないんです。それはただの圧力です。

さて，解いてみましょう。

ではどういうふうに使うのか？ まず容器Aだけを考えます。3.0Lで$4.0×10^5$Paという条件で容器Aの中に水素が入っています 連続図10-5①。

水素と窒素を別々に考える

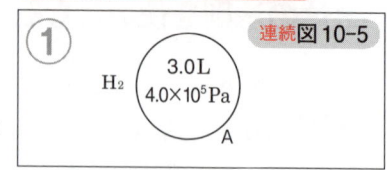

連続図10-5
① H₂ 3.0L $4.0×10^5$Pa A

そしてコックを開くというのがクセモノなんです。中央のコックを開けば，本当は水素と窒素が混じり合うことになるのですが，これでは頭の中で混乱してしまいます。そこで最初はこのようにします。

まずは水素だけで考える

岡野のこう解く 今，とりあえず容器Bから窒素を抜いてしまって，ちょっとのけておきます。つまり容器Bを真空にしておくわけです。それでコックをあけるんです。すると，容器Aに入っていた水素が，容器Bまで移っていきますから，Aの容器3L，Bの容器2Lで，**全体が5Lの容器になります** 連続図10-5②。この手順を【1】としましょう。

連続図10-5 の続き

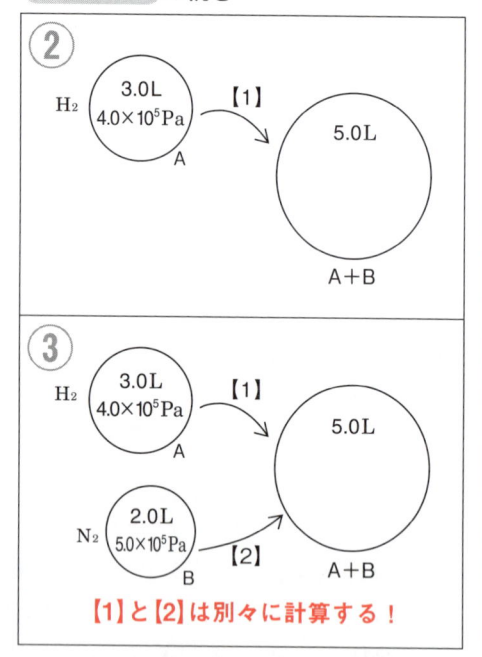

② H₂ 3.0L $4.0×10^5$Pa A 【1】→ 5.0L A+B

③ H₂ 3.0L $4.0×10^5$Pa A 【1】→ 5.0L A+B
N₂ 2.0L $5.0×10^5$Pa B 【2】→

【1】と【2】は別々に計算する！

次に窒素だけで考える

それから今度は，容器Bの窒素だけを考えます。今度は容器Aを真空にしておきます。2.0L，$5.0×10^5$Paの条件でBに入っている窒素が，コックを開くことで，Aまで広がります。これを手順【2】としましょう 連続図10-5③。

そして，混乱を避けるために，【1】と【2】は別々に計算します。

【1】温度一定ですので，$\boxed{PV = P'V'}$ です。これに，コックを開く前と後の条件を代入して，水素の分圧 P_{H_2} を求めます。

$$4.0 \times 10^5 \times 3.0 = P_{H_2} \times 5.0$$
$$\therefore \quad P_{H_2} = 2.4 \times 10^5 \text{Pa}$$

今まで3.0Lだったところから5.0Lに移ったので，体積が大きくなり圧力は下がりますね。

これでまた真空にして，【2】の操作を同様にやります。

【2】窒素の分圧 P_{N_2} を求めます。

$$5.0 \times 10^5 \times 2.0 = P_{N_2} \times 5.0$$
$$\therefore \quad P_{N_2} = 2.0 \times 10^5 \text{Pa}$$

このように，別々に計算するんですね。 それで，「ドルトンの分圧の法則」より，求める全圧 $P_{(全)}$ は，それぞれの成分気体の分圧の和ですから，

$$P_{(全)} = P_{H_2} + P_{N_2} = 2.4 \times 10^5 + 2.0 \times 10^5 = 4.4 \times 10^5 \text{Pa}$$

$\therefore \quad$ ④ ……【答え】

混合気体も各成分気体も同体積

これで普通は終わりなんですが，もうちょっと詳しくポイントを説明しましょう。それはココです！

> ※ ここで H_2 の体積も，N_2 の体積も，混合気体の体積も共に 5.0L である。

「えっ」と思うかもしれませんね。これが気体のポイントになります。なぜそうなるかわかりますか？

20％の人しか酸素は吸えない？？

つまりこういうことです。今，この教室に空気がありますが，常識として，酸素は空気の20％しかない，と教わっていますよね。仮に，この教室の窓側20％，すなわち $\frac{1}{5}$ の人のところにしか酸素がなかったとしたら，それ以外の人たちは酸素を吸えないでしょう？ そんなことが起きたら

大変です！ 落ち着いて授業なんかやってられません！（笑） **実際は，今，教室中どこでも酸素を吸えるじゃないですか。**窓側でも廊下側でも，教卓のほうでも，この部屋の一番隅っこのほうでも，どこでも吸える。ということは，この部屋の大きさと同じ体積だけ酸素は広がっているということです。

　窒素も同様，空気の約80％というけど，実際には全体に広がっています。では空気はというと，これもこの部屋と同じ体積ですよね。つまり，**混合気体である空気の体積もこの部屋と同じだし，酸素の体積もこの部屋と同じだし，窒素の体積も同じです。**

　ですから本問では，水素の体積も**5L**，窒素の体積も**5L**，混合気体の体積も**5L**，すべて**5L**なんです。

　液体の場合は違いますよ。例えば今，油が3Lで水が2Lだとする。これは足したものが5Lでしょう。だけど，気体の場合は全部が同じ体積になるんです！

　これが，【1】【2】の計算の中で**ともに5L**という数値を使った理由です。

単元1 気体の法則 223

演習問題で力をつける⑲
気体の法則を使いこなせ！（3）

> **問** 27℃でメタンCH_4 0.30molと酸素O_2 0.60molとの混合気体が容器に入っている。この混合気体の全圧が$1.8×10^5$Paであるとき，メタンの分圧，酸素の分圧はそれぞれ何Paか。また，この容器の体積は何Lか。ただし気体定数は$8.3×10^3$Pa・L/(K・mol)とし，数値は有効数字2桁で求めよ。

さて，解いてみましょう。

これはどう解きましょうか？　コックの開閉や条件の変化もないので，どうもさきほどの解き方は使えそうにありませんね。

岡野のこう解く こういう場合，最重要化学公式一覧（288ページ）の［**公式16**］［**公式17**］を使います。

!重要★★★

☆　**モル分率 = 成分気体のモル数 / 混合気体の全モル数**　──── ［公式16］

☆　**分圧 = 全圧 × モル分率**　──── ［公式17］

これらに代入して，まずは分圧を求めてみましょう。

$P_{CH_4} = 1.8×10^5 × \dfrac{0.30}{0.30+0.60} = 6.0×10^4$ Pa（メタンの分圧）【答え】

$P_{O_2} = 1.8×10^5 × \dfrac{0.60}{0.30+0.60} = 1.2×10^5$ Pa（酸素の分圧）【答え】

（または$1.8×10^5 - 6.0×10^4 = 1.2×10^5$Pa）

あとは，状態方程式$PV = nRT$に代入して，容器の体積（Vとおく）を求めます。

$1.8×10^5 × V = (0.30+0.60) × 8.3×10^3 × (273+27)$

∴　$V = 12.4 ≒ 12$ L【答え】

「モル分率」という，比率を使って分圧を求める問題でした。こういう問題もできるようにしておきましょう。

単元 2　理想気体と実在気体　化/Ⅱ

今，実際に存在している気体を「**実在気体**」といいます。例えば，空気が今ここにありますが，空気の中に含んでいる酸素または窒素，これらはすべて実在気体です。

一方，「**理想気体**」というのは，実際には存在しない気体です。

2-1 理想気体とはどんな気体か

理想気体がどのようなものか，まずはまとめておきましょう。

> **単元2 要点のまとめ①**
>
> ●理想気体とはどんな気体か
> ①分子間力がない気体
> ②分子自身の体積がない気体
> ③低温，高圧にしても液体，固体にならない気体

①と②がよく試験で問われるので，何を意味しているのかチェックしておきます。

■ 理想気体：①分子間力がない

「**①分子間力がない気体**」です（分子間力とは，万有引力ではありませんが，万有引力のような力が分子と分子の間ではたらいているのです。質量が大きかったり，分子間の距離が短いほど，その力は大きくなります）。しかし，実際はそんな気体はありません。

図10-6

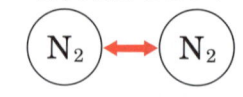

分子間力がはたらく

$N_2 \leftrightarrow N_2$

質量をもっていれば，かならず分子と分子の間には引っ張り合う力がある。例えば，窒素分子 N_2 と N_2 が近づいたときに，小さい力ではありますが，分子間力がはたらき，引き合います　図10-6 。

■ 理想気体：②分子自身の体積がない

「**②分子自身の体積がない気体**」というのもありえませんね。 図10-6 で，N_2 という分子は，目には見えないけれども，それ自身の大きさ，体積があるわけです。

アドバイス「分子自身の体積」と「気体の体積」とは意味が異なります。例えば，1mol の気体をピストンつきの容器に入れて標準状態にしてやると，ピストンが動いて，中の体積が 22.4L になります 図10-7 。この 22.4L というのが気体の体積です。気体中の分子が，あっちにぶつかり，こっちにぶつかり，自分の守備範囲というか，自分が動き回れる範囲をつくるわけです。

図10-7

だから，気体であれば，どんな分子でもかならず質量をもっているわけで，分子間力があり，気体自身の体積があります。それらがないと考えるのが理想気体なんです。

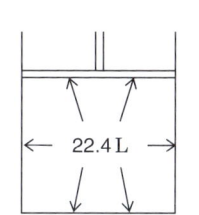

■ 理想気体：③低温，高圧にしても液体，固体にならない

それから③，実際は気体の温度を下げていくと液体になって，さらに温度を下げると固体になっていきます。または，圧力を上げていくと気体はやがて液体になって，さらに上げていくと固体になります。しかし，理想気体ではそれがいっさい起こりません。絶対0度，−273℃で体積がなくなるまで気体のままでいられると考えるのです。実際には，ありえないことなのですが……。ここではぜひ，①と②をしっかりおさえてください。

2-2 理想気体に近づけるために

では，**実在気体を理想気体に近づける**にはどのような条件にすればよいのでしょうか？　これには2つの条件があり，試験でもよく聞かれます。

■ 高温にするということは…

1つは，「**高温にする**」ということです。

気体を高温にすると，分子自身にエネルギーが加わります。今まで分子がゆっくり飛んでいたのが，エネルギーを得てすごい勢いで飛び回ります。

そのときに，これは化学ではあまり使わない言葉ですが，「運動エネルギーが大きい」といいます。そこで，分子の運動エネルギーが大きいため，分子間力が無視できるのです。

運動エネルギーというのは運動の激しさだと思っていただければいい。ゆっくり飛んでいるときは，分子と分子がすれ違うそのときに，ヒュッと引っ張られる力，分子間力がはたらいたわけです。

ところが高温で激しい運動が始まると，今まで引っ張られた力よりも，もっと強い力で離れていきます 図10-8 。そうすると，分子間力が無視できるようになるわけです。

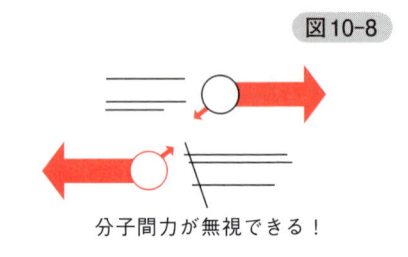

ですから，今までは分子間力がはたらいていたんだけれども，熱をもらうことによって運動が激しい状態になると，すごいスピードになり，分子間力がはたらく力よりも，もっと強い力で離れていくのです。

結局，**高温にするということは，理想気体の「①分子間力がない気体」に近づくということです。**

■ 低圧にするということは…

2つ目の条件は，「**低圧にする**」ということです。

図10-9 を見てください。分子が2つ入っています。低圧とは圧力を下げるということですから，簡単に言えば箱の大きさ（体積）を大きくするということです（PとVは反比例）。ここで気体の量は同じままに，箱を大きくします。

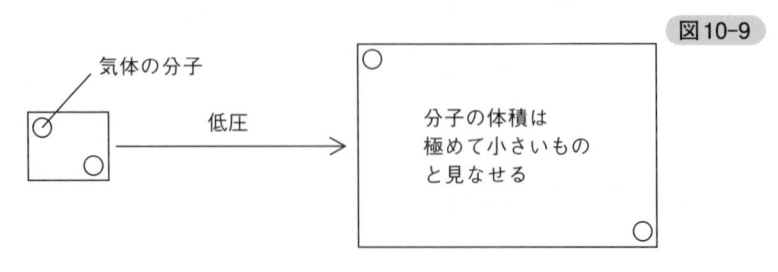

そうするとこれも，理想気体の「**①分子間力がない気体**」に近づきます。分子と分子は近いところにあるから引っ張る力がはたらくのですが，遠いと

ころにあるとなかなかはたらかない。分子間力はかなり弱まります。

さらにこれはもう1つ,「**②分子自身の体積がない気体**」にも近づきます。図10-9 を再び見てください。気体の体積が小さいと,それだけ分子自身の体積が占める割合も大きく,影響もあるでしょう（図10-9 の左）。しかし,箱(体積)を大きく大きくして低圧にした場合,分子自身がもっている体積は,気体の体積に比べて,極めて小さいものになります（図10-9 の右）。分子の大きさは変わっていませんから,影響も小さいでしょう。

このように,低圧にするということは,理想気体の①と②の2つの条件を満たすようになっていくわけです。

■ 理想気体からのずれ

図10-10 を見てください。0℃,1molの実在気体(H_2,CH_4,CO_2)と理想気体について話を進めます。縦軸は,$\dfrac{PV}{RT}$ すなわちnであり,横軸は圧力Pです。$\dfrac{PV}{RT}$において,Rは定数8.31×10^3,さらにTも0℃(273K)で変わらない値です。

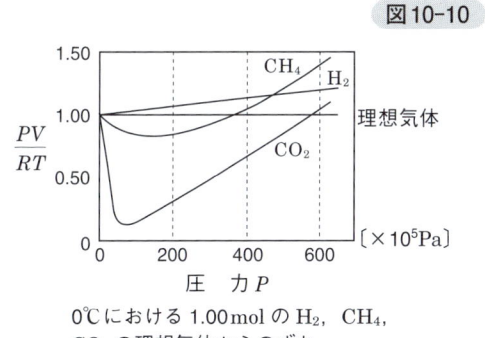

図10-10

0℃における 1.00 mol の H_2,CH_4,CO_2 の理想気体からのずれ

ですから,理想気体の場合,PVは一定(温度一定＝ボイルの法則)です。圧力がどんなに上がっていこうが,どこまでいっても気体の状態で過ぎていきますので,$\dfrac{PV}{RT}$の値は1molのままです。

ところが,CO_2の場合,圧力をかけると$\dfrac{PV}{RT}$の値が,ガクンと下がっています。これは,**圧力をかけることで,CO_2の分子間の距離が短くなり,分子間力がはたらくことで,理想気体のときに比べて極端に体積Vが小さくなるからです。**

したがって,$\dfrac{PV}{RT}$の値(1.00)が一定にならないのです。CH_4もほぼ同じように考えていただければよろしいと思います。

では,まとめておきましょう。

> **単元 2 要点のまとめ②**
>
> ● **実在気体を理想気体に近づけるにはどのような条件にすればよいか**
>
> ① **高温にする**
> 　分子の運動エネルギーが大きいため，分子間力が無視できる。
> ② **低圧にする**
> 　分子どうしの距離が遠くなり，分子間力は小さくなる。分子自身の体積は，気体の体積に比べて極めて小さいものと見なせる。

　今回は，いくつか法則や公式が出てきましたが，それぞれの意味や正しい使い方をマスターすることが大切です。では，今日はこれで終わっておきましょう。

第11講

蒸気圧・気体の溶解度

単元1 蒸気圧 化/Ⅱ

単元2 気体の溶解度 化/Ⅱ

第 11 講のポイント

　今日は第11講「蒸気圧・気体の溶解度」についてやってまいります。ヘンリーの法則を正しく理解するのがポイントです。圧縮される気体を,「岡野流」でイメージしてください。

単元 1 蒸気圧　化/Ⅱ

「**蒸気圧**」というのは、"液体が蒸気になるときの圧力"のことです。入試では難しい方の問題としてよく出題されますが、詳しく説明するので大丈夫です。

1-1 飽和蒸気圧

では、「蒸気圧（または**飽和蒸気圧**）」というものを理解していただくために、今からある実験をしてみます。

■ 箱の中で何が起きている？

連続図11-1①を見てください。今、真空の箱の中に液体の水だけを入れます。そしてこのときの温度を、例えば27℃にセットします。

27℃の状態にずっと保っていると、液体の水が蒸発していき、圧力が上がっていきます。そしてあるところまでいくと、**もうそれ以上圧力が上がらない状態になります**。この、目いっぱいの値になった圧力を「飽和蒸気圧（水の場合は飽和水蒸気圧）」といいます。ここで図のように、**水は一部液体のまま残っていることに注意してください**。あとで説明しますが、ここがポイントになります。

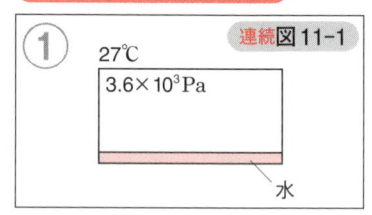

箱の中の水に注目せよ！
連続図11-1
① 27℃　$3.6×10^3$ Pa　水

そして、27℃において蒸発するときの一番大きな圧力を測ってみると、$3.6×10^3$ Paという値が出てきます。**この値は測定値、実験値であり、計算で出す理論値ではありません。**

容器中の圧力は$3.6×10^3$ Paまで上がっていき、そこで一定に保たれます。

■ 洗濯物は夏も冬も乾く

ここで、「おかしいな、水は100℃にならないと蒸発しないんじゃないか？」と思う人がいらっしゃるかもしれません。しかし、何℃であっても、

単元1 蒸気圧　231

ちゃんとその温度において決まった圧力で水蒸気になっていきます。
　不思議に思う人は，洗濯物を思い出してください。
　本当に100℃にならないと蒸気にならないと思っている人，洗濯物を取り込んでいる最中も「アチッ，アチッ！」とか言って常にやけどしているような状態になりますよ（笑）。そんなことないですよね。夏の暑い日も，冬の寒い日も，ちゃんとそのときの温度で乾いているでしょう。ということは，そのときの温度で水は，液体から気体へと蒸発しているんです。

1-2 液体が残っているかどうか

■体積を2倍すると……

　次に，連続図11-1②をご覧ください。連続図11-1①の状態から，27℃のまま体積を2倍にしたものです。

連続図11-1 の続き

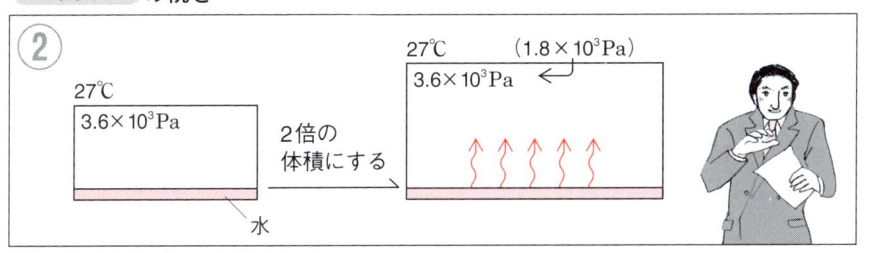

　27℃で，2倍の大きさの真空の箱に移しかえると思ってもらってもいいです。そうすると，移しかえた瞬間は気体の量は同じですから，$\boxed{PV = P'V'}$（温度一定，ボイルの法則）より，**体積を2倍にしてやると，圧力は$\frac{1}{2}$になります。**
　すなわち，移しかえた瞬間は3.6×10^3Paの半分の1.8×10^3Paなんです。だけど，そのままで止まってしまうかというと，そうじゃありません！　箱に水が残っている限り，かならずその温度で決まった圧力までは上げていこうとします。それが飽和蒸気圧です。
　すなわち，水は徐々に蒸発していって1.8×10^3Paから3.6×10^3Paまで上がります。この飽和水蒸気圧に達したところで，それ以上圧力は上がりません。

■ 体積を半分にすると……

では，体積を半分にしてやるとどうなるか？ 連続図11-1③ を見てください。

連続図11-1 の続き

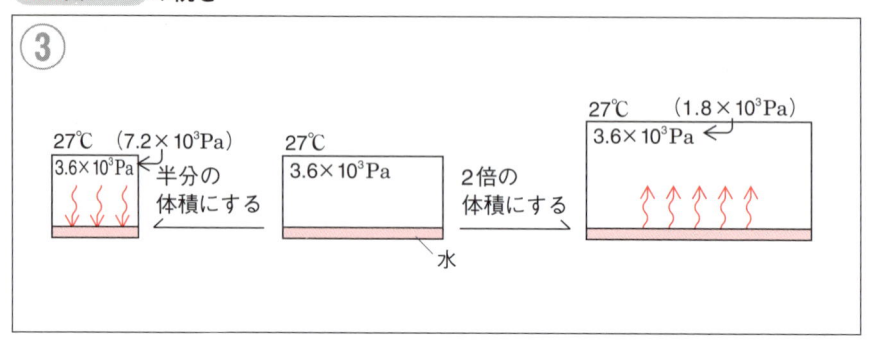

③

27℃　（7.2×10³Pa）
3.6×10³Pa　半分の体積にする ← 27℃ 3.6×10³Pa 2倍の体積にする → 27℃　（1.8×10³Pa）
3.6×10³Pa
水

これもやっぱり27℃，真空の，半分の大きさの箱に移しかえると思ってください。移しかえた瞬間は，気体の量は同じなので，$\boxed{PV = P'V'}$ の関係から，**体積が $\frac{1}{2}$ になれば，圧力は2倍になります。**すなわち，$3.6×10^3$Paの2倍だから，$7.2×10^3$Paです。

しかし，**27℃における飽和水蒸気圧というのは，絶対に$3.6×10^3$Paなんです！** これを超えることは絶対にありません。

瞬間的には$7.2×10^3$Paという，$3.6×10^3$Paを超えた状態になりますが，しばらくすると，気体の水蒸気が液体の水に戻っていき，最終的に$3.6×10^3$Paになります。

結局，どういう結論が出たのかというと，

> 液体の水が残っているときには水蒸気圧は飽和水蒸気圧と常に同じである。

これがポイントになります！
つまり，容器の大きさが大きかろうが小さかろうが，関係ないんです。液体の水が残っているかどうかだけで判断できるわけです。

では，まとめておきます。

単元1 要点のまとめ①

● **飽和蒸気圧**

　液体を密閉容器に入れて放置すると，液体の一部が蒸発してある圧力（蒸気圧）をもつ。**この蒸気圧は一定温度において，液体が残っている限り，**たとえ容器の大きさが大きくなろうが小さくなろうが，無関係に**常に一定値を示す。**この蒸気圧のことを**飽和蒸気圧**とよぶ。

図11-2

液体の水が残っているときには水蒸気圧は飽和水蒸気圧と常に同じである。

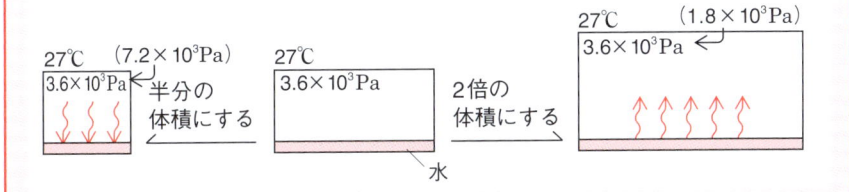

27℃　（7.2×10^3Pa）	27℃	27℃　（1.8×10^3Pa）
3.6×10^3Pa ← 半分の体積にする	3.6×10^3Pa　2倍の体積にする　水	3.6×10^3Pa ←

　飽和蒸気圧に関しては，この 図11-2 の意味がおわかりいただければ，ほぼ大丈夫です。

演習問題で力をつける⑳
蒸気圧は液体の存在を意識せよ!

問 1Lの容器にベンゼンと乾いた空気を封入し,温度をT_1〔K〕にすると容器内の気体の圧力は1.5×10^5Paとなった。このときベンゼンの分圧は2.6×10^4Paであった。次に,容器全体を冷却して,温度をT_2〔K〕にすると,ベンゼンの一部は凝縮した。ベンゼンの飽和蒸気圧と温度との関係は右図で表される。温度T_2〔K〕における容器内の気体の圧力〔Pa〕はいくらか。

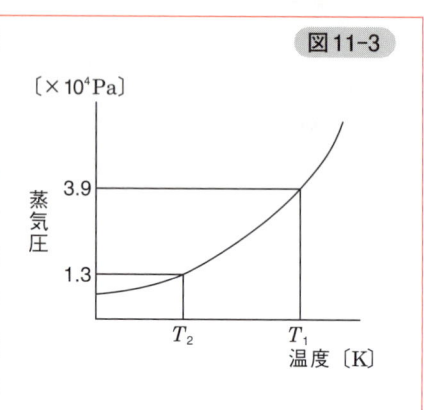

図11-3

(センター改/選択肢省略)

さて,解いてみましょう。

凝縮とは?

「**凝縮**」とは,気体が液体になることをいいます。「液化」という言葉も使わないことはないんですが,今は「凝縮」という言い方をします。

「ベンゼンの一部は凝縮した」とありますから,ベンゼンは最初,気体で存在していたんです。ところがそのうち温度をT_2〔K〕に下げたので,ベンゼンの一部が液体になったわけです。

このときの気体の圧力,つまり,空気の圧力とベンゼンの圧力を合わせたものは,いったいいくらになるでしょうか,という問題です。

蒸気圧曲線

では,**図11-3**を見てください。このように,温度と飽和蒸気圧の関係を示す曲線を「**蒸気圧曲線**」といいますが,T_2〔K〕で1.3×10^4Pa,T_1〔K〕では3.9×10^4Paを示しています。

T_1〔K〕では,ベンゼンはすべて気体

岡野の着目ポイント 問題文では,T_1〔K〕における容器内のベンゼンの分圧は2.6×10^4Paと書いてあります。**蒸気圧が飽和蒸気圧の3.9×10^4Paま**

単元1　蒸気圧　235

でいってないんです。どういうことかというと，**全部気体になっている状態**です。わかりづらい人はこういうふうに考えてください。

100倍の箱に移しかえる

図11-4 を見てください。第11講 1-1，1-2 でやった実験を，もっと大きな箱でやってみます。27℃の状態で100倍の体積の真空の容器を用意します。そしてこの箱の中に，$3.6×10^3$Paであった水を含んでいたものを「せーの」で移しかえます。

その瞬間，体積が100倍ということは圧力が $\dfrac{1}{100}$，すなわち36Paになります。しかし，飽和水蒸気圧の$3.6×10^3$Paになろうとして，どんどん水が蒸発するわけです。ところが100倍も大きい体積にすると，水が途中でなくなってしまうんです。

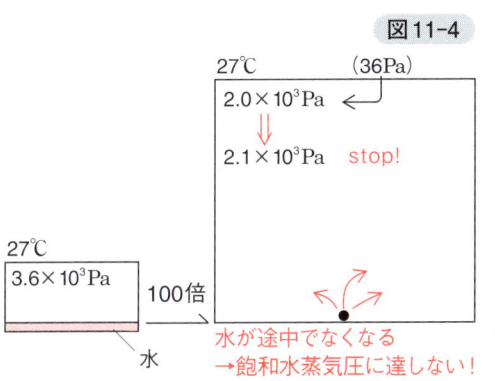

図11-4

27℃　（36Pa）
$2.0×10^3$Pa
⇩
$2.1×10^3$Pa　stop!

27℃
$3.6×10^3$Pa
水
100倍

水が途中でなくなる
→飽和水蒸気圧に達しない！

例えば，最後の水一滴が蒸発する直前が，$3.6×10^3$Paよりもかなり手前の段階の$2.0×10^3$Pa（これは単に私が今思いついた数字です）だったとしましょう。

ところが最後の一滴が蒸発してしまい，$2.1×10^3$Paに上がったところで止まってしまいました。液体の水が残っている限りは，かならず飽和蒸気圧まで上がるんですが，途中でなくなってしまったら，飽和蒸気圧よりも小さい圧力で止まってしまいます。

ここで問題に戻ります。**ベンゼンが，もしT_1〔K〕の状態で液体として残っているならば，** 図11-3 **から読みとれるように，飽和蒸気圧の$3.9×10^4$Paまで上がるはずなんです。ところが実際は，液体が残っていなかったので，$2.6×10^4$Paで止まり，飽和蒸気圧まで上がりたくても上がっていかなかった。すなわち，ベンゼンは全部気体として存在していたんです。**

では解答していきます。まず，T_1〔K〕における空気の分圧（$P_{空気}$）を求めます。T_1〔K〕での全圧を$P_全$，気体状態のベンゼンの分圧を$P_{ベンゼン(気)}$とすると，

$$P_全 = P_{空気} + P_{ベンゼン(気)}$$

ここで問題文より，$P_全 = 1.5 \times 10^5$Pa，$P_{ベンゼン(気)} = 2.6 \times 10^4$Paですので，

$1.5 \times 10^5 = P_{空気} + 2.6 \times 10^4$

∴ $P_{空気} = 1.24 \times 10^5$Pa

T_1〔K〕における空気の分圧が求まりました。これを使ってT_2〔K〕における空気の分圧（$P'_{空気}$）を求めてみます。

岡野のこう解く どうやって求めるかというと，「ボイル・シャルルの法則」を使います。

ここで注意です！ 「ボイル・シャルルの公式」が成り立つのは，条件変化の前後で**気体の量が同じ場合**です。空気は，T_1〔K〕のときにも気体だったし，T_2〔K〕のときにも同じく気体なんです。凝縮して気体の量が減ったりはしていませんね。

岡野流 必須ポイント⑯　ボイル・シャルルの公式が成り立つとき

ボイル・シャルルの公式が成り立つのは，条件変化の前後で**気体の量が同じ**場合である。

では，条件変化を 図11-5 に書き出してみます。何が同じで何が変わったのかを，きちんと確認しておきましょう。

図11-5

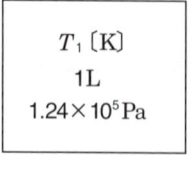

| T_1〔K〕
1L
1.24×10^5Pa | 気体の量
は同じ ⟹ | T_2〔K〕
1L
$P'_{空気}$〔Pa〕 |

単元1　蒸気圧

よって，ボイル・シャルルの[公式13] $\dfrac{PV}{T} = \dfrac{P'V'}{T'}$ より，

$$\dfrac{1.24 \times 10^5 \times 1}{T_1} = \dfrac{P'_{空気} \times 1}{T_2}$$

$$\therefore \ P'_{空気} = \dfrac{T_2}{T_1} \times 1.24 \times 10^5 \ [\text{Pa}]$$

あとは，T_2 [K]におけるベンゼンの分圧（$P'_{ベンゼン(気)}$）を求めて，今出した$P'_{空気}$と足し合わせればいいですね。これは一瞬にしてわかります。ポイントは，

<u>T_2でベンゼンは一部液体となっているので $P'_{ベンゼン(気)}$は飽和蒸気圧と等しい。</u>

$\therefore \ P'_{ベンゼン(気)} = 1.3 \times 10^4 \text{Pa}$（グラフより）

これはもう計算値じゃなくて測定値でスポンと出てしまうわけです。したがって，T_2 [K]における容器内の気体の圧力を$P'_全$とすると，

$$P'_全 = P'_{空気} + P'_{ベンゼン(気)} = \dfrac{T_2}{T_1} \times 1.24 \times 10^5 + 1.3 \times 10^4 \ [\text{Pa}]$$

……【答え】

蒸気圧というのは，液体が残っているかどうかを常に気にしながら問題を解いていくと，このように意外と簡単に解けます。自分でも解けるように，もう一回よく復習してください。

慌てた人の誤答

これで答えは出ましたが，少し補足しておきます。本問で，慌ててこう解いた人はいませんか？

T_1 [K]での全圧が1.5×10^5Paだったから，T_2 [K]ではいくらになったかと考えます。

求める全圧を$P_全$とすると，ボイル・シャルルの[公式13] $\dfrac{PV}{T} = \dfrac{P'V'}{T'}$ より，

$$\dfrac{1.5 \times 10^5 \times 1}{T_1} = \dfrac{P_全 \times 1}{T_2}$$

$$\therefore \ P_全 = \dfrac{T_2}{T_1} \times 1.5 \times 10^5 \ [\text{Pa}] \ \text{……誤答！}$$

これは大マチガイです！ 絶対やらないでください。その理由は，この場合，「ボイル・シャルルの法則」が成り立たないからです。

繰り返して言いますが，「ボイル・シャルルの公式」が成り立つときには，**最初にあった気体の量と後の気体の量が同じでなくてはいけません**。ところが，この1.5×10^5Paの中にはベンゼンの部分が2.6×10^4Paある。気体のベンゼンは温度を下げることによって一部液体になり，減っているんです。液体になるということは，気体のmol数の一部が液体のmol数の部分に組み込まれるから，もとあった気体の量とは違うmol数，物質量になる。だから「ボイル・シャルルの公式」を適用してはダメです。

単元 2　気体の溶解度　化/Ⅱ

気体の溶解度は，なかなかイメージがわきにくいところです。でも「岡野流」で，ていねいに説明しますので，安心してください。

2-1 温度による変化

気体が液体に溶けるときの，温度による変化を考えてみます。

高温になるほど，気体の溶解度は小さくなる。

つまり気体というのは，温度が低いほど溶けやすく，温度が高いほど溶けにくいという性質があります。それは，こんな経験からわかると思います。

■ 夏の缶コーラ

例えば夏の暑い日に，太陽の光がよく当たるところに缶のコーラが置かれていたとします。温まっているものをよく振って，栓を抜くとどうなるかわかりますよね？　すごい勢いで炭酸のコーラが飛び出していきます。

炭酸というのは，二酸化炭素が水に溶けたものをいいます。しかし，温まると二酸化炭素が溶けきれなくなり，缶の上にへばりつくような感じで充満するんです。しかも高い圧力で密封されていたものが，栓を抜いた途端に急に圧力が下がる。だから余計に溶けきれなくなった二酸化炭素がいっきに飛び出していくんですよ。

ところがこれを，よく冷えているコーラでやってみると，ちょっと振ったぐらいでは，開栓しても飛び出していきません。チョロチョロと出るぐらいです。理由は，温度が低いため，二酸化炭素が水によく溶けているからなんです。

■ アイスコーヒーとホットコーヒー

一方，固体はその逆なんです。固体の溶解度は，温度が低くなると小さくなります。例えばアイスコーヒーに固体の砂糖を入れてもあまり溶けないでしょう。でもホットコーヒーには砂糖はよく溶けます。

2-2 圧力による変化

次に，気体が液体に溶けるときの，圧力による変化を考えてみます。これには「**ヘンリーの法則**」という有名な法則があります。

■ ヘンリーの法則を理解しよう！

例えば今，一定温度の部屋で，ある気体を風呂桶1杯ぐらいの水の中に溶かします。このとき，$1.0 \times 10^5 \mathrm{Pa}$で1g溶けたとします。さらに同じ気体を$2.0 \times 10^5 \mathrm{Pa}$，$3.0 \times 10^5 \mathrm{Pa}$という**2倍，3倍の圧力**でそれぞれ溶かしました。いったいどれぐらい溶けるのでしょうか？　ここでまず「ヘンリーの法則①」の登場です！

■ ヘンリーの法則①

> 一定温度，一定量の液体に溶ける気体の質量（または物質量）はその気体の分圧に比例する。

一定温度，一定量の水に$1.0 \times 10^5 \mathrm{Pa}$で1g溶けました。同じ気体を2倍の$2.0 \times 10^5 \mathrm{Pa}$の圧力でグーッと押さえつけながら溶かすんです。そうしたら，圧力と溶ける質量は比例するということだから，$2.0 \times 10^5 \mathrm{Pa}$では2g溶けます。**圧力が2倍になったならば，質量も2倍だけ溶けますよ**，ということです。

では，同じ気体を今度はもっと大きい$3.0 \times 10^5 \mathrm{Pa}$で溶かします。**3倍の圧力になったので**，当然3gの気体

ヘンリーの法則を「岡野流」で理解せよ　連続図11-6

①	分圧	$1.0 \times 10^5 \mathrm{Pa}$	$2.0 \times 10^5 \mathrm{Pa}$	$3.0 \times 10^5 \mathrm{Pa}$
	溶ける量	1g	2g	3g

単元❷ 気体の溶解度　241

が溶けます 連続図11-6①。同時に物質量も比例します。例えば分子量32の酸素を考えると $\frac{1}{32}$ mol, $\frac{2}{32}$ mol, $\frac{3}{32}$ mol となり，圧力が2倍，3倍になると物質量も2倍，3倍になります

　ただ，この法則が成り立つのは溶解度の小さい気体についてのみです。

　それで，話を簡単にするために（こんな気体があるかどうかわかりませんが），$1.0×10^5$Paの状態で1g溶けて，そのとき溶けた気体の体積を測ったら1Lだったとします 連続図11-6②。

連続図11-6 の続き

② 分圧	$1.0×10^5$Pa	$2.0×10^5$Pa	$3.0×10^5$Pa
溶ける量	1L ⓵g	2g	3g

○の大きさは体積を表す

　ここで，「ヘンリーの法則②」に移ります。

■ ヘンリーの法則②

一定温度，一定量の液体に溶ける気体の体積は，加わっている分圧の下で測ると気体の分圧に無関係に一定。

　これは不思議な感じがするんですが，「岡野流」で説明するので，大丈夫です。じっくりと理解していきましょう。

　まず，$1.0×10^5$Paで溶かしたときには，1L，1gのものが1個分溶けています。次に$2.0×10^5$Paで溶かすと2倍の2gが溶けます。これはすなわち，$1.0×10^5$Paで1L，1gのものが2つ溶けているのと同じことでしょう 連続図11-6③。溶けている気体の質量（または物質量）は，圧力に比例するんだから2倍になります。

連続図11-6 の続き

③ 分圧	$1.0×10^5$Pa	$2.0×10^5$Pa	$3.0×10^5$Pa
溶ける量	1L ⓵g	2g　　　　　　　　　　$1.0×10^5$Pa $1.0×10^5$Pa　　　　　⓵g　　⓵g　　　　　1L　　1L	3g

○の大きさは体積を表す

■ $2.0 \times 10^5 \text{Pa}$ という条件下で

ここで、$1.0 \times 10^5 \text{Pa}$ という条件下で、1L、1gのものが2つ、つまり2L溶けているわけですが、実際は $2.0 \times 10^5 \text{Pa}$ で溶かしています。溶けた量と同じ気体を $1.0 \times 10^5 \text{Pa}$ から $2.0 \times 10^5 \text{Pa}$ の条件に直したら何Lになるかを考えてみます。

そうすると、温度一定で、条件変化の前後で気体の量は同じですから、ボイルの法則 $PV = P'V'$ が使えます。今、圧力 $1.0 \times 10^5 \text{Pa}$ で体積2Lでした（$1.0 \times 10^5 \times 2$）。ところが、今回は実際には $2.0 \times 10^5 \text{Pa}$ の条件で溶かしているわけだから、実際の体積はいくらになるかというと、

$PV = P'V'$

$1.0 \times 10^5 \times 2 = 2.0 \times 10^5 \times V'$

∴ $V' = 1\text{L}$

つまり、$2.0 \times 10^5 \text{Pa}$ の条件にしてやると、1Lになるわけです。ですから、本当は2L分溶けているんだけれども、**$2.0 \times 10^5 \text{Pa}$ という圧力で圧縮されて1Lになっているということです** 連続図11-6④ 。これがポイントです！

連続図11-6 の続き

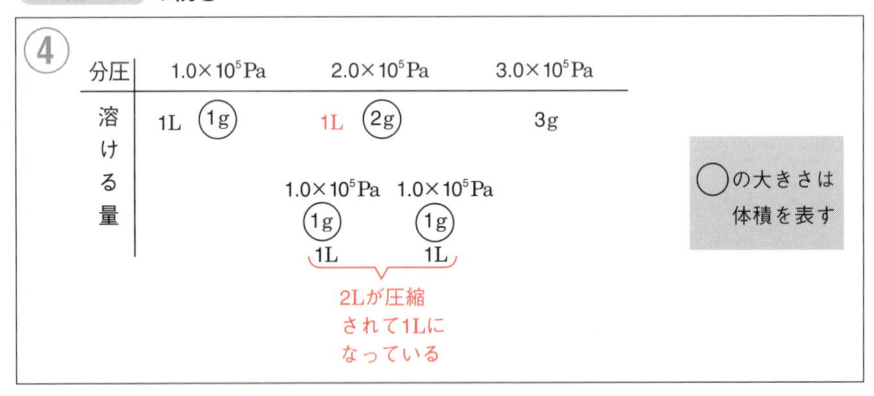

④
分圧	$1.0 \times 10^5 \text{Pa}$	$2.0 \times 10^5 \text{Pa}$	$3.0 \times 10^5 \text{Pa}$
溶ける量	1L ①1g	1L ②2g	3g

（$2.0 \times 10^5 \text{Pa}$の下：$1.0 \times 10^5 \text{Pa}$ ①1g 1L と $1.0 \times 10^5 \text{Pa}$ ①1g 1L、2Lが圧縮されて1Lになっている）

○の大きさは体積を表す

$3.0 \times 10^5 \text{Pa}$ の場合も同様です。今度は $1.0 \times 10^5 \text{Pa}$ で1L、1gのものが3つ分溶けている。しかし、$3.0 \times 10^5 \text{Pa}$ の圧力でぐーっと押さえつけられているから、**3Lが圧縮されて1Lになっているわけです**。詳しくは、次のページの 連続図11-6⑤ を見てください。

連続 図11-6 の続き

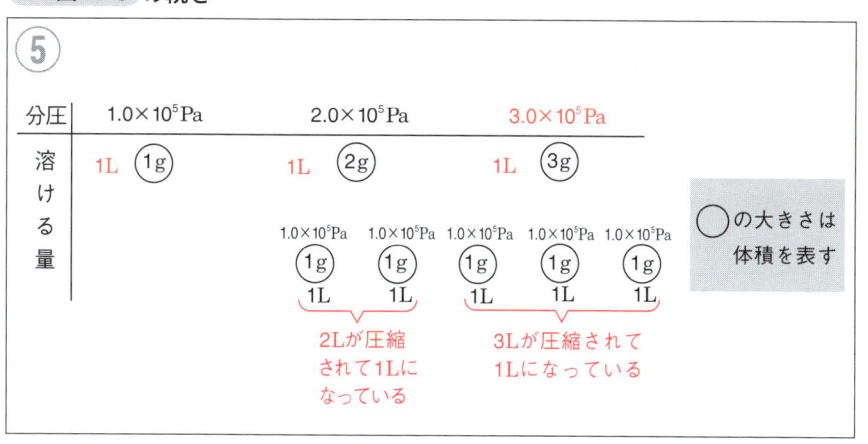

⑤

分圧	$1.0×10^5$Pa	$2.0×10^5$Pa	$3.0×10^5$Pa
溶ける量	1L ①1g	1L ②2g	1L ③3g

$1.0×10^5$Pa ①1g 1L $1.0×10^5$Pa ①1g 1L $1.0×10^5$Pa ①1g 1L $1.0×10^5$Pa ①1g 1L $1.0×10^5$Pa ①1g 1L

2Lが圧縮されて1Lになっている

3Lが圧縮されて1Lになっている

○の大きさは体積を表す

ですから，**溶ける気体の体積は，圧力に無関係で常に1Lになります**。でも，同じ量しか溶けないのか？　というとそうじゃない。$2.0×10^5$Paでは，ちゃんと2倍の質量（または物質量）が溶けているし，$3.0×10^5$Paでは3倍溶けています。ただ，体積だけ見ると同じ1Lになっているという話なんです。

では，第11講 **2-1**，**2-2** でやったことをまとめておきます。

単元2 要点のまとめ①

●**気体の溶解度**
(1) 温度による変化…高温になるほど，気体の溶解度は小さくなる。
(2) 圧力による変化
●**ヘンリーの法則**
① 一定温度，一定量の液体に**溶ける気体の質量**（または**物質量**）は**その気体の分圧に比例する**。
② 一定温度，一定量の液体に**溶ける気体の体積**は加わっている分圧の下で測ると，**その気体の分圧に無関係に一定である**。
＊ただし溶解度の大きい気体（HCl，NH_3 など）には当てはまらない。

「ヘンリーの法則」は「①②」両方そろって，はじめて効果的です。では，問題を解いていきましょう。

演習問題で力をつける㉑
ヘンリーの法則①・②を使って解いてみよう！

問 酸素は0℃，1.01×10^5Paにおいて，水1mLには0.049mL溶ける。原子量はO＝16とし，数値は有効数字2桁で求めよ。

(1) 0℃，1.01×10^5Pa（標準状態）の下で，水1Lに溶ける酸素の体積（mL）と質量（g）を求めよ。

(2) 0℃，2.02×10^5Paの下で，水1Lに溶ける酸素の体積（mL）と質量（g）を求めよ。

さて，解いてみましょう。

(1)…問題文より，水1mLに溶ける酸素の体積は0.049mLですね。では，水1L（1000mL）では，何mLの酸素が溶けるのでしょうか？　というのが，まず問題です。

岡野の着目ポイント　比例関係が成り立つことは経験的にわかりますね。これは「ヘンリーの法則」ではありませんよ。

求める酸素の体積をxmLとおくと，
$$1\text{mL} : 0.049\text{mL} = 1000\text{mL} : x\text{mL}$$
$$\therefore\ x = 0.049 \times 1000 = 49\text{mL} \cdots\cdots (1)\text{の【答え】}$$

次に，求める質量をygとしましょう。0℃，1.01×10^5Paで49mLが溶けているので，**[公式15]** $PV = \dfrac{w}{M}RT$ より，

$$1.01 \times 10^5 \times \frac{49}{1000} = \frac{y}{32} \times 8.31 \times 10^3 \times 273 \quad (\because\ O_2 = 32)$$

$$\therefore\ \frac{49}{1000} = \frac{y}{32} \times \boxed{\frac{8.31 \times 10^3 \times 273}{1.01 \times 10^5}}$$

※ $= 22.4$

$$\therefore\ \frac{49}{1000} = \frac{y}{32} \times 22.4$$

$$\therefore\ y = \frac{49 \times 32}{1000 \times 22.4} = 0.070\text{g} \cdots\cdots (1)\text{の【答え】}$$

※巻末の274ページを参照してください。

> 別解

別の方法で質量を求めます。

まず，本問では標準状態（0℃，1.01×10^5 Pa）で49mLの酸素が溶けているとわかりました。標準状態で1molの気体は22.4Lを占めるので，$\boxed{[公式2] n = \dfrac{V}{22.4}}$ より，この酸素のmol数を求めます。

$$n_{O_2} = \dfrac{49 \times 10^{-3}}{22.4} \text{ mol}$$

次に質量は $\boxed{[公式2] n = \dfrac{w}{M} \Rightarrow w = nM}$ より（$O_2 = 32$）

$$w_{O_2} = \underbrace{\dfrac{49 \times 10^{-3}}{22.4}}_{O_2\text{のmol数}} \times \underbrace{32}_{O_2\text{の質量(g)}} = 0.070 \text{g} \cdots\cdots (1)\text{の【答え】}$$

どちらで解いても構いません。理解しやすいほうで解いてください。

(2)…「ヘンリーの法則②」より，**溶ける気体の体積は，加わっている分圧下では，その気体の分圧に無関係に一定だから，(1)の体積と同体積の49mLが溶けます**。この体積は，2.02×10^5Paのもとで測った体積だということに注意しましょう。

49mL ……(2)の【答え】

次に，この質量（w'_{O_2} とおく）を求めます。「ヘンリーの法則①」より，**溶ける気体の質量は，その気体の分圧に比例します**。よって，

$$1.01 \times 10^5 \text{Pa} : 0.070 \text{g} = 2.02 \times 10^5 \text{Pa} : w'_{O_2} \text{g}$$

$$\therefore\ w'_{O_2} = 0.14 \text{g} \cdots\cdots (2)\text{の【答え】}$$

> 別解（ヘンリーの法則②を知らない場合）

「ヘンリーの法則②」を知らないときは，まず溶けている気体の質量0.14gを求めてから体積（V'_{O_2} とおく）を求めます。

$\boxed{[公式15] PV = \dfrac{w}{M} RT}$ より，

$$2.02 \times 10^5 \times \dfrac{V'_{O_2}}{1000} = \dfrac{0.14}{32} \times 8.31 \times 10^3 \times 273$$

$$\therefore\ \dfrac{V'_{O_2}}{1000} = \dfrac{0.14 \times \overbrace{8.31 \times 10^3 \times 273}^{=\ 22.4}}{32 \times 2 \times 1.01 \times 10^5}$$

$$\therefore\ V'_{O_2} = \dfrac{0.14 \times 22.4 \times 1000}{32 \times 2} = 49 \text{mL} \cdots\cdots (2)\text{の【答え】}$$

これだと時間がかかりますね。「ヘンリーの法則②」を覚えておいて，一発で答えを出すほうがオススメです。

水に溶けやすい塩基は強塩基？
水に溶けにくい塩基は弱塩基？？

　$Ca(OH)_2$は，25℃で水1Lに約1.65gしか溶けません。アルカリ金属やアルカリ土類金属の水酸化物は強塩基です。したがって，$Ca(OH)_2$は強塩基なのですが，何か納得いかない諸君もいるでしょう。

　それは，水に溶けにくい塩基は弱塩基だと思い込んでいるからです。でも，塩基の強弱は電離度（イオンに分かれる割合）の大小によって決まるのです。$Ca(OH)_2$の電離度は約90％であり，かなり大きな電離度なので強塩基としてよいのです。

　それとは対照的なものにNH_3があります。NH_3は20℃で水1Lに約520gも溶けます。しかし，電離度は約1.3％なので弱塩基なのです。

　ちなみに$Ca(OH)_2$の25℃での飽和溶液のpHを計算すると約12.6となり，アンモニア水の0.1mol/LのpHを計算すると約11.1となります。アンモニアは，pHが7よりかなり大きな値を示しても弱塩基なんですね。

第 12 講

溶液(2)・コロイド

- 単元 **1** 蒸気圧降下と沸点上昇 化/Ⅱ
- 単元 **2** 凝固点降下 化/Ⅱ
- 単元 **3** 浸透圧 化/Ⅱ
- 単元 **4** コロイド 化/Ⅱ

第 12 講のポイント

いよいよ本書の最終講です。蒸気圧降下，沸点上昇，凝固点降下などの現象の把握につなげましょう。

単元 1　蒸気圧降下と沸点上昇　化/Ⅱ

ここでは，希薄（濃度の薄い）溶液のいろいろな性質について詳しく説明します。

1-1　溶質が蒸発を妨げる

まずは　図12-1　を見てください。

真空な容器に純水を入れたものと，もう1つ何か水溶液を入れたものとがあります。

図12-1

純水のとき　　水溶液のとき

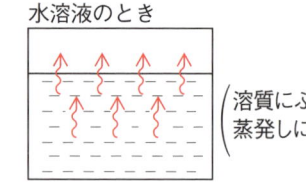

溶質にぶつかり蒸発しにくい

前講で学んだように，両方とも同じ温度でしばらく放置しておくと，飽和蒸気圧になるところまで，水が蒸発していきます。純水のほうはどんどん蒸発していくのに対し，水溶液のほうは蒸発しにくい。

これはどうしてかというと，蒸気になろうとして水は出ていくのだけれど，溶質がたくさん溶け込んでいると，そこにぶつかってしまうからです。よって蒸気になりにくい。だから，純水に比べ，水溶液のほうが蒸気圧が低いのです。

1-2　蒸気圧降下と沸点上昇

ではもっと詳しく，純水，薄い水溶液，濃い水溶液の3種類を用意し，温度と飽和蒸気圧の関係を調べてみようと思います　連続図12-2①　。

そうすると，どれも同じようなカーブはもつのだけれど，**一番左側に来るのが純水で，濃い液になるほどだんだん右にずれていきます。**

この図の位置関係がポイントになるので，意識的に覚えておいてください。

単元1 蒸気圧降下と沸点上昇

岡野流必須ポイント ⑰ 溶液の蒸気圧曲線

溶液の蒸気圧曲線では，濃度別の溶液の位置関係を把握しておくことがポイント。

濃度別の位置関係がポイント！　連続図12-2

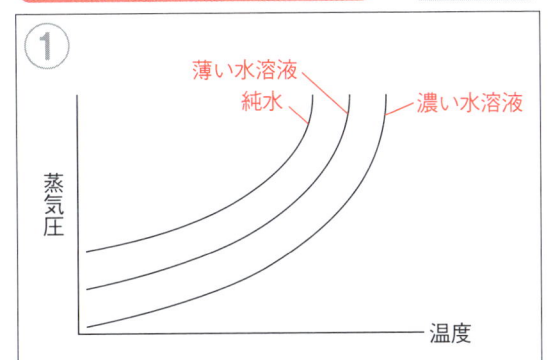

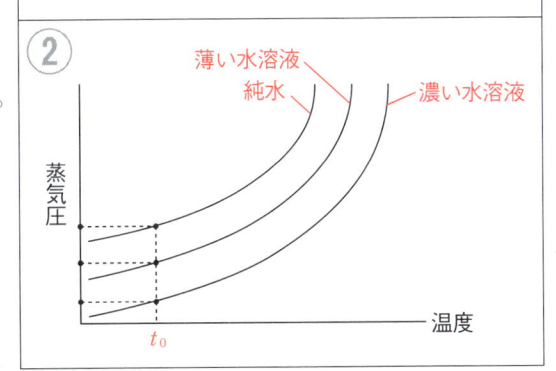

① 薄い水溶液／純水／濃い水溶液（蒸気圧 vs 温度）

② 薄い水溶液／純水／濃い水溶液（蒸気圧 vs 温度，t_0 で比較）

■ 蒸気圧降下

ある温度 t_0 における蒸気圧を見ると，純水が最も高く，薄い水溶液，濃い水溶液の順に低くなります 連続図12-2②。

すなわち，濃度が濃ければ濃いほど，その液体の蒸気圧が下がります。これを「**蒸気圧降下**」といい，図12-1 と関係があります。同じ温度で，純水は気持ちよく蒸気になっていくのに，水溶液では溶質があるから，ぶつかって出ていきにくいわけです。濃くすればするほど，もっとぶつかるから，出ていきにくい。だから，蒸気圧も下がるわけです。

水溶液の蒸気圧は純水の蒸気圧より低い（これを蒸気圧降下という）。

■ 沸点上昇

では，今度は沸点を考えてみましょう。

液体を加熱していった場合，はじめは液体の表面だけから蒸発が起こって

います。しかし，**ある温度で蒸気圧が外気圧の1.0×10⁵Paと同じ圧力になると，液体の内部からも蒸発が激しく起こるようになります。この現象を「沸騰」**といい，**沸騰が起こる温度を「沸点」**といいます。

今，それぞれの液体について，蒸気圧が$1.0×10^5$Paになるときの温度，すなわち沸点を見てみます 連続図12-2③。

まず，純水の沸点は100℃です。薄い水溶液の沸点は，純水より高くなりますね。増加分をΔt_1としておきます。そうすると，薄い水溶液の沸点は，**$100+\Delta t_1$℃**となります。

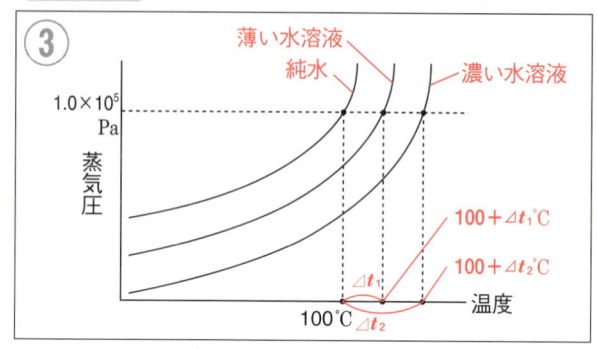

では，もっと濃くするとどうなるか。濃い水溶液はさらに沸点が高くなります。100℃からの増加分をΔt_2とすると，濃い水溶液の沸点は，**$100+\Delta t_2$℃**です。このような現象を，**「沸点上昇」**といいます。溶媒に何か溶けていると蒸気になりにくい。だから，温度がもう少し上がらないと，同じ$1.0×10^5$Paという圧力にならないのです。

水溶液の沸点は純水の沸点より高い（これを沸点上昇という）。
沸点上昇度は溶質粒子の質量モル濃度に比例する。

Δt_1やΔt_2などの**沸点上昇度**（沸点より高くなった分の温度のこと）は，**溶質粒子の質量モル濃度に比例**します。さきほど，粒子にぶつかることによって，蒸気になりにくいという説明をしました。つまり，質量モル濃度は，その粒子の割合なのです。ここがポイントです。

では，まとめておきましょう。

単元1 要点のまとめ①

●溶液の蒸気圧
不揮発性（蒸発しにくい）の物質を溶かした溶液の蒸気圧は，純溶媒の蒸気圧より低くなる。

●沸点上昇
不揮発性の物質を溶かした溶液の沸点は，純溶媒の沸点より高くなる。**沸点上昇度は溶質粒子の質量モル濃度に比例する。**

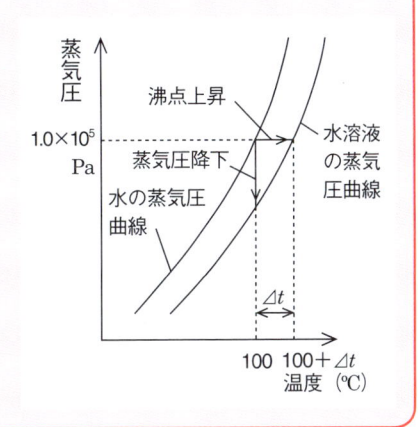

では，演習問題にいきましょう。

演習問題で力をつける㉒
質量モル濃度と沸点の関係に注意しよう！

問 次に示す濃度0.05mol/Lの水溶液A～Cを，沸点の高いものから順に並べるとどうなるか。下の表の①～⑥のうちから正しいものを一つ選べ。

A　NaCl水溶液　　　B　MgCl₂水溶液　　　C　ショ糖水溶液

	高沸点	→	低沸点
①	A	B	C
②	A	C	B
③	B	A	C
④	B	C	A
⑤	C	A	B
⑥	C	B	A

（センター）

さて，解いてみましょう。

岡野のこう解く　NaClとMgCl₂は電解質なので，AとBではイオンとなって存在しています。金属と非金属の結合からできたイオン結晶のものは，たいてい電離すると思って構いません。Cのショ糖は非電解質です。それを踏まえてやっていきましょう。

はい，まずAについて見てみます。ここでは完全に電離します。

A（電解質）　$\underbrace{NaCl}_{1mol} \longrightarrow \underbrace{Na^+ + Cl^-}_{2mol}$ **（2倍）**

つまり，イオンに分かれたため，

溶質粒子ははじめのNaClのモル数の2倍になる。

ですから，溶液1Lに最初0.05molあったNaClが，電離して何倍になったかと考えるわけです。

$$\frac{0.05 \times 2 \text{mol}}{1\text{L}} = 0.1 \text{mol/L}$$

> **岡野の着目ポイント** 溶質のモル数は，はじめの溶質NaClだけだったら0.05molなのだけれども，電離してNa⁺とCl⁻という2つのイオンが溶質になるわけです。**イオンも立派な溶質の1つと見なしていいのです。**

同様にBとCについてやります。Bは完全に電離します。

B（電解質） $\underbrace{MgCl_2}_{1mol} \longrightarrow \underbrace{Mg^{2+} + 2Cl^-}_{3mol}$ **（3倍）**

∴ $\dfrac{0.05 \times 3 \text{mol}}{1\text{L}} = 0.15\text{mol/L}$

C（非電解質） ∴ 0.05mol/L

以上から，Aが0.1mol/L，Bが0.15mol/L，Cが0.05mol/Lとわかります。
ここで，**沸点上昇度は，溶質粒子の質量モル濃度〔mol/kg〕に比例する**ということでした。でも今求めたのは**ただのモル濃度〔mol/L〕**です。
けれども，

薄い溶液中ではモル濃度と質量モル濃度はほぼ等しい。
（溶液1L中に水は約1kgと見なせるため）。

こういうことが言えるわけです。

> **岡野の着目ポイント** 要するに，薄い溶液では，溶質の量はわずかしか含んでいないので，**溶液1Lと溶媒1kgは，ほぼ同じと考えていいわけです。**溶液1L中に水は約1kgと見なせる。
> よって，解答は濃いものから順番に言っていけばいいわけです。

∴ B＞A＞C   ∴ ③……【答え】

単元 2 凝固点降下　　化/Ⅱ

物質が冷やされ，液体から固体へ変化することを「**凝固**」といいます。例えば水は普通0℃で凍りますが，水に砂糖を溶かして冷やしたりすると，凝固する温度（凝固点）はもっと低くなります。この現象を「**凝固点降下**」といいます。また，凝固点より低くなった分の温度を凝固点降下度といいます。

2-1 何かを溶かすと凍りにくい

凝固点降下のポイントは，

凝固点降下度は溶質粒子の質量モル濃度に比例する。

わかりやすくするために，ここで，ある実験をしてみます。

本来0℃で水は凍りますが，ある物質を濃度1mol/kgになるまで溶かすと−2℃で凍りました。このときの温度差（ここでは2℃）のことを凝固点降下度といいます。**凝固点降下度に符号はつきません** 図12-3。何度下がって凍ったか，という絶対値だからです。**この凝固点降下度が，（溶質粒子の）質量モル濃度に比例します。**

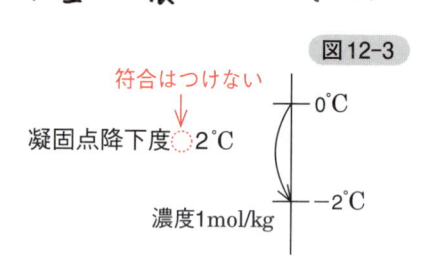

例えば，濃さを2倍の2mol/kgにします。すると，比例ですから，凝固点降下度も2倍の4℃になります。濃さを3倍にすると，凝固点降下度も3倍になるから6℃になります。

図12-3
符号はつけない
凝固点降下度 2℃
0℃
−2℃
濃度1mol/kg

単元2 要点のまとめ①

● **凝固点降下**
　溶液の凝固点は，純溶媒の凝固点より低くなる。**凝固点降下度は，溶質粒子の質量モル濃度に比例する。**

単元2 凝固点降下

演習問題で力をつける㉓
「モル凝固点降下」と「モル沸点上昇」の言葉に注意しよう！

問 次の問いに答えよ。
(1) 水100gに，ある非電解質を9.0g溶かしたところ，凝固点が0.93℃下がった。この物質の分子量を求めよ。ただし，水のモル凝固点降下は1.86K·kg/molとする。
(2) 水500gに食塩0.050molを含む水溶液の沸点を求めよ。ただし，水のモル沸点上昇は0.52K·kg/molとし，食塩は完全に電離しているものとする。数値は小数第2位まで求めよ。

さて，解いてみましょう。

(1)…凝固点降下度から分子量を求めます。

岡野の着目ポイント 質量モル濃度と凝固点降下度は比例します。これさえわかれば公式は必要ありません！

岡野のこう解く ここで「**モル凝固点降下**」という言葉を知っておきましょう。すなわち，**質量モル濃度が1mol/kgの濃さのときに示す凝固点降下度のことです。この濃度1mol/kgを覚えておきましょう。**

さて，求める物質の分子量をxとおくと，質量モル濃度と凝固点降下度の比例関係から，

$$1\text{mol/kg} : 1.86\text{K} = \frac{\frac{9.0}{x}\text{mol}}{0.10\text{kg}} : 0.93\text{K}$$

このときのKは温度差を表しているので，Kでも℃でも度でも構いません。

∴ $1 \times 0.93 = 1.86 \times \frac{9.0}{0.10 x}$

∴ $x = 180$ ……(1)の【答え】

(2)…今度は，電解質溶液の沸点を求める問題です。

> **岡野の着目ポイント** 電解質だと**溶質粒子の質量モル濃度と沸点上昇度は比例**します。

そこで，

$$\underbrace{NaCl}_{1mol} \longrightarrow \underbrace{Na^+ + Cl^-}_{2mol} \quad (2倍)$$

mol数が2倍になると，質量モル濃度も2倍になります。ここで「**モル沸点上昇**」とは，質量モル濃度が**1mol/kg**の濃さのときに示す沸点上昇度をいいます。

この実験の沸点上昇度をxKとおくと，

$$1mol/kg : 0.52K = \frac{0.050 \times 2 \, mol}{0.50kg} : xK$$

$$\therefore \quad x = \frac{0.52 \times 0.050 \times 2}{0.50} = 0.104K$$

よって沸点は，

$100 + 0.104 = 100.104$

$\fallingdotseq 100.10℃ ……(2)$ の【答え】

単位の意味を理解するのと，比例関係がポイントですね。

単元 3 浸透圧

化/Ⅱ

次です。ここでは濃度の違う2つの液体を、「**半透膜**」（263ページで後述）という膜で仕切ったときに起こる現象について学びます。

3-1 浸透圧ってどんな圧力？

純水とショ糖溶液を 連続図12-4① のようにセロハン膜で仕切ります。そうすると、純水がセロハン膜を通してショ糖溶液のほうへ広がっていきます 連続図12-4② 。このような現象を「**浸透**」といいます。やがて、Aの液面は下がり、Bの液面は上がって、あるところまでいくと止まります。

浸透は、**セロハンが小さな溶媒粒子（水）は通すけれども、大きな溶質粒子（ショ糖）は通さない**「**半透膜**」という膜だから起こります。

■ より均一な状態を目指して

自然界にあるものは、より無秩序な状態、乱雑な状態になろうとする傾向があります。もし、ショ糖溶液の水分子が、純水のほうに入り込んでいくと、ショ糖溶液はさらに濃くなり、純水とショ糖溶液の濃度差はより大きくなります。差が、さらにハッキリしてしまい、無秩序な状態からはずれることになるので、こういう現象は起こりません。

そうではなく、逆に**純水の水分子が、ショ糖溶液に入り込んでいき、より均一な濃度になろうとする**のです。このときの、水が入り込んでくる圧力のことを「**浸透圧**」といいます。

ですから、浸透をおさえ、AとBの液面を同じ高さに保つためには、B

の液面に一定の圧力を加える必要があります。この圧力は浸透圧と同じ値を示します 図12-5 。

■**ナメクジに塩**

似たような関係をお話ししましょう。苦手な方も多いかもしれませんが，梅雨時になるとナメクジが出たりしますね。で，退治するためによく塩をかけますが，そうするとナメクジが，同じ形のまま小さく縮むんですね。

なぜ縮むのかというと，ナメクジの皮膚が半透膜だからなんですよ。ナメクジの体の中には，普通の水よりは多少濃い液体が入っている。だけど外側に食塩をふりかけると，食塩水を薄めてより均一な濃度になろうとして，ナメクジの体の中から水だけが通り抜けてくるのです。皮膚は食塩を通しません。**薄いほうの液から濃いほうの液に水が入り込んでくる**。これはちょうど，浸透圧の考え方なんですね。

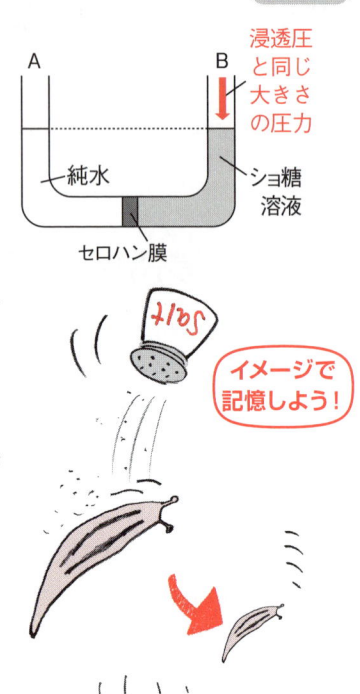

単元3 要点のまとめ①

●**浸透圧**

　溶媒分子は通すが，溶質粒子は通さないような**半透膜**を境に，純溶媒と溶液とを接触させると，溶媒が半透膜を通って溶液側に**浸透**しようとする。このときの，溶媒が入り込んでくる圧力のことを**浸透圧**という。また，溶液側に，ある圧力をかけると溶媒の浸透をおさえることができる。この圧力は**浸透圧**と等しい大きさを示す。

3-2 浸透圧の公式

浸透圧の公式もおさえておきましょう。

単元3 要点のまとめ②

● 浸透圧の公式

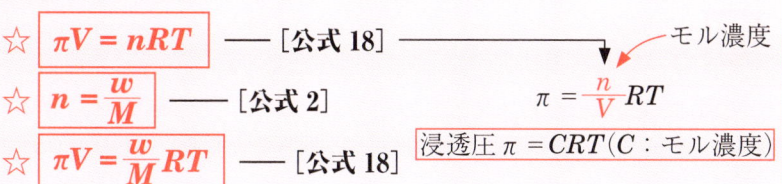

☆ $\boxed{\pi V = nRT}$ ── [公式18] ── モル濃度

☆ $\boxed{n = \dfrac{w}{M}}$ ── [公式2]

☆ $\boxed{\pi V = \dfrac{w}{M}RT}$ ── [公式18]

$\pi = \dfrac{n}{V}RT$

$\boxed{浸透圧\ \pi = CRT\ (C:モル濃度)}$

浸透圧は溶質粒子のモル濃度と溶液の絶対温度の積に比例する。

- π：浸透圧(Pa)（単位は指定されている）
- V：溶液の体積(L)（単位は指定されている）
- n：溶質の物質量(mol)
- R：気体定数 8.31×10^3 Pa·L/(K·mol)
- T：絶対温度 $(273+t℃)$ K
- M：溶質の分子量
- w：溶質の質量(g)

$\boxed{\pi V = nRT}$，これはよく見ると，$\boxed{気体の状態方程式\ PV = nRT}$ と同じ形なんですよ。「ファントホッフ(1852～1911)」という人が，長年浸透圧の研究をして，気体の状態方程式と同じ形になることを発見したのです。

π は浸透圧で，単位は〔Pa〕で指定されています。違うところはきっちりと覚えてください。**V は溶液の体積，〔L〕の単位指定です。**単位が指定されているのは，気体の状態方程式と同じですね。

それから**n は溶質の物質量〔mol〕**になります。**R は気体定数 8.31×10^3**，やはり同じ数字を使います。**T は絶対温度 $(273+t℃)$〔K〕**です。**M は溶質の分子量**，**w は溶質の質量〔g〕**ですね。

ここで $\boxed{[公式18]\ \pi V = nRT}$ をちょっと変形して，$\pi = \dfrac{n}{V}RT$ としてみます。式をじっと見てみると，$\dfrac{n}{V}$ は $\dfrac{溶質の物質量〔mol〕}{溶液の体積〔L〕}$ なので，これはすなわちモル濃度を表しています。そこで，$\dfrac{n}{V}$ を新たに C とおくと，

$$浸透圧\ \pi = CRT\ (C:モル濃度)$$

という式がつくれます。この式まで頭に入れておけば，計算問題は万全です。

演習問題で力をつける㉔
浸透圧の根本を理解しよう！

問 次の問いに答えよ。

(1) ショ糖($C_{12}H_{22}O_{11}$)10gに水を加えて100mLとした溶液は，ヒトの正常な血液の浸透圧に等しい。ヒトの血液の浸透圧(Pa)はどのくらいか。数値は有効数字2桁まで求めよ。ただし原子量はC=12，H=1，O=16とし，気体定数は$8.31×10^3$Pa·L/(K·mol)，体温は37℃とする。

(2) 次の(ア)〜(エ)の化合物を0.1mol含む水溶液がそれぞれ1Lある。この中で浸透圧が25℃で最も大きいものはどの化合物を含む水溶液か。(ア)〜(エ)のうちから1つ選べ。

　(ア) K_2SO_4(硫酸カリウム)　　(イ) $C_6H_{12}O_6$(ブドウ糖)
　(ウ) $NaCl$(塩化ナトリウム)　　(エ) $C_{12}H_{22}O_{11}$(ショ糖)

さて，解いてみましょう。

(1)…これはもう素直に **[公式18]** $\pi V = \dfrac{w}{M}RT$ に代入すればいいですね。

求める浸透圧をπとおけば$C_{12}H_{22}O_{11}=342$より，

$$\pi × \dfrac{100}{1000} = \dfrac{10}{342} × 8.31 × 10^3 × (273+37)$$

ショ糖は非電解質ですから，水に溶けてもmol数は変化しません。

∴　$\pi = 7.53 × 10^5 ≒ 7.5 × 10^5$ Pa ……(1)の【答え】

ヒトの血液の浸透圧は，かなり大きな値なんですね。

(2)…(ア)〜(エ)の化合物を0.1mol含む水溶液がそれぞれ1Lずつあります。4つのサンプルがあって，浸透圧が一番大きな値を示すのはどれでしょうか？　という問題です。

岡野の着目ポイント　今回は溶液の体積が全部1Lで，温度は25℃です。だから，VとTは一定値なんですね。さらに，Rも$8.31×10^3$で定数です。唯一mol数nだけが，電解質か非電解質かで変化する変数です。

岡野のこう解く そこで，[公式18] $\pi V = nRT$ を次のように変形して，定数のかたまりと変数のかたまりに分けてみます。

$$\pi V = nRT \Rightarrow \underset{変数}{\boxed{\pi}} = \underset{定数}{\left(\frac{RT}{V}\right)} \times \underset{変数}{\boxed{n}}$$

この式は要するに $\boxed{y=ax}$ というのと同じ，比例関係ですね。**浸透圧 π と溶質の mol 数 n が比例します。**

そこで今，問題は，浸透圧が最も大きなものを選びなさい，ということですから，変数部分が最も大きなものを選べばいいですね。他の値は変化しないので，**溶質粒子の mol 数が最も大きなものを選べばいいのです。**

(ア)～(エ)の mol 数を見ていきます。

　　(ア)（電解質）$\underbrace{K_2SO_4}_{1mol} \longrightarrow \underbrace{2K^+ + SO_4^{2-}}_{3mol}$ **(3倍)** ∴ 0.3mol

仮に K_2SO_4 が 1mol あったとすると，電離すると 3mol になるということです。以下，同様に，

　　(イ)（非電解質）$C_6H_{12}O_6$ ∴ 0.1mol

　　(ウ)（電解質）$\underbrace{NaCl}_{1mol} \longrightarrow \underbrace{Na^+ + Cl^-}_{2mol}$ **(2倍)** ∴ 0.2mol

　　(エ)（非電解質）$C_{12}H_{22}O_{11}$ ∴ 0.1mol

よって，最も浸透圧が大きいものは，

　　(ア)……(2)の【答え】

$\boxed{\pi V = nRT}$ にいちいち数値を入れて，π を求めていては大変です。今みたいに比較していけば，サクッと解けますね。

単元 4　コロイド　　化/Ⅱ

「**コロイド**」とはどんなものか？　最初にまとめておきます。

単元 4　要点のまとめ①

● コロイド

コロイド溶液は普通の溶液に比べて溶質粒子の大きさが大きい（**直径 10^{-7}〜10^{-5} cm**）ので，特別な性質を示す。

① **疎水コロイド**…**少量の電解質**を加えると沈殿するコロイド粒子のこと。「$Fe(OH)_3$，$Al(OH)_3$，**Au**，Ag，硫黄」

② **親水コロイド**…**多量の電解質**を加えないと沈殿しないコロイド粒子のこと。「**タンパク質**，**デンプン**，**ゼラチン**，**セッケン**，**にかわ**，**寒天**」

③ **保護コロイド**…すぐに沈殿してしまう不安定な疎水コロイドの溶液に親水コロイドの溶液を混ぜると，疎水コロイド粒子は親水コロイド粒子に包まれる。このような親水コロイドを**保護コロイド**という。保護コロイドを含むコロイド溶液中では，少量の電解質では沈殿しにくくなる。「**墨汁のにかわ**」

④ **凝析**…疎水コロイドに**少量の電解質**を加えるとコロイド粒子の電荷と反対符号のイオンが吸着し，電気的に中性となり，粒子どうしは反発力を失い，お互いに集合して沈殿する。この現象を**凝析**という。

⑤ **塩析**…親水コロイドに**多量の電解質**を加えると，粒子の回りの水分子を電解質のイオンが奪い取り，コロイドが沈殿する。この現象を**塩析**という。

⑥ **チンダル現象**…コロイド粒子に横から光束を当てると，コロイド粒子が光を散乱し，光の通路が明るく見える。このように光が散乱する現象を，**チンダル現象**という。

⑦ **ブラウン運動**…水分子が，熱運動によってコロイド粒子にぶつかったとき，コロイド粒子は不規則な運動を示す。この運動を**ブラウン運動**といい，**限外顕微鏡**で観察できる。

単元4 コロイド

⑧**透析**…コロイド粒子に他の分子やイオンが少量混合しているとき，これを半透膜の中に入れて，流水中に放置し，コロイド粒子のみを残す操作を**透析**という 図12-7 。

⑨**半透膜**…コロイド粒子のような大きな粒子は通さないが，小さな粒子を通す膜のことであり，**セロハン**などが代表例である。

⑩**電気泳動**…**直流電圧**をかけた場合，コロイド粒子がどちらかの極に向かって移動することを**電気泳動**という。例えば水酸化鉄（Ⅲ）のコロイド溶液中では水酸化鉄（Ⅲ）が正に帯電しているので，陰極に向かって移動する。「正コロイド…**金属水酸化物**，負コロイド…**金，粘土**」

⑪**凝析の効果**…コロイド粒子の電荷と**反対符号のイオンの価数が大きいもの**ほど，凝析の効果は大きい。

疎水コロイドと親水コロイドの模型　連続 図12-6

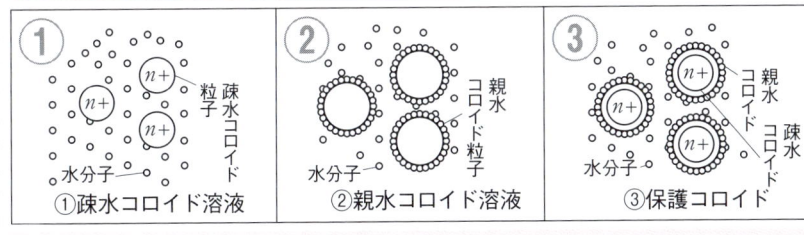

①正の電荷をもったコロイド粒子が，水の中に分散している状態を表している。nは決まった数値ではなく，様々なものが考えられる。大きな粒子はコロイド粒子で，小さな粒子は水の分子を表している。

②親水コロイドの粒子は，多数の水分子と水和（水分子が溶質のイオンや分子と結合すること）している。

③疎水コロイドの粒子は，親水コロイドに包まれて，親水コロイド溶液のような性質を示すようになる。このような親水コロイドのことを保護コロイドという。

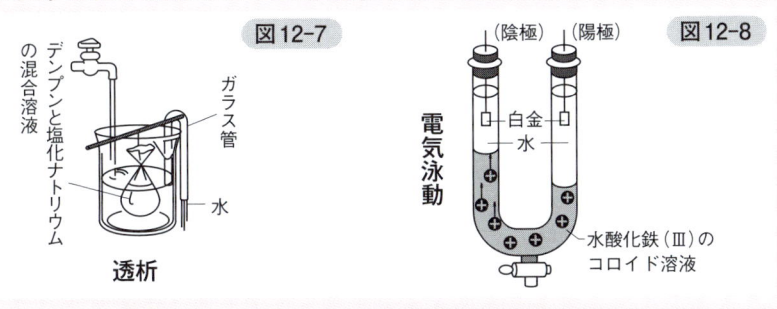

図12-7　透析

図12-8　電気泳動

図12-8 の水酸化鉄（Ⅲ）のコロイド溶液では，コロイド粒子が正の電荷をもっているので，直流電圧をかけてしばらく放置すると，赤褐色のコロイド溶液は陰極のほうへ移動していく。

まず，コロイド溶液の溶質粒子の**直径10^{-7}〜10^{-5}cm**，この数値は入試によく出てくるので覚えておきましょう。

普通，原子の直径は10^{-8}cm程なんですよ。それがコロイド粒子は10^{-5}cmということは，1000倍の大きさでしょう。直径が1000倍だから，体積は1000^3倍，すなわち10^9倍という，すごく大きな粒子になるわけです。

■疎水コロイドと凝析

①**疎水コロイド**…**少量の電解質**を加えると沈殿するコロイド粒子のこと。
「**Fe(OH)$_3$**，Al(OH)$_3$，**Au**，Ag，硫黄」

「そすいコロイド」と読みます。"疎水"というのは，"水と仲の悪い"という意味です。"疎遠になる"とかいいますね。Fe(OH)$_3$，Auなどが代表的な例です。

コロイド粒子は，普通の溶液の粒子よりも大きく重い粒なので，単純に考えると下に沈みます。しかし実際は，均一の状態で溶液中に分散しています。なぜ沈まないでいられるのでしょう？

その理由は，プラスとプラスで反発するからです 連続図12-9①。マイナスとマイナスのコロイドもありますよ。つまり，同じ電荷を帯びたコロイド粒子どうしがあるところまで近づくと反発するから，ある一定の距離を保っていられるのです。

ところが，**疎水コロイドに少量の電解質を加えると沈殿します**。この現象を「**凝析**」といいます。

例えば 連続図12-9② のように，コロイド溶液にNaClを加えると，Na$^+$とCl$^-$に電離しますが，プラスとプラスは反発するから，Na$^+$はコロイド粒子には近づいてこない。一方，Cl$^-$はプラスとマイナスで引き合います。そして，コロイド粒子のプラスの量と，Cl$^-$のマイナスの量が同じになったと

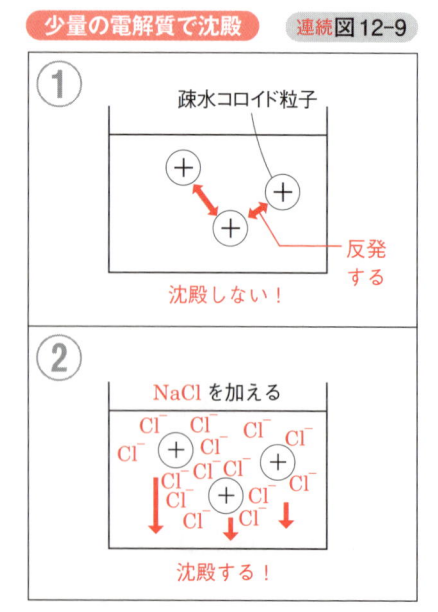

単元4 コロイド

き，電気的に0になり（単なる大きな粒になり），下に沈むのです。

> ④**凝析**…疎水コロイドに**少量の電解質**を加えるとコロイド粒子の電荷と反対符号のイオンが吸着し，電気的に中性となり，粒子どうしは反発力を失い，お互いに集合して沈殿する。この現象を**凝析**という。

凝析は疎水コロイドに対する言葉なので，①と④はセットで覚えておきましょう。

■ **親水コロイドと塩析**

> ②**親水コロイド**…**多量の電解質**を加えないと沈殿しないコロイド粒子のこと。
> 「**タンパク質**，**デンプン**，**ゼラチン**，**セッケン**，**にかわ**，**寒天**」

岡野流必須ポイント⑱ 親水コロイドの覚え方

田んぼでゼッケン乾かん。

- 田んぼ……タンパク質
- で……デンプン
- ゼ……ゼラチン
- ッケン……セッケン
- 乾……にかわ
- かん……寒天

イメージで記憶しよう！

大雨で浸水（親水）した田んぼでゼッケンを乾かしている様子を思い浮かべてください。この6つの親水コロイドがすぐに思い出せますね。

疎水コロイドは，少量の電解質で沈殿しましたが，多量の電解質を加えないと沈殿しないコロイドを，「**親水コロイド**」といいます。「**多量の電解質**」がポイントですよ。

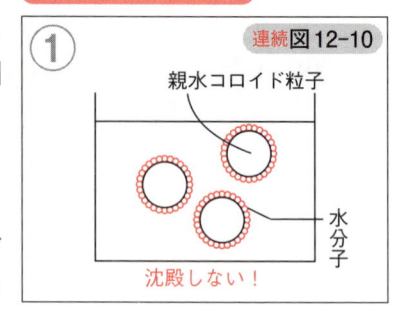

タンパク質，デンプン，ゼラチン，セッケン，にかわ，寒天などが親水コロイドの代表例で，これらはすべてよく出題されるので，覚えておきましょう。

親水コロイドは，文字どおり水と仲のよいコロイドです。コロイド粒子のまわりに水分子を引きつけて安定化し，沈殿しにくくなっています。水の中に少し大きめの水の粒が入っていると考えるとわかるでしょう 連続図12-10①。

しかし，**この親水コロイドも，多量の電解質を加えることによって沈殿します**。この現象を「**塩析**」といいます。

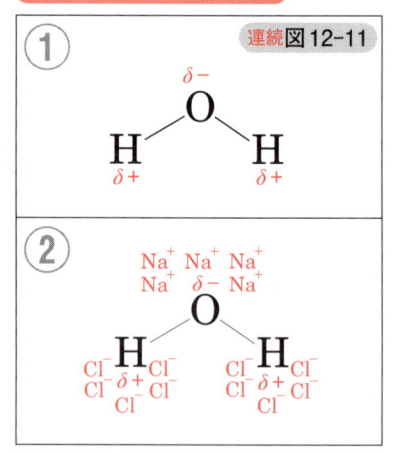

水分子は，折れ線型で，極性分子です 連続図12-11①。$\delta+$，$\delta-$ というように非常に弱い電荷のかたよりがあります。だけど，ここで多量のNaClを溶かすと，たくさんのNa$^+$，Cl$^-$ が 連続図12-11② のように取り囲み，弱い電荷を帯びた水分子がはずれます。

ちょうど，弱い磁石と弱い磁石ではくっつきにくいけど，片方が強い磁石であれば，パチッとくっつくでしょう。これと似ているのです。

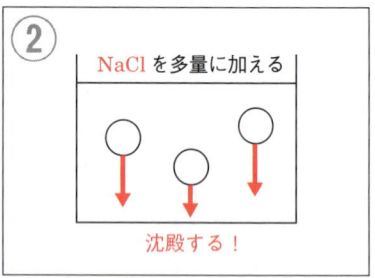

だから，少量の電解質ではなかなか難しいけれども，多量の電解質をもってくると，回りの水分子がはずれ，沈殿するのです 連続図12-10②。

多量の電解質で沈殿

連続図12-10
① 親水コロイド粒子 / 水分子 / 沈殿しない！

水分子を取り囲む電解質

連続図12-11
① H–O–H （$\delta-$，$\delta+$）折れ線型、極性分子

② Na$^+$ Na$^+$ Na$^+$ Na$^+$ Na$^+$ がO（$\delta-$）を取り囲み、Cl$^-$ がH（$\delta+$）を取り囲む

連続図12-10 の続き
② NaClを多量に加える / 沈殿する！

⑤**塩析**…親水コロイドに**多量の電解質**を加えると粒子の回りの水分子を電解質のイオンが奪い取り，コロイドが沈殿する。この現象を**塩析**という。

塩析は，親水コロイドにしか使わない言葉です。②と⑤をセットで覚えましょう。

■ 保護コロイド

革をグツグツ煮ると，中からゼラチンを主成分とする液が出てきます。その液を「にかわ」というのですが，これは「親水コロイド」です。

で，墨の粒は「疎水コロイド」なんですよ。磨った墨に，にかわを入れると墨の粒のまわりをにかわが包みます 連続図12-12①。

親水コロイドであるにかわが，疎水コロイドである墨の粒を包み込むと，もうこれは親水コロイドの性質になります。コロイド粒子に水分子が引き寄せられ，安定した状態になるんですね 連続図12-12②。よって，少量の電解質では沈殿しにくくなります。

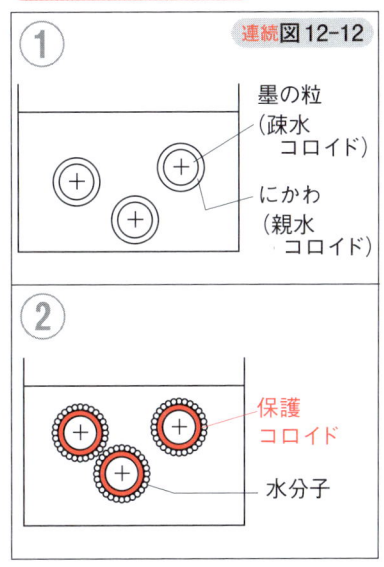

そして，**このような親水コロイドのことを，「保護コロイド」といいます**。気をつけてくださいね。**全部を保護コロイドというんじゃないですよ**。親水コロイド，すなわち図の赤い部分だけが保護コロイドなんです。

③**保護コロイド**…すぐに沈殿してしまう不安定な疎水コロイドの溶液に親水コロイドの溶液を混ぜると，疎水コロイド粒子は親水コロイド粒子に包まれる。このような親水コロイドを**保護コロイド**という。保護コロイドを含むコロイド溶液中では，少量の電解質では沈殿しにくくなる。「**墨汁のにかわ**」

■ チンダル現象

⑥**チンダル現象**…コロイド粒子に横から光束を当てると，コロイド粒子が光を散乱し，光の通路が明るく見える。このように光が散乱する現象を，**チンダル現象**という。

「**散乱**」という言葉をチェックしてください。入試でも書かされることがあります。

例えば，夜，雨や霧のときに，自動車のヘッドライトをつけると，パーッと光の通路が見えます。晴れて何もないときには，ただ「明るいな」というだけです。しかし，雨や霧のときは，水滴がちょうどコロイド粒子の大きさになっているので，光が散乱して，光の通路が見えます。これが，チンダル現象なんですよ。

■ ブラウン運動

⑦**ブラウン運動**…水分子が，熱運動によってコロイド粒子にぶつかったとき，コロイド粒子は不規則な運動を示す。この運動を**ブラウン運動**といい，**限外顕微鏡**で観察できる。

「**限外顕微鏡**」はよく書かされます。光の屈折率を利用し，横から強い光束を当てて観る顕微鏡です。

1827年，「ブラウン(1773〜1858)」という生物学者が，花粉を顕微鏡で観ていて，不規則なジグザグ運動をすることを発見しました。

研究の結果，熱運動によって水分子がぶつかっていて，強くぶつかった反対側にコロイド粒子が動かされていることがわかったんです 図12-13 。

「**動かされている**」というのがポイントです。

図12-13
水分子がぶつかる
花粉

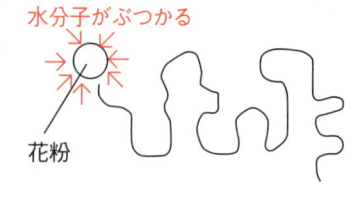

単元 4 コロイド　269

■ 透析

　半透膜であるセロハンを袋状にして，中にデンプンとNaClを入れます。使用するセロハンは，デンプン（コロイド粒子）は通さないけれども，NaClは通す目の粗いものです。

　これを**流水状態の中**に，6，7時間くらい放置しておきます 図12-14 。

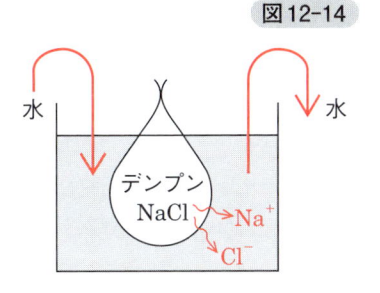

図12-14

　すると，Na^+やCl^-がセロハンから抜け出て，水で流されていきます。
　浸透圧のことを考えると，濃い液であるセロハンの中に水分子は入っていきます。しかし，ここでは浸透圧のことは考えないようにしましょう。
　やがて長い時間の中では，NaClが全部流されて，デンプン（コロイド粒子）だけが残ります。このような操作を「**透析**」といいます。

⑧**透析**…コロイド粒子に他の分子やイオンが少量混合しているとき，これを半透膜の中に入れて，流水中に放置し，コロイド粒子のみを残す操作を**透析**という。

■ 電気泳動

　2本の電極を用意し，直流電圧をかけた場合，陽極と陰極になり，コロイド粒子がどちらかの極に向かって移動します。

　例えば水酸化鉄（Ⅲ）のコロイド溶液を，最初は 連続図12-15① のように，同じ高さでセットします。ここで直流電圧をかけると，水酸化鉄（Ⅲ）のコロイド粒子は正の電荷をもっているので，陰極の方へ移動していきます 連続図12-15② 。結果，陰極側にコ

コロイド粒子が引っ張られる！　連続図12-15

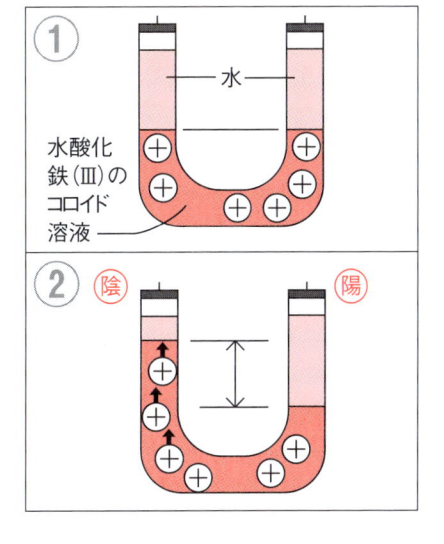

ロイド溶液が引っ張られた状態になります。このような現象を「**電気泳動**」といいます。

　第8講で習いましたが，「電池」の場合は「**正極**」，「**負極**」という言い方をします。そして，正極とつながった電極のことを「**陽極**」，負極とつながった電極のことを「**陰極**」というのです。言葉が完全に分けられています。

　正コロイドの例は，金属の水酸化物，例えば$Fe(OH)_3$のようなものです。負のコロイドは，金と粘土が代表例です。プラスとマイナス，どちらに帯電しているか知らないと解けない問題もあるので，要チェックですよ。

---

⑩**電気泳動**…直流電圧をかけた場合，コロイド粒子がどちらかの極に向かって移動することを**電気泳動**という。例えば水酸化鉄(Ⅲ)のコロイド溶液中では水酸化鉄(Ⅲ)が正に帯電しているので，陰極に向かって移動する。

「正コロイド…<u>金属水酸化物</u>，負コロイド…<u>金</u>，<u>粘土</u>」

■ 凝析の効果

　さきほど，凝析について，NaClでやりました。Cl^-がプラスのコロイド粒子にくっついて，それで沈殿させましたね。コロイド粒子を球状だと考えると，その表面にCl^-がくっついていくわけです。

　ここで，1個のコロイド粒子が，500のプラスの電荷をもっていたとしましょう 図12-16 。

　そしてもし，表面に300個までしかCl^-が乗れなかったとすると，+500に対して-300だから，+200だけ，まだ残っているわけです。これでは，このコロイド粒子を沈殿させることはできません。

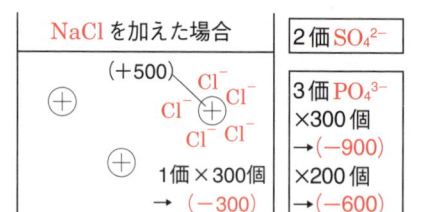

図12-16

NaClを加えた場合
(+500)
Cl^- Cl^- Cl^- ⊕ Cl^- Cl^- Cl^-
⊕
1価×300個
→(-300)

2価SO_4^{2-}

3価PO_4^{3-}
×300個
→(-900)

×200個
→(-600)

　ところが，硫酸のSO_4^{2-}とかリン酸のPO_4^{3-}とか，2価や3価の電解質を加えれば，もっと楽に沈殿させられるのです。

　いいですか？ PO_4^{3-}は，1個でCl^-3つ分の効果があるわけです。例えば今，Cl^-が300個乗りました。これでは-300だけど，PO_4^{3-}が300個乗るならば，-900にもなるのです。じゅうぶんに500のプラスを0にできます。

多少イオンの大きさが違うから，300個は乗らなくて200個しか乗らなかったとしても，−600となり，じゅうぶんです。ということで考えると，絶対に**イオンの価数の大きい方が，効果が大きいのです**。

実際にはもっと大きな効果があるのですが，以上のようにイメージしておくとわかりやすいでしょう。

> ⑪**凝析の効果**…コロイド粒子の電荷と**反対符号のイオンの価数が大きいもの**ほど，凝析の効果は大きい。

これで以上です。**下線部分の意味をしっかり理解し，言葉をじゅうぶん覚えてください。**

今回は溶液について，多くのことを学習しました。しっかり復習することが大事になってきますよ。

これで理論化学の基本から標準レベルの分野は終了です。この分野は内容的に難しいところもありましたが，よくがんばってついてきてくれましたね。理解しにくかったところは，何回も読み返してください。かならずわかってもらえると思います。

このあと無機化学と有機化学の分野と理論化学の応用分野が残っていますが，これらは今までと勉強法が変わります。理解して覚えることが多くなってきます。入試ではどの分野も出題されるので，苦手なところがなくなるように勉強していきましょう。みなさんのご健闘をお祈りします。

特別演習問題
気体の法則をさらに詳しく！

■圧力の単位について理解しよう

今までみなさんはPaという単位を中心に勉強しました。ここでは、それよりも大きな単位，hPa（ヘクトパスカル），kPa（キロパスカル）について，ちょっと慣れておきましょう。

さて，10hPaは何Paでしょうか。"h"（ヘクト）は**100倍**を表す補助単位とよばれています（倍率を表す単位を補助単位といいます）。**単位は文字式のように扱うことができるのです。**

面積を例にとると

$20\text{cm} \times 3\text{cm} = 20 \times \text{cm} \times 3 \times \text{cm} = 60 \times \text{cm}^2 = 60\text{cm}^2$

小学生時代に面積の単位はcm²（平方センチメートル）であるということを習いました。実はcmとcmが2回かけられてcm²（センチメートルの2乗）になっていたのですね。

同じように考えると10hPaは，

$10 \times 100 \times \text{Pa} = 1000\text{Pa}$

と計算できます。また，kPaの"k"（キロ）は**1000倍**を表す補助単位です。

例えば2000kPaは，

$2000 \times 1000 \times \text{Pa} = 2000000\text{Pa} = 2 \times 10^6 \text{Pa}$ と計算できます。よろしいですか。hは100倍，kは1000倍なんですね。

それでは気体の状態方程式について，詳しく解説をしていきましょう。

気体の状態方程式は，

☆ [公式15] $PV = nRT$ または ☆ [公式15] $PV = \dfrac{w}{M}RT$

でした。

P：気体の圧力（Pa）（単位は指定されている）
V：気体の体積（L）（単位は指定されている）
n：気体のmol数
R：気体定数　$8.31 \times 10^3 \text{Pa·L/(K·mol)}$
T：絶対温度 $(273 + t\text{℃})\text{K}$
w：気体の質量（g）
M：気体の分子量

次は，指定された単位以外で出題されたときの対処の仕方を説明しましょう。

【例題1】 0.471gの気体を0℃，2026hPaの圧力で体積をはかったところ60mLであった。この気体の分子量はいくらか。有効数字2桁で求めよ。ただし，気体定数は8.31Pa·m³/(K·mol)とする。

さて，解いてみましょう。

岡野のこう解く [**公式15**]に代入して解く問題です。与えられる単位がどのような単位であったとしても，[**公式15**]に忠実に代入すればよいのです。

PはPaの単位なので，
 2026hPa = 2026 × 100 × Pa = 2.026×10^5Pa

VはLの単位なので，
 60mL = $60 \times \dfrac{1}{1000} \times$ L = 0.060L

（ちなみにm（ミリ）は$\dfrac{1}{1000}$倍を表す補助単位です）

Tは絶対温度なので，273K
Rは，8.31Pa·m³/(K·mol) ⇒ 8.31×10^3Pa·L/(K·mol)
（Rの8.31×10^3は覚えておこう）

よって，$PV = \dfrac{w}{M}RT$に代入してMを求める。

∴ $2.026 \times 10^5 \times 0.060 = \dfrac{0.471}{M} \times 8.31 \times 10^3 \times 273$

∴ $M = \dfrac{0.471 \times 8.31 \times 10^3 \times 273}{2.026 \times 10^5 \times 0.060}$

$= \dfrac{\boxed{8.31 \times 10^3 \times 273} \times 0.471}{\boxed{1.013 \times 10^5} \times 2 \times 0.060}$
　　　　$\underset{=}{22.4}$

$= 22.4 \times \dfrac{0.471}{2 \times 0.060}$

$= 87.9$

$\fallingdotseq 88$ ……【答え】

【例題2】27℃，202kPaで522mLの酸素に含まれる酸素分子の物質量を有効数字2桁で求めよ。ただし気体定数は$8.31 \times 10^3 \mathrm{Pa \cdot L/K \cdot mol}$とする。

さて，解いてみましょう。

岡野のこう解く【例題1】と同様に[**公式15**]に忠実に代入して答えを求めましょう。

Pは，$202\mathrm{kPa} = 202 \times 1000 \times \mathrm{Pa} = 2.02 \times 10^5 \mathrm{Pa}$

Vは，$522\mathrm{mL} = 522 \times \dfrac{1}{1000} \times \mathrm{L} = 0.522\mathrm{L}$

Tは，$273 + 27 = 300\mathrm{K}$

よって，$PV = nRT$に代入してnを求める。

$$2.02 \times 10^5 \times 0.522 = n \times 8.31 \times 10^3 \times 300$$

$$\therefore\ n = \dfrac{2.02 \times 10^5 \times 0.522}{8.31 \times 10^3 \times 300}$$

$$= \dfrac{1.01 \times 10^5 \times 2 \times 0.522}{8.31 \times 10^3 \times 300}$$

（$\dfrac{1}{24.68}$）

$$= \dfrac{2 \times 0.522}{24.6}$$

$$= 0.0424$$

$$≒ 0.042\mathrm{mol} \cdots\cdots 【答え】$$

岡野流 必須ポイント⑲　標準状態における計算法

$0℃$，$1.013 \times 10^5 \mathrm{Pa}$（$≒ 1.01 \times 10^5 \mathrm{Pa}$）
標準状態のとき次の関係が成り立つ

$$\dfrac{8.31 \times 10^3 \times 273}{1.013 \times 10^5} \Rightarrow \mathbf{22.4}$$

気体定数Rの求め方（→216ページ）に注目すると，この意味がわかります。

1molの気体は標準状態（0℃，1.013×10^5Pa）で22.4Lの体積を占めるので，

$$気体定数 R = \frac{PV}{nT} = \frac{1.013 \times 10^5 \times 22.4}{1 \times 273} \fallingdotseq 8.31 \times 10^3$$

よって，

$$\frac{8.31 \times 10^3 \times 273}{1.013 \times 10^5} = 22.4$$

が成り立ちます。

仮に気体定数に8.3×10^3を使ったとしても，正確に22.4という値になります。このことを知っておけば，細かい計算をすることなく，ラクに解答できるのです。

もう1つ，覚えておくと便利な値があります。

岡野流 必須ポイント ⑳

27℃，常圧における計算法

27℃，1.01×10^5Paのときに，次の関係が成り立つ

$$\frac{8.31 \times 10^3 \times 300}{1.01 \times 10^5} \Rightarrow \mathbf{24.68}$$

（「にーしーろーやー」と覚えておこう。）

入試では，0℃や27℃という値が多く出題されてくるので，「岡野流必須ポイント」の数値を覚えておくと，かなり計算しやすくなりますよ。

■圧力の単位 atm の問題

【例題3】 27℃,1atm(アトム)で200mLの気体を327℃,2.026×10^5Paにすると,何mLの体積になるか。有効数字3桁で求めよ。

岡野の着目ポイント ここでは1atmという圧力の単位について説明をしておきます。以前はこのatmの単位がよく使われました。atmとPaの関係を軽く知っておきましょう。

$$1\text{atm} = 1.013 \times 10^5 \text{Pa}$$

さて,解いてみましょう。

では,【例題3】の解説をしていきます。この問題は「ボイル・シャルルの法則」を使います。

☆ [公式13] $\dfrac{PV}{T} = \dfrac{P'V'}{T'}$

$\begin{pmatrix} P,\ P' : 気体の圧力\ (\text{Pa},\ \text{hPa},\ \text{kPa}) \\ V,\ V' : 気体の体積\ (\text{L},\ \text{mL},\ \text{cm}^3) \\ T,\ T' : 絶対温度\ (273 + t\ ℃)\ \text{K}(ケルビン) \end{pmatrix}$

岡野のこう解く [公式13]では,PとVについては,それぞれ両辺で同じ単位を用いることがポイントでした。

☆ [公式13] $\dfrac{PV}{T} = \dfrac{P'V'}{T'}$

$\therefore\ \dfrac{1.013 \times 10^5 \times 200}{273 + 27} = \dfrac{2.026 \times 10^5 \times x}{273 + 327}$

$\therefore\ x = \dfrac{\overset{1}{1.013} \times 10^5 \times 200 \times \overset{2}{600}}{\underset{1}{300} \times \underset{2}{2.026} \times 10^5}$

$= 200\text{mL}$ ……【答え】

■ mmHg と Pa の関係

【例題4】ある揮発性の液体0.454gを完全に蒸発させたら、その蒸気の体積は127℃、750 mmHg（ミリメートルエイチジー）で328mLであった。この液体物質の分子量はいくらか。有効数字3桁で求めよ。
ただし気体定数は8.31×10^3Pa・L/(K・mol)とする。

ここではmmHgという圧力の単位について説明しておきます。この単位も以前はよく使われました。mmHgとPaの関係を軽く知っておきましょう。

$$760\text{mmHg} = 1.013 \times 10^5 \text{Pa}$$

さて、解いてみましょう。

では、【例題4】を解説していきましょう。

$$760\text{mmHg} : 1.013 \times 10^5 \text{Pa} = 750\text{mmHg} : x\text{Pa}$$

岡野のこう解く ☆ [公式15] $PV = \dfrac{w}{M}RT$ に代入してMを求めます。まず、圧力をPaの単位に直します。

$$\therefore x = \frac{750 \times 1.013 \times 10^5}{760}\text{Pa}$$

$$\therefore \frac{750 \times 1.013 \times 10^5}{760} \times \frac{328}{1000} = \frac{0.454}{M} \times 8.31 \times 10^3 \times (273 + 127)$$

$$\therefore M = \frac{760 \times 1000 \times 0.454 \times 8.31 \times 10^3 \times 400}{750 \times 1.013 \times 10^5 \times 328}$$

$$= 46.02$$
$$\fallingdotseq 46.0 \cdots\cdots \text{【答え】}$$

【例題3】のタイプの問題は入試にはあまり関係ないかもしれませんが、大学に入ってからは、atmの単位が使われる可能性は大きいと思います。今から知っておくといいでしょう。

「岡野流　必須ポイント」「要点のまとめ」
INDEX

大事なポイント・要点が理解できたか，チェックしましょう。

岡野流　必須ポイント INDEX

第1講　原子の構造・周期表
- □□①19番と20番の電子配置図は例外的 …… 16

第2講　元素の性質・化学結合
- □□②イオン化エネルギーと電子親和力のイメージ …… 42
- □□③電気陰性度の大きい元素 …… 43

第3講　結晶の種類・分子の極性
- □□④共有結合結晶はこの4つ …… 68

第4講　化学量・化学反応式
- □□⑤質量，気体の体積，個数，物質量は比例関係 …… 94
- □□⑥密度の単位を分解せよ …… 116

第5講　溶液(1)・固体の溶解度
- □□⑦溶解度は4つの比例関係で解く！ …… 125

第8講　電池・電気分解
- □□⑧鉛蓄電池の半反応式作成法 …… 180
- □□⑨乾電池の流れと3つのポイント …… 183
- □□⑩酸素の発生は半反応式の作り方から書け …… 189

第9講　熱化学
- □□⑪熱化学方程式の1の位置 …… 197
- □□⑫熱化学方程式の未知数は代入法で導け！ …… 203
- □□⑬原子と分子のエネルギーの大小関係 …… 207

第10講　気体
- □□⑭ボイル・シャルルの法則の注意点 …… 213
- □□⑮理想気体の状態方程式の注意点 …… 216

第11講　蒸気圧・気体の溶解度
- □□⑯ボイル・シャルルの公式が成り立つとき …… 236

第12講　溶液(2)・コロイド
- □□⑰溶液の蒸気圧曲線 …… 249
- □□⑱親水コロイドの覚え方 …… 265

特別演習問題
- □□⑲標準状態における計算法 …… 274
- □□⑳27℃，常圧における計算法 …… 275

要点のまとめ INDEX

第1講　原子の構造・周期表
- 単元1
  - □□①原子の構造 …… 11
  - □□②電子殻と最大電子数 …… 12
  - □□③電子式 …… 17
  - □□④同位体（アイソトープ） …… 19
    同素体
  - □□⑤単体 …… 21
    化合物
    物質
- 単元2
  - □□①周期表 …… 23
  - □□②周期表の覚え方 …… 24
  - □□③典型元素 …… 26
    遷移元素
  - □□④価電子 …… 27
  - □□⑤イオン式のつくり方 …… 31

第2講　元素の性質・化学結合
- 単元1
  - □□①イオン化エネルギー …… 39
  - □□②電子親和力 …… 41
  - □□③電気陰性度 …… 44
- 単元2
  - □□①イオン結合 …… 50
  - □□②共有結合 …… 54
  - □□③金属結合 …… 55
  - □□④配位結合 …… 57
  - □□⑤化学式とその名称のつけ方 …… 59

第3講　結晶の種類・分子の極性
- 単元1
  - □□①イオン結晶 …… 66
  - □□②共有結合結晶 …… 69
  - □□③分子結晶 …… 70
- 単元2
  - □□①極性 …… 78
  - □□②極性分子 …… 78
  - □□③無極性分子 …… 81
  - □□④極性分子（＋αでおさえよう！） …… 84
- 単元3
  - □□①水素結合 …… 88

第4講　化学量・化学反応式
- 単元1
  - □□①原子量と分子量 …… 91
  - □□②化学量の比例関係 …… 92
- 単元2
  - □□①化学反応式の係数の決め方 …… 97

単元3 □□①化学反応式の表す意味 ……… 98
　　　□□②比例法とmol法 …………… 104
単元4 □□①金属結晶の結晶格子 ……… 107
　　　□□②イオン結晶の結晶格子 …… 111

第5講 溶液(1)・固体の溶解度
単元1 □□①溶液＝溶媒＋溶質 ………… 119
　　　□□②質量パーセント濃度(%) … 121
　　　　　モル濃度(mol/L)
　　　　　質量モル濃度(mol/kg)
　　　□□③電解質と非電解質 ………… 121
単元2 □□①固体の溶解度 ……………… 125

第6講 酸と塩基
単元1 □□①酸・塩基の定義 …………… 131
　　　□□②酸・塩基の価数 …………… 132
　　　　　酸・塩基の強弱
単元2 □□①水素イオン濃度とpH ……… 135
単元3 □□①中和反応 …………………… 136
　　　□□②塩の加水分解 ……………… 137
　　　　　水に溶解させたときの塩の液性
単元4 □□①中和滴定 …………………… 141
　　　　　指示薬
　　　□□②中和反応の量的関係 ……… 144
　　　□□③器具の洗い方 ……………… 147
　　　□□④器具の使い方 ……………… 148
　　　□□⑤滴定曲線 ………………… 152

第7講 酸化還元
単元1 □□①酸化還元の定義 …………… 156
　　　□□②酸化数の求め方 …………… 157
　　　□□③酸化剤・還元剤 …………… 157
単元2 □□①酸化剤
　　　　　（反応前後の化学式の変化）… 162
　　　□□②還元剤
　　　　　（反応前後の化学式の変化）… 163
　　　□□③半反応式のつくり方 ……… 166
単元3 □□①酸化還元の化学反応式の
　　　　　つくり方 ……………………… 170

第8講 電池・電気分解
単元1 □□①金属のイオン化傾向と
　　　　　イオン化列 …………………… 173
　　　□□②分極 ………………………… 174
　　　□□③ボルタ電池 ………………… 175
　　　□□④ダニエル電池 ……………… 177
　　　□□⑤鉛蓄電池 ………………… 181
　　　□□⑥乾電池 …………………… 184
　　　□□⑦ファラデー定数 …………… 184

単元2 □□①電気分解したときに起こる
　　　　　変化 …………………………… 186

第9講 熱化学
単元1 □□①反応熱の種類 ……………… 198
単元2 □□①ヘスの法則 ………………… 199
単元3 □□①結合エネルギー …………… 206

第10講 気体
単元1 □□①ボイル・シャルルの法則 … 215
　　　□□②理想気体の状態方程式 …… 215
　　　□□③ドルトンの分圧の法則 …… 219
単元2 □□①理想気体とはどんな
　　　　　気体か ………………………… 224
　　　□□②実在気体を理想気体に近づけ
　　　　　るにはどのような条件にすれ
　　　　　ばよいか ……………………… 228

第11講 蒸気圧・気体の溶解度
単元1 □□①飽和蒸気圧 ………………… 233
単元2 □□①気体の溶解度 ……………… 243
　　　　　ヘンリーの法則

第12講 溶液(2)・コロイド
単元1 □□①溶液の蒸気圧 ……………… 251
　　　　　沸点上昇
単元2 □□①凝固点降下 ………………… 254
単元3 □□①浸透圧 ……………………… 258
　　　□□②浸透圧の公式 ……………… 259
単元4 □□①コロイド …………………… 262

「演習問題で力をつける」
INDEX

第1講 原子の構造・周期表
- □□①原子の構造を理解しよう！ …… 32

第2講 元素の性質・化学結合
- □□②3点セットで言葉の意味を理解しよう！ …… 45
- □□③結合の種類を見分けよ！ …… 60

第3講 結晶の種類・分子の極性
- □□④分子結晶と共有結合結晶の違いがポイント！ …… 74

第4講 化学量・化学反応式
- □□⑤molの計算に慣れよう！ …… 99
- □□⑥結晶格子の仕組みを理解しよう！ …… 113

第5講 溶液(1)・固体の溶解度
- □□⑦モル濃度と質量モル濃度をハッキリ区別せよ！ …… 122
- □□⑧温度差による析出量を求めてみよう！ …… 126

第6講 酸と塩基
- □□⑨反応式不要の解法もマスターせよ！(1) …… 142
- □□⑩反応式不要の解法もマスターせよ！(2) …… 145
- □□⑪反応式不要の解法もマスターせよ！(3) …… 151

第7講 酸化還元
- □□⑫酸化数を正しく求められるかがカギ！ …… 160

第8講 電池・電気分解
- □□⑬電気分解での変化のパターンを整理せよ！ …… 191

第9講 熱化学
- □□⑭熱化学方程式は代入法でスッキリ解こう！(1) …… 201
- □□⑮熱化学方程式は代入法でスッキリ解こう！(2) …… 204
- □□⑯熱化学方程式は代入法でスッキリ解こう！(3) …… 208

第10講 気体
- □□⑰気体の法則を使いこなせ！(1) …… 217
- □□⑱気体の法則を使いこなせ！(2) …… 219
- □□⑲気体の法則を使いこなせ！(3) …… 223

第11講 蒸気圧・気体の溶解度
- □□⑳蒸気圧は液体の存在を意識せよ！ …… 234
- □□㉑ヘンリーの法則①・②を使って解いてみよう！ …… 244

第12講 溶液(2)・コロイド
- □□㉒質量モル濃度と沸点の関係に注意しよう！ …… 252
- □□㉓「モル凝固点降下」と「モル沸点上昇」の言葉に注意しよう！ …… 255
- □□㉔浸透圧の根本を理解しよう！ …… 260

特別演習問題
- □□気体の法則をさらに詳しく！ …… 272

「理論化学①」
索 引

記号・数字
- δ 　79
- Δt_1 　250
- π 　259
- 0K 　213
- 18族 　26
- $-273\,°\!C$ 　212
- $2n^2$ 　11
- 96500C 　184

英字
- Ag 　29, 111
- Ag^+ 　29
- Al 　60
- Al^{3+} 　186
- aq 　197
- Ar 　22, 36
- atm 　276
- Au 　111, 173, 264
- $Ba(OH)_2$ 　132
- Be 　60
- C 　17, 67, 93, 182
- C_2H_6 　95
- C_3H_8 　201
- $C_6H_{12}O_6$ 　204
- Ca 　15, 60, 64
- $Ca(NO_3)_2$ 　137
- $Ca(OH)_2$ 　132
- Ca^{2+} 　58, 186
- $Ca_3(PO_4)_2$ 　58
- CaO 　64
- CCl_4 　82
- CH_3COOH 　130
- CH_3COONa 　137
- CH_3COONH_4 　137
- CH_4 　82, 85, 194
- Cl 　43, 45, 64, 81
- Cl^- 　48, 49, 57, 270
- cm^2 　272
- CO_2 　69, 79
- Cu 　64, 111, 172
- $CuSO_4$ 　64, 137
- e^- 　164
- F 　43
- F^- 　61
- $Fe(OH)_3$ 　264, 270
- $FeCl_3$ 　75, 137
- g 　259
- H 　52, 272
- H^+ 　30
- H_2 　220
- H_2CO_3 　58
- H_2O 　18, 20, 44, 52, 69, 77, 87, 131
- H_2O_2 　18
- H_2S 　84
- H_2SO_4 　19, 58, 131, 132, 172, 178
- H_2気泡 　174
- H_3O^+ 　130
- H_3PO_4 　58
- HCl 　20, 61, 80, 118, 132
- He 　36, 93
- HF 　44, 87
- HNO_3 　58, 132
- hPa 　212, 272
- I 　22
- i 　172, 185
- I_2 　69, 73
- K 　13, 14, 22, 60, 110, 173, 259
- K^+ 　61, 186
- K_2S 　61
- kJ 　194
- KNO_3 　126, 137
- KOH 　132
- kPa 　212, 272
- K殻 　9
- L 　212, 259, 273
- Li 　46, 60, 110
- L殻 　9
- m 　273
- M 　259
- Mg 　60
- Mg^{2+} 　49, 186
- $MgCl_2$ 　49
- mL 　212
- mmHg 　212, 277
- MnO_2 　182
- mol 　91, 259
- mol法 　101
- M殻 　11
- N 　16, 43, 52
- n 　259
- N_2 　20, 94
- Na 　40, 46, 60, 64, 110
- Na^+ 　28, 48, 49, 55, 57, 61, 186
- Na_2CO_3 　137
- Na_2SO_4 　137
- NaCl 　19, 57, 64, 137, 269
- $NaHCO_3$ 　137
- NaOH 　132, 197
- Ne 　26, 36, 93
- NH_3 　19, 44, 53, 80
- NH_4^+ 　64, 136
- NH_4Cl 　64, 137, 182
- $(NH_4)_2CO_3$ 　137
- NO_3^- 　58
- N殻 　11
- O 　8, 13, 16, 40, 43, 51, 64
- O_2 　18, 20
- O^{2-} 　29

O_3 ……………………… 18	アルコール発酵 ………… 204	オキソニウムイオン …… 130
P ……………………… 18, 45, 93	アルゴン ………………… 22, 36	オゾン …………………… 18
P ……………………… 212, 273	アレニウス ……………… 130	折れ線形 ………………… 77
Pa …………… 212, 259, 272, 273	暗算法 …………………… 95	温度一定 ………………… 213
Pb ……………………… 20, 178	安定 ……………………… 31	
PbO_2 …………………… 178	アンペア ………………… 185	**カ行**
pH ……………………… 134	アンモニア …… 19, 44, 52, 80	カーボランダム ………… 67
PO_4^{3-} ………………… 58, 270	アンモニウムイオン …… 56	海水 ……………………… 20
ppm ……………………… 62	硫黄 …………………… 18, 64, 93	解離エネルギー ………… 206
Pt ………………………… 111	イオン …………………… 27	化学結合 ………………… 47
R …………… 216, 259, 273	イオン化エネルギー … 36, 42	化学式 …………………… 57
S ……………………… 18, 45, 64, 93	イオン化傾向 …………… 173	化学反応式 … 95, 98, 167, 194
S^{2-} …………………… 61	イオン化列 ……………… 173	化合物 ………………… 18, 19
Sc ………………………… 15	イオン結合 …………… 47, 67	過酸化水素 ……………… 165
SCOP …………………… 18	イオン結晶 …… 64, 67, 75, 93	価数 ……………………… 75
Si ……………………… 45, 67, 85	イオン式 ………… 28, 31, 61	価電子 ………………… 26, 54
SiC ……………………… 67	イオン反応式 …………… 167	価標 ……………………… 53
SiO_2 …………………… 67	陰イオン ………………… 65	過マンガン酸カリウム … 167
Sn ………………………… 20	陰極 …………………… 186, 270	ガラス板 ………………… 176
SO_2 …………………… 84	ウォークマン …………… 183	カリウム ……… 13, 14, 22, 173
SO_4^{2-} ………… 131, 179, 270	上澄み液 ………………… 124	カルシウム …………… 15, 64
t …………… 185, 212, 259, 273	液体 ……………………… 65	カルシウムイオン ……… 58
Te ………………………… 22	エタン …………………… 95	還元 ……………………… 156
V …………… 212, 259, 273	エネルギー ……………… 207	還元剤 ………………… 157, 163
w ……………………… 259	塩 ……………………… 136	寒天 ……………………… 265
Zn ……………………… 172, 182	塩化アンモニウム	乾電池 …………………… 182
	……………… 64, 137, 182	希ガス ………………… 23, 26
ア行	塩化水素 …… 20, 80, 118, 132	気体定数 ……… 216, 259, 273
アイスコーヒー ………… 240	塩化セシウム型 ………… 111	気体の状態方程式 … 215, 272
アイソトープ ………… 17, 19	塩化鉄(Ⅲ) ……………… 75	気体の積 ………………… 91
亜鉛 ……………………… 182	塩化ナトリウム … 19, 57, 126	気体の法則 ……………… 272
亜鉛板 …………………… 172	塩化ナトリウム型 ……… 111	気体の溶解度 …………… 239
赤リン …………………… 18	塩化ナトリウム水溶液 … 191	逆反応 …………………… 131
アクア …………………… 197	塩化物イオン …………… 48	吸熱 ……………………… 194
圧力 ……………………… 212	塩化マグネシウム ……… 49	強塩基 ………………… 132, 140
圧力一定 ………………… 214	塩化リチウム …………… 60	凝固 ……………………… 254
圧力の単位 …………… 272, 276	塩基 ……………………… 130	凝固点降下 ……………… 254
アトム …………………… 276	塩酸 …………… 20, 118, 132	強酸 …………………… 132, 140
アボガドロ数 …………… 91	延性 ……………………… 72	凝縮 ……………………… 234
アボガドロ定数 ………… 91	塩析 ……………………… 267	凝析 ……………………… 265
アルカリ金属 … 23, 110, 132	塩素 ……………………… 64	共有結合 ……………… 50, 67, 72
アルカリ土類金属 ‥ 23, 64, 132	塩の加水分解 …………… 136	共有結合結晶 ……… 67, 72, 76

共有電子対 ……… 53	公式8 ……… 135	酸素原子 ……… 8, 37, 40
極性 ……… 78	公式9 ……… 135	散乱 ……… 268
極性分子 ……… 78	公式11 ……… 142, 149	四塩化炭素 ……… 82
巨大分子 ……… 72	公式12 ……… 184	式量 ……… 90, 93
希硫酸 ……… 119, 172	公式13 ……… 212, 237, 276	指示薬 ……… 138
黄リン ……… 18	公式14 ……… 219	実在気体 ……… 224
キロパスカル ……… 272	公式15 …… 215, 244, 245, 272, 273, 274, 277	実用化電池 ……… 175
金 ……… 111, 173, 270		質量 ……… 92
銀 ……… 29, 111	公式16 ……… 223	質量数 ……… 8
金属 ……… 38, 64	公式17 ……… 223	質量パーセント濃度 …… 119
金属結合 ……… 54, 67	公式18 ……… 259, 260, 261	質量モル濃度 …… 120, 253
金属結晶 ……… 71, 106	構造式 ……… 53	弱塩基 ……… 132, 140
金属水酸化物 ……… 270	コーラ ……… 239	弱酸 ……… 140
金属単体 ……… 71	黒鉛 ……… 18, 67, 196	シャルルの法則 ……… 214
金属のイオン化傾向 …… 173	個数 ……… 91	周期 ……… 21
金属のイオン化列 ……… 173	固体 ……… 65	周期表 ……… 21
金属陽イオン ……… 71	固体の溶解度 ……… 124	充電 ……… 181
空間ベクトルの合成 …… 82	コニカルビーカー … 138, 147	自由電子 ……… 54, 71
空気 ……… 20	コロイド ……… 262	純水 ……… 248, 257
クーロン ……… 184	混合気体 ……… 221	純物質 ……… 20
クーロン力 … 47, 49, 65, 75	混合物 ……… 20	純硫酸 ……… 119
グラファイト ……… 18, 67		常圧 ……… 275
グルコース ……… 204	**サ行**	昇華 ……… 70
係数比 ……… 98	最外殻電子 ……… 16, 26	昇華性 ……… 70
ケイ素 ……… 67, 85	再結晶 ……… 124	蒸気圧 ……… 230
結合エネルギー ……… 206	最大電子数 ……… 11	蒸気圧曲線 …… 234, 249
結晶格子 ……… 106	錯イオン ……… 182	蒸気圧降下 ……… 249
ケルビン ……… 213	酢酸ナトリウム ……… 137	硝酸 ……… 118, 132
限外顕微鏡 ……… 268	酸 ……… 130	硝酸イオン ……… 58
減極剤 ……… 175	酸化 ……… 156	硝酸カリウム ……… 126
原子 ……… 8, 11	酸化カルシウム ……… 64	状態方程式 …… 215, 216, 223
原子核 ……… 9, 11	酸化還元 ……… 156	食塩水 ……… 118
原子番号 ……… 8, 11, 21	三角錐 ……… 83	ショ糖溶液 ……… 257
原子量 ……… 21, 90, 93	三角錐形 ……… 80	シラン ……… 85
元素 ……… 11	三角フラスコ …… 138, 147	親水コロイド ……… 265
公式1 ……… 8, 10, 11, 32	酸化剤 ……… 157, 162	浸透圧 ……… 257, 259
公式2 … 100, 122, 123, 215, 245, 259	酸化数 ……… 157	水酸化カリウム ……… 132
	酸化鉛(Ⅳ) ……… 178	水酸化カルシウム ……… 132
公式3 ……… 121	酸化物イオン ……… 29	水酸化鉄(Ⅲ) ……… 269
公式4 ……… 121, 122, 122	酸化マンガン(Ⅲ) ……… 183	水酸化ナトリウム … 132, 197
公式6 ……… 135	酸化マンガン(Ⅳ) ……… 182	水酸化バリウム ……… 132
公式7 ……… 135	酸素 … 13, 16, 18, 51, 64, 221	水酸化物 ……… 187

水酸化物イオン濃度 …… 134	ダイヤモンド …… 18, 67, 72	電離 …………………… 121
水蒸気圧 ……………… 232	多原子分子 ……………… 93	電離度 ………………… 131
水素イオン ……………… 30	ダニエル電池 ………… 175	電流 …………………… 172
水素イオン指数 ………… 134	単位 …………………… 272	銅 ………………… 64, 111
水素イオン濃度 ………… 134	単位格子 ……………… 106	同位体 ……………… 17, 19
水素結合 ………………… 86	炭酸 …………………… 58	透析 …………………… 269
水素原子 ………………… 50	炭化ケイ素 …………… 67	同族元素 ……………… 83
水素爆発 ……………… 183	炭素 ………… 17, 72, 93, 182	同素体 ……………… 17, 19
水溶液 ……………… 65, 248	単体 ………………… 19, 81	銅板 …………………… 172
スカンジウム …………… 15	タンパク質 …………… 265	ドライアイス …………… 69
スコップ ………………… 18	窒素 ……………… 16, 94, 220	ドルトンの分圧の法則 … 219
スズ ……………………… 20	窒素原子 ………………… 52	
墨 ……………………… 267	中性 …………………… 136	**ナ行**
素焼き板 ……………… 176	中性子 ………………… 8, 11	ナトリウム ……………… 64
正極 ………… 172, 186, 270	中和滴定 ……………… 138	ナトリウムイオン …… 28, 48
正コロイド …………… 270	中和熱 ………………… 198	ナトリウム原子 …… 37, 39
正四面体 ………………… 83	中和反応 ……………… 136	鉛 ……………………… 20
正四面体形 ……………… 81	直線形 …………………… 79	ナメクジ ……………… 258
正四面体構造 …………… 72	チンダル現象 ………… 268	にかわ ………………… 267
生成熱 ………………… 195	手 ………………………… 72	二酸化硫黄 ………… 60, 84
静電気的な引力 ……… 47, 75	低圧 …………………… 226	二酸化ケイ素 …………… 67
正反応 ………………… 131	滴定曲線 ……………… 140	二酸化炭素 ……………… 79
成分気体 ……………… 219	テトラアンミン亜鉛(Ⅱ)イオン	二硫化炭素 ……………… 60
析出 …………………… 125	………………………… 182	ネオン ……………… 26, 36, 93
セッケン ……………… 265	テルル …………………… 22	熱化学方程式 ………… 194
絶対温度 …… 212, 259, 273	電荷 ……………………… 9	燃焼 …………………… 195
ゼラチン ……………… 265	電解液 ………………… 178	燃焼熱 ………………… 194
セルシウス度 ………… 213	電解質 ………………… 121	粘土 …………………… 270
ゼロ・ケルビン ……… 213	電荷のかたより ………… 76	濃硫酸 ………………… 119
セロハン …………… 257, 269	電気陰性度 ……… 39, 42, 81	
全圧 …………………… 219	電気泳動 ……………… 270	**ハ行**
遷移元素 …………… 23, 26	電気量 ………………… 184	配位結合 ………………… 55
族 ……………………… 21	典型元素 ………………… 26	白金 …………………… 111
疎水コロイド ………… 264	電子 ………… 9, 11, 32, 164	発熱 …………………… 194
組成式 …………………… 93	電子殻 …………………… 9	発熱反応 ……………… 200
	電子式 …… 16, 17, 48, 52, 61	ハロゲン ………………… 23
タ行	電子親和力 …………… 39, 42	ハロゲン化物イオン …… 186
体心 …………………… 108	電子配置図 ……………… 12	ハロゲン単体 ………… 186
体心立方格子 ………… 107	展性 …………………… 71	ハンダ ………………… 20
体積 …………………… 212	電池 ………………… 65, 172	半透膜 …………… 257, 269
代入法 …………… 202, 208	デンプン …………… 265, 269	半反応式 ……………… 166

反比例の関係 …………… 214	ヘクト …………………… 272	モル凝固点上昇 ………… 256
非共有電子対 ……………… 53	ヘクトパスカル ………… 272	モル濃度 …………… 120, 253
非金属 ……………… 38, 64, 67	ヘスの法則 ……………… 199	モル分率 ………………… 223
非金属元素 …………… 23, 45	ヘリウム …………… 36, 93	
非電解質 ………………… 121	ベンゼン ………………… 234	**ヤ行**
ビュレット ………… 138, 147	ヘンリーの法則 ………… 240	融解 ……………………… 66
秒 ………………………… 185	ボイル・シャルルの法則	融点 ……………………… 65
標準状態 …… 92, 94, 217, 274	………………… 212, 236	陽イオン …………… 55, 65
比例関係 …………… 94, 98	ボイルの法則 … 213, 231, 242	溶液 ………………… 118, 248
比例の関係 ……………… 214	放電 ……………………… 180	溶液の体積 ……………… 259
比例法 …………………… 99	飽和蒸気圧 ……………… 230	溶解 ……………………… 66
ファラデー ……………… 184	飽和水蒸気圧 …………… 230	溶解度 …………………… 124
ファラデー定数 ………… 184	飽和溶液 ………………… 124	溶解熱 …………………… 197
ファンデルワールス力 …… 73	ホールピペット …… 138, 147	陽極 ………………… 186, 270
フェノールフタレイン … 139	保護コロイド …………… 267	陽子 …………………… 8, 11
負極 ………… 172, 180, 186, 270	補助単位 ………………… 273	溶質 ……………………… 118
負コロイド ……………… 270	ホットコーヒー ………… 240	溶質の質量 ……………… 259
不対電子 ………………… 16	ボルタ電池 ……………… 172	溶質の物質量 …………… 259
フッ化水素 …………… 44, 87		溶質の分子量 …………… 259
フッ化ナトリウム ………… 60	**マ行**	ヨウ素 ……………… 22, 69, 73
物質 ……………………… 20	マイナスの電荷 ………… 9, 28	溶媒 ……………………… 118
物質量 ………………… 91, 91	豆電球 …………………… 65	
物質量比 ………………… 98	水 …… 20, 44, 52, 69, 77, 136	**ラ行**
沸点 ………………… 88, 250	水のイオン積 …………… 134	理想気体 …………… 216, 224
沸点上昇 ………………… 250	密度 ……………………… 116	硫化カリウム …………… 60
沸点上昇度 ……………… 250	未定係数法 ……………… 95	硫化水素 ………………… 84
沸騰 ……………………… 250	ミリ ……………………… 273	硫酸 …… 19, 58, 118, 132, 270
ブラウン運動 …………… 268	ミリメートルエイチジー	硫酸イオン ……………… 179
プラスの電荷 …………… 9, 28	………………… 212, 277	硫酸銅 …………………… 64
ブレンステッド ………… 130	無極性 …………………… 80	粒子 ……………………… 9
プロパン ………………… 201	無極性分子 ……………… 81	リン ……………………… 18, 93
分圧 ……………………… 219	メスフラスコ …………… 147	リン酸 ……………… 58, 270
分極 ……………………… 174	メタン …………… 82, 85, 194	リン酸イオン …………… 58
分子間力 …………… 73, 224	メチルオレンジ ………… 140	リン酸カルシウム ………… 58
分子結晶 …………… 67, 69, 73	面心立方格子 …………… 107	六方最密格子 …………… 107
分子量 ………………… 90, 93	メンデレーエフ ………… 21	六方最密構造 …………… 107
分数係数法 ……………… 95	モル ……………………… 91	
平方センチメートル …… 272	モル凝固点降下 ………… 255	

285

岡野雅司先生からの役立つアドバイス

化学は計算と暗記をバランスよく勉強しよう！

　化学は計算する分野と，理解して覚える分野とで，バランスよく成り立っています。覚えることが苦手な人は，計算分野でカバーし，逆に「覚えるのは得意だけど計算は苦手だ」という人は暗記で点を稼ぐということができます。

　「理論化学」「無機化学」「有機化学」のうち，理論化学が，いわゆる計算分野です。理論化学では，計算の対象となるものの量的な関係をつかむことがポイントになります。

　一方，無機化学，有機化学は比較的覚える内容が多い分野ですから，勉強した分だけ得点につながっていきます。

　これら3分野をバランスよく学習していくことが，化学で高得点をとるための秘訣といえるでしょう。

　私の授業では，化学が苦手な人でも充分理解できるように，基本を大切に，ていねいに説明しています。化学が得意な人は予習中心で（どんどん進んでも）いいのですが，初歩の人や苦手な人は，復習中心で学習していきましょう。

　無理のない理解で，最終的には入試化学の合格点以上のものを目指していきます。

理論化学は復習が大事！

　理論化学は計算分野ですので，気を抜くと，すぐに力が落ちてしまいます。継続的に練習しておくことが大切です。どれだけ正確に解けるかは，復習量がモノをいいます。量的な関係を理解し，化学の本質をつかむようにしましょう。

　無機化学，有機化学も，覚える内容を絞って，体系立てて，納得しながら覚えるようにします。覚える量をできるだけ少なくしたい人は，ぜひ岡野流を役立ててください。

　復習で問題を解くときは，ノートを見ながらではなく，自分の力だけで解くことが大切です。ノートを見て，何となくわかった気になっているだけではダメ。自分の力でスラスラできるくらいまでやりこみましょう。

　まんべんなく，好き嫌いなく復習をして自信をつけたら，過去問に取り組みます。その際，本番のつもりで時間を計りながら解いてください。間違ったところが自分の弱点ですから，今まで自分がやってきたもの（ノート，テキスト，参考書など）で再復習をするといいでしょう。

　入試では，とれて当たり前の問題を，確実にとれることが大切です。私といっしょに，最後までがんばっていきましょう！

カバー	●	一瀬錠二（アートオブノイズ）
カバー写真	●	有限会社写真館ウサミ
本文制作	●	株式会社リブロ
本文デザイン・イラスト	●	吉田博通（ワイワイ・デザインスタジオ）
編集協力	●	小池和英，岡野絵里

岡野の化学が
初歩からしっかり身につく
「理論化学①」

2013年5月15日　　初版　第1刷発行
2015年4月1日　　初版　第3刷発行

著　者　　岡野雅司
発行者　　片岡巌
発行所　　株式会社技術評論社
　　　　　東京都新宿区市谷左内町21-13
　　　　　電話　03-3513-6150　販売促進部
　　　　　　　　03-3267-2270　書籍編集部
印刷・製本　昭和情報プロセス株式会社

定価はカバーに表示してあります。

本書の一部または全部を著作権法の定める範囲を超え、無断で複写、複製、転載、テープ化、ファイル化することを禁じます。

©2013　岡野雅司

造本には細心の注意を払っておりますが、万一、乱丁（ページの乱れ）や落丁（ページの抜け）がございましたら、小社販売促進部までお送りください。送料小社負担にてお取り替えいたします。

ISBN978-4-7741-5631-6 C7043
Printed in Japan

●本書に関する最新情報は、技術評論社ホームページ (http://gihyo.jp/) をご覧ください。
●本書へのご意見、ご感想は、技術評論社ホームページ (http://gihyo.jp/) または以下の宛先へ書面にてお受けしております。電話でのお問い合わせにはお答えいたしかねますので、あらかじめご了承ください。

〒162-0846
東京都新宿区市谷左内町21-13
株式会社技術評論社書籍編集部
『岡野の化学が
初歩からしっかり身につく
「理論化学①」』係
FAX：03-3267-2271

最重要化学公式一覧

公式1　質量数＝陽子数＋中性子数　　　（陽子数＝原子番号）

公式2　$n = \dfrac{w}{M}$　　$\begin{pmatrix} n：原子または分子の物質量（mol）\quad w：質量（g）\\ M：原子または分子量（原子量を用いるときは単原子分子扱\\ いのもの，あるいは原子の物質量（mol）を求めたいとき） \end{pmatrix}$

　　　　　$n = \dfrac{V}{22.4}$　　$\begin{pmatrix} n：気体の物質量（mol）\\ V：標準状態における気体のL数 \end{pmatrix}$

　　　　　$n = \dfrac{a}{6.02 \times 10^{23}}$　　$\begin{pmatrix} n：原子または分子の物質量（mol）\\ a：原子または分子の個数 \end{pmatrix}$

公式3　質量パーセント濃度（％）＝ $\dfrac{溶質のg数}{溶液のg数} \times 100$

公式4　モル濃度（mol/L）＝ $\dfrac{溶質の物質量（mol）}{溶液のL数}$

　　　　　質量モル濃度（mol/kg）＝ $\dfrac{溶質の物質量（mol）}{溶媒のkg数}$

公式5　物質量（mol）×価数＝グラム当量数

価数	酸または塩基の価数	酸または塩基1molが電離したとき生じるH^+またはOH^-の物質量（mol）をいう。
	酸化剤または還元剤の価数	酸化剤または還元剤1molが受け取ったり，放出したりする電子の物質量（mol）をいう。

　　　　　化学反応は，それぞれの反応物質の等しいグラム当量数が結びついて過不足なく
　　　　　起こる（中和滴定，酸化還元滴定などに利用できる）。

公式6　$pH = -\log[H^+]$
　　　　　$[H^+]$は，水素イオン濃度を表し，単位はmol/Lである。

公式7　$[H^+] \times [OH^-] = 10^{-14}\,(mol/L)^2$

公式8　$pOH = -\log[OH^-]$
　　　　　$[OH^-]$は，水酸化物イオン濃度を表し，単位はmol/Lである。

公式9　$pH + pOH = 14$

公式10　$[H^+]$または$[OH^-] = CZ\alpha$　　$\begin{pmatrix} C：酸または塩基のモル濃度\\ Z：酸または塩基の価数\\ \alpha：電離度 \end{pmatrix}$

公式11　溶質の物質量（mol）＝ $\dfrac{CV}{1000}$（mol）　　$\begin{pmatrix} C：モル濃度\\ V：溶液のmL数 \end{pmatrix}$

公式12　電気量＝$i \times t$クーロン（C）　　（i：電流　アンペア　　t：秒）
　　　　　1ファラデー（F）＝96500（C）
　　　　　電気量＝$\dfrac{i \times t}{96500}$ファラデー（F）
　　　　　1（クーロン）＝1（アンペア）×1（秒）